Des Katers

Das Buch

Im österreichischen Plutzerkogel sollen gestresste Großstädter an der Akademie Sinnenschmaus lernen, dass
Nichtstun auch sehr schön sein kann. Ausgerechnet in dieser ländlichen Idylle, inmitten von blauen Seen und hohen
Berggipfeln, taucht jetzt ein Toter auf – sehr ungünstig fürs
Geschäft. Hobbydetektivin Pippa Bolle reist auf Wunsch
einer Freundin nach Österreich, um vor Ort undercover zu
ermitteln.

Zur Tarnung hütet sie das Haus des Kursleiters und kümmert sich um dessen Kater. Mit Hilfe von Katzen sollen die
Kursteilnehmer lernen, sich zu entspannen: Wer sie am
schnellsten zum Schnurren bringt, gewinnt. Und ausgerechnet ein Kater ist es dann auch, der Pippa Bolle auf eine heiße
Spur bringt …

Von den Autorinnen sind in unserem Hause bereits
erschienen:

Unter allen Beeten ist Ruh'
Dinner for one, murder for two
Tote Fische beißen nicht
Ins Gras gebissen
Tote trinken keinen Whisky
Des Katers Kern

Auerbach & Keller

Des Katers Kern

Ein neuer Fall für Pippa Bolle

List Taschenbuch

Besuchen Sie uns im Internet:
www.list-taschenbuch.de

Originalausgabe im List Taschenbuch
List ist ein Verlag der Ullstein Buchverlage GmbH, Berlin.
1. Auflage Juli 2016
2. Auflage 2016
© Ullstein Buchverlage GmbH, Berlin 2016
Umschlaggestaltung: bürosüd° GmbH, München
Titelabbildung: © Gerhard Glück
Satz: LVD GmbH, Berlin
Gesetzt aus der Sabon
Druck und Bindearbeiten: CPI books GmbH, Leck
Printed in Germany
ISBN 978-3-548-61161-7

*Für Margit,
unser schönstes Stück Österreich*

Personen

Pippa Bolle ... spielt mehr als eine Rolle

Karin Wittig ... schwinden schon mal die Sinne

Paul-Friedrich Seeger ... fällt aus der Rolle des Ehemanns

Akademie Sinnenschmaus

Frau Direktor Schliefsteiner ... braucht die Alm und kriegt sie auch

Tonio von Pauritz ... hat viele Gesichter und will doch nur das eine

Margit Unterweger ... würde gerne wieder backen

Karl Heinz Unterweger ... würde gerne weiter basteln

Martin Lenzbauer ... ist vom Schicksal gebeutelt und wird bedauert

Valentin Baumgartner ... kennt die passende Leibesübung für jeden Körper

Giorgio Gallastroni ... kennt den passenden Duft zu jedem Charakter

Heribert Achleitner ... leidet an der Profanität der Welt

Sigrid Sommerfeld ... beherrscht die Kunst des Streitens (und des Flirtens)

Stefan Kleindienst ... beherrscht die Kunst des Flirtens (und des Streitens)

Morris Tennant	… gräbt Entscheidendes aus
Sarah MacDonald	… fängt Entscheidendes ein
Beppo Sonnbichler	… ist bedient, wenn er nicht bedient

Kursteilnehmer

Jodokus Lamberti	… sucht ein Hobby und findet es auch
Ilsebill Lamberti	… bildet mit Jodokus ein unschlagbares Gespann
Bernhard Lipp	… wird vermisst (aber nicht von der Richtigen)
Oliver Mieglitz	… rätselt, warum er nur Zweiter ist
Amelia Dauber	… errät, warum sie Erste wurde
Falko Schumacher	… braucht Spannung für sich und seinen Laptop
Tobias Jauck	… weiß nicht, was er will
Livia Riegler	… weiß genau, was sie will
Ricarda Lehmann-Jauck	… will klare Verhältnisse
Karsten Knöller	… arrogante Schale, weicher Kern
Axel von Meinrad	… macht aus Mücken Elefanten
Belinda Schultze	… will doch nur den Besten für die Tochter
Waldemar Schultze	… ist entspannt, solange die Kalorien stimmen
Naomi Schultze	… steht auf Romantik, aber ohne rosarote Brille

Einheimische

Jasmin Lenzbauer	... ist nie da, aber allgegenwärtig
Nina Lenzbauer	... hat einen Schutzengel
Otto, der Kater	... ist dann mal weg
Renate Lipp	... lässt sich inszenieren
Lukas Lipp	... selige Unschuld
Thea Wolfgruber	... wohnt nebenan – und ganz nahe dran
Leopold »Poldi« Pommer	... betreibt ein Schlaraffenland für Schilcherfreunde
Maxi Frühwirt	... weiß, dass Klappern zum Handwerk gehört
Josefa Schliefsteiner	... besitzt eine Alm mit spektakulärer Kälberwiese
Jovan Glantschnig	... spielt das Lied der Freundschaft
Edmund »Eddi« Krois	... ist glücklich, wenn er buddeln kann
Aloisia Krois	... sorgt für Hygiene und konserviert Leben
Sonja Öttinger	... sitzt im Vorzimmer und ist loyal
Chefinspektor Fuchshofer	... ist eine Zierde für die österreichische Polizei

Prolog

Frau Direktor Schliefsteiner stand im ersten Stock der »Akademie Sinnenschmaus« am geöffneten Fenster ihres Büros und sah hinunter in den Innenhof. Die fünf Teilnehmer des Kurses »Befreiendes Malen« hatten Staffeleien aufgebaut und versuchten unter Anleitung des Dozenten Heribert Achleitner, eine Sitzgruppe aus Metallmöbeln auf ihre Leinwände zu bannen. Achleitner schritt von Staffelei zu Staffelei, korrigierte hier eine Schraffur, dort eine Pinselführung. Alles sah perfekt aus – es sei denn, man wusste, dass sich ursprünglich zwölf Teilnehmer angemeldet hatten.

Gertrude Schliefsteiner straffte sich und drehte sich dann zu ihrem Kurskoordinator Martin Lenzbauer um, der wie ein Häuflein Elend auf einem Stuhl vor ihrem Schreibtisch hockte. »Nein, Sie lassen mich nicht im Stich«, sagte sie, »Sie tun das einzig Richtige.«

Lenzbauer wollte gerade antworten, als Schliefsteiners Sekretär Tonio von Pauritz den Kopf zur Tür hereinsteckte. Er nickte dem Besucher seiner Chefin zu und vermeldete: »Frau Unterweger ist eingetroffen, Frau Direktor.«

Gertrude Schliefsteiner unterdrückte ein Schmunzeln. Stets um Einhaltung einer nur ihm wichtigen Etikette bedacht, blockierte ihr Vorzimmerherr die Tür zu ihrem Büro, um erst dann Eintritt zu gewähren, wenn Frau Direktor bitten ließ.

Nicht zum ersten Mal war er mit seiner Inszenierung bei Margit Unterweger an die Falsche geraten: Ohne eine weitere Einladung abzuwarten, drängte sie sich an ihm vorbei und ließ sich schwer atmend neben Lenzbauer auf einen Stuhl fallen.

»Habt ihr gesehen, was am Fenster unserer Akademieküche ...« Sie rang sichtlich um Fassung und fuhr sich durch die raspelkurzen feuerroten Haare. »So eine Unverschämtheit! Wenn ich herausfinde, wer das ...« Sie schlug mit der Faust auf den Tisch und fauchte: »Der lernt mich kennen!«

»Wieder ein Drohbrief?«, fragte Gertrude Schliefsteiner besorgt.

Margit Unterweger winkte ab. »Wenn es das nur wäre. Aber nein, das reicht nicht mehr, das kriegt ja die Öffentlichkeit nicht mit. *Salmonellen-Bäcker* steht an der Scheibe! Damit es auch bloß jeder sieht. Mit Sprühfarbe, riesengroß! In Knallrot! Karl Heinz hat fast der Schlag getroffen, als er es entdeckt hat.«

Während Gertrude Schliefsteiner auf diese Neuigkeit mit Sprachlosigkeit reagierte, fragte Lenzbauer: »Es geht ihm doch gut? Ich meine, weil Sie allein zur Besprechung gekommen sind.«

»Mein Mann versucht gerade, die verdammte Sprühfarbe von der Scheibe zu entfernen. Wir können das doch nicht stehenlassen, bis Aloisia zum Putzen kommt! Was sollen unsere Gäste denken?« Margit Unterweger wischte sich mit einem Taschentuch den Schweiß von der Stirn. »Wir haben einen Ruf zu verlieren!«

Tonio von Pauritz kam herein und legte einen Stapel Blätter auf den Schreibtisch seiner Chefin. »Weitere Absagen. Für die nächste Kurseinheit sieht es gar nicht gut aus, Frau Direktor.«

»Das habe ich befürchtet«, murmelte Gertrude Schliefsteiner. »Und bei alldem steht mir auch noch bevor, unserem geschätzten Herrn Achleitner mitzuteilen, dass sein bereits laufender Kurs *Therapeutisches Schreiben* ab morgen gestrichen wird. Mangels Teilnehmern.« Mit einem Anflug von Galgenhumor fügte sie hinzu: »Oder möchte mir das vielleicht einer der hier Anwesenden abnehmen?«

Sie sah die entsetzten Blicke der anderen nicht, da ein lautstarker Streit draußen ihre Aufmerksamkeit fesselte: Die zwei Dozenten des Flirtkurses durchquerten wild gestikulierend und debattierend den Innenhof. Während Frau Direktor Schliefsteiner das Schauspiel draußen beobachtete, atmete sie kontrolliert ein und aus, um eine äußere Ruhe zu demonstrieren, die sie innerlich nicht annähernd empfand.

Was war bloß los? Sigrid Sommerfeld und Stefan Kleindienst waren seit einiger Zeit wie Hund und Katz. Wie es den beiden dennoch gelang, ihren Kurs immer wieder durchzuführen, stellte nicht nur die Direktorin, sondern das gesamte Kollegium der Akademie vor ein Rätsel. Jetzt stürmten sie, ohne etwas um sich herum wahrzunehmen, zwischen den Staffeleien des Malkurses hindurch und stritten wie üblich über die Inhalte ihres laufenden Lehrgangs. Immerhin: Für die Flirtkurse hatte es bisher nicht eine einzige Absage gegeben. Unter den derzeitigen Umständen ein echter Segen.

Die Frau Direktor sah das Unheil nahen, aber bevor sie eine Warnung in den Hof hinunterrufen konnte, war es bereits geschehen: Stefan Kleindienst stieß an die Staffelei des Kunstdozenten, und die Leinwand fiel mit der bemalten Seite in den Staub. Dabei bemerkte Kleindienst, ganz auf Sigrid Sommerfeld konzentriert, sein Missgeschick nicht einmal. Ohne sich auch nur umzudrehen, geschweige denn sich zu entschuldigen, rannte er weiter neben seiner Kontrahentin her.

Achleitner blickte seinem Kollegen fassungslos nach und sah dann anklagend zu den Fenstern des Direktorenbüros hinauf. Gertrude Schliefsteiner unterdrückte den Impuls, sich wegzuducken, als sein Blick sie traf. Sie ahnte, was später passieren würde: Ihr stand nicht nur ein ausufernder Beschwerdemonolog des Herrn Kunstdozenten über respektvollen Umgang unter Kollegen bevor, Achleitner würde auch verlangen, Kleindienst von höchster Stelle zu einer Entschuldigung zu zwingen.

Dabei würde Achleitner mit waidwundem Blick vor ihr stehen und stundenlang mit leiser Stimme sein Dasein als verkannter Künstler beklagen – ein Vortrag, den nicht nur in der Akademie, sondern auch in ganz Plutzerkogel jeder auswendig kannte.

Zudem würde ihr das Ganze eine diplomatische Meisterleistung abverlangen, denn Kleindienst würde die Entschuldigung in seiner gewohnt lockeren Art und Weise vorbringen und Achleitner sich nicht genug gewürdigt sehen. Ein zusätzlicher Kriegsschauplatz, der sich zu den existentiellen Problemen der Akademie Sinnenschmaus gesellte, die derzeit an ihren Nerven zerrten.

»Ich weiß nicht, wie viele Hiobsbotschaften wir noch aushalten können«, sagte sie und setzte sich an ihren Schreibtisch.

Als die Direktorin die betroffenen Mienen der Besucher sah, bereute sie ihre unkluge Wortwahl. Ihre Mitarbeiter erwarteten Zuversicht von ihr, nicht Mutlosigkeit. Sie richtete sich auf in der Hoffnung, Souveränität und Optimismus auszustrahlen. »Aber wir werden schon eine Lösung für unser Problem finden. Wir brauchen einen Plan.«

»Ich habe wieder einen dieser Briefe bekommen«, murmelte Lenzbauer. Er zog ein zusammengefaltetes Blatt aus der Jackentasche und schob es in die Tischmitte.

Niemand griff danach. Sowohl die Frau Direktor als auch Margit Unterweger sahen das Papier an, als könnte es jeden Moment explodieren.

»Sie erlauben?« Tonio von Pauritz wartete die Antwort nicht ab, sondern schnappte sich das Papier, entfaltete es und las vor: »*Die Akademie Sinnengraus gehört geschlossen. Werd endlich klug und such Dir eine andere Arbeit, Lenzbauer, dann wirst Du verschont. Wenn nicht, dann ... Dazu ein guter Rat: keine Polizei! Einer, der es – noch! – gut mit Dir meint.*«

Der elegant gekleidete Sekretär legte das Blatt auf den Tisch zurück. »Unterzeichnet mit einem dieser seltsamen Schnörkel, Frau Direktor. Wie immer.«

Der Brief sah aus, wie alle bisherigen Drohbriefe ausgesehen hatten: ein Computerausdruck in neutraler Schrift, darunter ein mit der Hand gezeichnetes Symbol aus ineinander verschlungenen Linien, das einem stilisierten Knoten glich.

»*Sinnengraus* ...«, murmelte die Frau Direktor geistesabwesend. »Ist noch jemandem außer mir nach einem Schnaps? Herr Tonio, wären Sie so nett ...«

»Abakus oder Zirberl?«

»Ganz gleich. Hauptsache, von der Alm.«

Der Sekretär flitzte ins Vorzimmer und kehrte Sekunden später mit einem Tablett zurück. Aus einer schmalen, hohen Flasche füllte er drei Schnapsgläser, die von den anderen am Tisch nach einem knappen »Wohl sein!« auf ex geleert wurden.

»Eine Schande, diesen Zirbengeist einfach nur wegzukippen«, sagte Margit Unterweger, »aber definitiv beruhigend. Gertrude, was sollen wir nur tun? Diese Drohbriefe, die Schmiererei an unserem Fenster, so viele Absagen ...« Sie schüttelte den Kopf. »Ich verstehe noch immer nicht, warum die Teilnehmer meines Backkurses krank geworden sind. Der Gedanke, schuld an dieser Misere zu sein ...«

Gertrude Schliefsteiner unterbrach sie mit einer Handbewegung. »Das ist Unsinn, Margit. Niemanden trifft eine

Schuld. Karl Heinz, du und ich haben in unserem schönen Plutzerkogel die Akademie Sinnenschmaus gegründet, um Gelassenheit zu lehren und gestressten Menschen ein Refugium der Ruhe zu bieten. Auf diese Gelassenheit sollten wir uns besinnen.« Sie lächelte. »Wir sind erfolgreich, das ruft Neider auf den Plan. Und du weißt: Neid muss man sich schwer verdienen.«

Aber ihre Geschäftspartnerin schaffte es nicht, das Lächeln zu erwidern. Ernst erklärte Margit: »Karl Heinz und ich sind uns einig: Wir bieten dir an, dass wir uns aus der Akademie zurückziehen. Dieser alptraumhafte Backkurs im letzten Lehrgang hat unserer Reputation schwer geschadet, das kannst du nicht leugnen. Du kennst die Vorwürfe, und seit heute Morgen kann es jeder groß und deutlich an unserem Fenster lesen. Hier steht nicht nur unsere Existenz, sondern auch die aller anderen Kursleiter auf dem Spiel. Karl Heinz und ich sind bereit, die Verantwortung zu übernehmen. Bestimmt renkt sich alles wieder ein, wenn wir die Akademie verlassen haben.«

»Ihr werdet nichts dergleichen tun!«, rief Gertrude Schliefsteiner und winkte ihrem Sekretär, nachzuschenken. Sie leerte das Glas erneut und fuhr fort: »Wir sind Freunde, und wir stellen uns dem Gegenwind gemeinsam. Gerade weil wir Verantwortung für unsere Mitarbeiter tragen. Wir müssen uns für nichts schämen. Denkst du etwa, ich glaube diese haltlosen Anschuldigungen gegen dich? Du solltest mich besser kennen.«

»Und ausgerechnet jetzt ersuche ich Sie um vier Wochen Urlaub«, sagte Lenzbauer zerknirscht. »Das muss doch wirken, als würden die Ratten das sinkende Schiff verlassen. Ich habe ein schlechtes Gewissen, Frau Direktor.«

Gertrude Schliefsteiner hob abwehrend die Hand. »Ich habe es bereits deutlich gesagt, aber ich wiederhole mich gerne: Sie begleiten Ihre Tochter in die Reha, das arme kleine Würmchen. Eine Dreijährige sollte nicht ohne ihren Vater sein, nicht nach einem solchen Unfall. Sie sind alleinerziehend, und Sie erfüllen Ihre Vaterpflichten vorbildlich. Darauf dürfen Sie stolz sein. Und bis zum Antritt der Reha besuchen Sie Nina weiterhin täglich im Spital, das ist ein Befehl.«

»Aber meine Aufgaben hier ... gerade jetzt ...« Lenzbauer sah von der Frau Direktor zu Margit Unterweger. »Immerhin bin ich Ihr Kurskoordinator, der Ansprechpartner für die Teilnehmer. Wer soll sich denn um die Erstellung der individuellen Kurspläne kümmern, wenn ich nicht da bin?«

»Das kann Ihr Kollege Achleitner übernehmen«, bestimmte Gertrude Schliefsteiner rigoros. Sie schnappte den zweifelnden Blick ihres Gegenübers auf und lächelte beruhigend. »Die neue Aufgabe als Kurskoordinator und das Zustandekommen seines geliebten Malkurses und der Dichterwerkstatt werden ihn für die ausgefallene Kurseinheit angemessen entschädigen. Und nicht zuletzt auch herausfordern. Umso mehr wird er im Herbst seinen Nordseeurlaub genießen können, um dort einmal mehr das inspirierende Licht über dem Meer ausgiebig auf Leinwand zu bannen.«

Das Faxgerät im Nebenraum piepste. Tonio von Pauritz ging hinüber und kehrte mit einem Schreiben in der Hand zurück.

»Drei Absagen«, sagte er. »Für Ihren Backkurs, Frau Unterweger, tut mir leid. Es sind wieder Teilnehmer aus der näheren Umgebung, die abspringen. Damit steht fest: Ihr Kurs kommt auch beim nächsten Termin nicht zustande, wegen Unterbelegung.«

Gertrude Schliefsteiner erhob sich, schob ihren Sekretär aus dem Raum und schloss die Tür. Dann drehte sie sich wieder zu Lenzbauer und Margit Unterweger um. »Wir müssen etwas unternehmen. Von den anreisenden Urlaubern allein können wir nicht leben. Ihr wisst selbst: Kurse mit drei oder vier Teilnehmern rechnen sich nicht. Die Leute aus Plutzerkogel, Deutschlandsberg und Umgebung sind die Basis unserer Arbeit. Wenn sich hier Gerüchte verbreiten, die zu immer weiteren Stornierungen führen ... das könnte Kreise ziehen, und das würde uns bald das Genick brechen. Es reicht nicht, die Situation auszusitzen und zu hoffen, dass sie sich irgendwann wieder bessert. Ich finde, wir sollten in die Offensive gehen: Wir schalten die Polizei ein.«

»Die Polizei, Frau Direktor?«, rief Lenzbauer und deutete auf den Brief in der Tischmitte. »Aber in sämtlichen Briefen steht: keine Polizei! Das ist eine eindeutige Warnung. An die sollten wir uns halten. Wir bringen uns sonst nur unnötig in Gefahr!«

»Ich kann mir einfach nicht vorstellen, dass der Schreiber dieser Briefe wirklich ... *gefährlich* ist«, sagte Margit Unterweger langsam. »Neider wenden keine Gewalt an, die wollen verunsichern, verwirren, uns aus ihrem – beziehungsweise unserem – Bereich vertreiben.«

Gertrude Schliefsteiner verschränkte die Arme vor der Brust. »Du magst recht haben, Margit. Dennoch dürfen wir uns das nicht kampflos gefallen lassen. Ich will wissen, wer hinter diesen widerlichen Briefen steckt. Das ist Rufmord, das gehört vor Gericht.«

»Gibt es denn keine andere Möglichkeit? Man muss sich doch nur anschauen, was meiner kleinen Nina passiert ist, und schon scheidet die Polizei als Ansprechpartner aus.« Lenzbauer sah flehentlich zwischen den beiden Frauen hin und her.

»Wir könnten einen Privatdetektiv engagieren!«, schlug die Direktorin vor.

»Der dann einen Tagessatz verlangt, der uns endgültig in den Ruin treibt?« Margit schüttelte den Kopf. »Das können wir uns leider nicht leisten, Gertrude.«

»Es sei denn, er dürfte in Ihrem Haus wohnen, Herr Lenzbauer, solange Sie nicht in Plutzerkogel sind«, erwiderte die Direktorin. »Dann hätten wir wenigstens die Kosten für die Unterkunft gespart. Der Mann könnte vier ganze Wochen lang hier ermitteln und gleichzeitig Ihr Haus hüten.«

Die Miene ihres Kurskoordinators sprach Bände: Er war vom Vorschlag der Direktorin alles andere als überzeugt. »Also, ich weiß nicht, so eine fremde Person im Haus …«

»Haushüten«, sagte Margit Unterweger, und ihre Stimme klang plötzlich zuversichtlich, »das bringt mich auf eine Idee. Ich weiß, was wir tun.«

Gertrude Schliefsteiner und Martin Lenzbauer sahen sie fragend an.

»Wir brauchen weder die Polizei noch einen teuren Privatdetektiv.« Margit Unterweger rieb sich gutgelaunt die Hände. »Alles, was wir brauchen, ist Pippa Bolle.«

🐱 *Kapitel 1* 🐱

S pionieren? Aushorchen?« Pippa Bolle sah Margit Unterweger entgeistert an. »Deine eigenen Kollegen? Deine Nachbarn? Deine Freunde?«

»Ich verstehe, dass dich unser Auftrag beunruhigt. Wir engagieren dich weder als Haushüterin noch als Übersetzerin. Du sollst für uns nicht mehr und nicht weniger tun, als einem schmierigen Erpresser das Handwerk zu legen. Wir wollen dich als Detektivin.« Margit Unterweger nickte, als wollte sie ihrem letzten Satz zusätzlichen Nachdruck verleihen. Da Pippa nicht antwortete, fügte sie hinzu: »Ich weiß, das entspricht nicht deinen normalen Aufträgen. Wir verlangen viel von dir. Aber du kannst das. Du hast es mehr als einmal bewiesen.«

Die beiden Frauen saßen im Hinterhof der Transvaalstraße 55 im Berliner Wedding. In Pippas Wohnung im dritten Stock des Hinterhauses war es an diesem Julitag nicht auszuhalten. Kein Windhauch ging, und die Hitze staute sich in jedem Winkel ihres kleinen Büros. Da offene Fenster die Luft noch stickiger machten, hatte Pippa sich mit ihrer Besucherin in den Hinterhof geflüchtet. Das Blätterdach der mächtigen Kastanie in dem von den Seitenflügeln, Vorder- und Hinterhaus gebildeten Karree spendete willkommenen Schatten; trotzdem kämpfte Margit Unterweger mit Hilfe eines Fächers und der von Pippas Mutter Effie zubereiteten Zitronenlimonade gegen die Hitze an.

Aus den geöffneten Fenstern der umliegenden Wohnungen drangen die vertrauten Geräusche der Bewohner: Die Kasulke-Schwestern im Dritten hörten Schlagermusik und sangen fröhlich mit, während sie für ihre Kundinnen schneiderten, die Schauspielschülerinnen in der Wohnung darunter machten Sprechübungen, im Hochparterre, wo Fatma Abakay und ihre Mutter das Mittagessen zubereiteten, klapperten die Töpfe. Der Staubsauger bei den Wittigs im zweiten Stock, der während der letzten halben Stunde gebrummt hatte, wurde soeben abgeschaltet. Als Pippa zur Wohnung hinaufsah, stellte ihre Freundin Karin gerade einen Eimer aufs Fensterbrett und wies Tochter Lisa an, die Scheiben zu putzen. Die beugte sich weit aus dem Fenster und rief: »Das ist Kinderarbeit, Tante Pippa! Unter unzumutbaren Klimabedingungen!«

Ihre Mutter hatte Pippa und ihren Gast ebenfalls entdeckt und winkte. »Herzlich willkommen, Frau Unterweger! Sie haben mit diesem Wetter ein großartiges Souvenir aus der Steiermark mitgebracht! Darf ich mich mit frischem Obstsalat revanchieren? Mit ganz viel Schlagsahne?«

»Obstsalat, großartig!« Pippa machte eine einladende Handbewegung. »Bring die größte Schüssel und leiste uns Gesellschaft.«

»Schön ist es hier«, sagte Margit Unterweger. »Ich hatte es mir ganz anders vorgestellt. Viel unpersönlicher. Ich dachte, in diesen großen Mietshäusern mit zig Wohnungen kennt kein Nachbar den anderen, aber ihr wirkt eher wie eine große Familie.«

»Daran hat meine Mutter großen Anteil. Sie wollte eine Atmosphäre wie in Hideaway, dem englischen Dorf, aus dem sie stammt. Deshalb organisiert sie regelmäßig Treffen der Hausgemeinschaft. Picknicks, Geburtstagsfeiern, gemeinsame Ausflüge ... Sie hat es geschafft, dass wir viel zusammen unternehmen«, erklärte Pippa. »Wir achten aufeinander. Mit allen Vor- und Nachteilen, die das hat. Übrigens stammt das Kleid, das ich auf Anitas Hochzeit getragen habe, aus dem hauseigenen Atelier der Kasulkes. Das sind die beiden Damen, die gerade italienische Gassenhauer singen.«

»Trotzdem wäret echt juut, wenn die beeden ooch mal wat anderet trällern. Nischt als *Volare* und de *Caprifischer,* det hält ja keener aus«, mischte sich ein älterer Herr ins Gespräch. Dann verbeugte er sich galant vor Margit und warf Pippa einen auffordernden Blick zu. »Ick würd die Dame jerne bejrüßen, Pippa. Willste ma nich vorstellen?«

Pippa grinste innerlich. Der notorisch neugierige Rentner, der seit Urzeiten im ersten Stock des Seitenflügels wohnte, hatte sich während der letzten Viertelstunde betont unauffällig an sie herangearbeitet: Zuerst hatte er den blitzsauberen Hinterhof am entgegengesetzten Ende gefegt und sie keines Blickes gewürdigt, dann war er Meter um Meter näher gekommen, bis er endlich neben ihnen stand.

»Margit, das ist mein Nachbar Ede Glasbrenner«, sagte Pippa ergeben. Sie wusste, der alte Mann würde nicht weichen, bis er seinen Willen bekam. »Ede, das ist Margit Unterweger aus Deutschlandsberg in der schönen Weststeiermark. Ich habe sie im letzten November in Schottland kennengelernt, auf der Hochzeit von Anita und Duncan.«

»Jnädje Frau, habe die Ehre! Aber jewaltich.« Glasbrenner schnappte sich Margits Hand und schmatzte einen Kuss darauf.

Margit trug es mit Fassung. »Ein Kavalier alter Schule. Wie angenehm.«

»Bei 'ne schöne Frau wie Sie …« Ede Glasbrenner straffte die Schultern und setzte mit glänzenden Augen zu weiterer Komplimenten an.

Wie auch jeder andere, der je mit ihm geredet hatte,

22

kannte Pippa seine Vorliebe für Frauen mit barocken Formen. Rasch stoppte sie ihn mit einer Handbewegung, bevor er Hymnen auf Margits Rundungen dichten und damit jedes andere Gespräch zum Erliegen bringen konnte. »Ede, wenn du uns bitte entschuldigst«, sagte sie streng, »Margit und ich haben etwas zu besprechen.«

»Ick jeh ja schon.« Der Rentner warf Margit einen feurigen Blick zu. »Aba wir sehen uns noch, Jnädigste.«

»Was Ede sich vornimmt, kann nicht mal Gott verhindern«, murmelte Pippa und sah Glasbrenner misstrauisch nach. Er marschierte eilig auf Gencal zu, den jüngsten Sohn der Abakays, der gerade in den Hof kam.

Margit kicherte. »Langweilig ist es hier jedenfalls nicht.« Dann wurde sie ernst und fuhr fort: »In Plutzerkogel leider auch nicht. Und genau deshalb brauchen wir dringend einen objektiven Blick auf die Vorkommnisse. Und deine unkonventionelle Art der Hilfe, Pippa.«

»Wie die aussehen soll, hast du mir gesagt. Aber nicht, wieso es so dringend ist«, erwiderte Pippa.

»Alles fing vor ein paar Wochen an«, begann Margit, »als auf einmal sämtliche Teilnehmer meines Backkurses erkrankten. Magen- und Darmprobleme, alle mussten sich übergeben. Und nicht nur das.« Bei der Erinnerung daran fächelte Margit sich hektisch Luft zu. Es regte sie sichtlich auf, darüber zu sprechen. »Einige mussten sogar ins Spital, so schlecht ging es ihnen. Natürlich konnte der Kurs nicht weitergeführt werden.«

»Aber das kann doch vorkommen, oder? Jemand schleppt einen Virus ein, steckt die anderen an … Gerade gegen diese Art von Erkrankung kann man sich kaum schützen. Da reicht auch kein ständiges Händewaschen. Eine Gruppe kann sich schnell untereinander infizieren.«

»Das stimmt. Aber jemand brachte das Gerücht in Umlauf, ich hätte verdorbene Lebensmittel benutzt. Anonyme Briefe tauchten auf, verschickt an frühere und neue Kursteilnehmer. Die Rede war von alten Eiern, Mehlwürmern und unsachgemäß gelagerten Lebensmitteln. Es hieß, wir würden uns an den hohen Kursgebühren bereichern, aber nichts davon für hochwertige Materialien ausgeben. Aus Gewinnsucht würden wir die Gesundheit unserer Kursteilnehmer riskieren.«

Margit griff nach dem Krug, schenkte sich Limonade nach und leerte ihr Glas in langen Zügen. Pippa schwieg und ließ ihr die Pause, damit die Steirerin sich sammeln und weitererzählen konnte.

»Das hat Karl Heinz und mich sehr getroffen«, sagte Margit schließlich. »Plötzlich wirst du von allen schief angesehen, es gibt Gerede ... Die gesamte Akademie leidet unter den Anschuldigungen. Leute, die Kurse gebucht haben, sagen ab. Dadurch kommen viele Lehrgänge nicht zustande, und wir müssen Teilnahmegebühren zurückerstatten. Das ist ein finanzielles Desaster für uns, denn die Dozenten müssen weiterbezahlt werden, und wir haben Stornokosten für Unterkünfte außerhalb des eigenen Hauses. Es ist eigentlich Hochsaison – aber wir machen Verlust.«

»Es gingen auch Briefe an Gäste, die noch gar nicht in der Akademie eingetroffen waren?«, fragte Pippa und runzelte die Stirn. »Um neue Kursteilnehmer zu informieren, müsste der Absender aber Zugang zu euren Daten haben, oder nicht? Das kann doch nur bedeuten, dass jemand aus der Akademie ...«

»Das wäre eine Möglichkeit. Und eine, vor der mir besonders graut.« Margit verzog den Mund. »Allerdings: Sehr viele unserer Kunden kommen aus der nahen Umgebung oder aus Deutschlandsberg selbst. Besonders für meine Backkurse gibt es ...« Sie stockte und fuhr fort: »*Gab* es Wartelisten. Selbst der Kurs, in dem wir Festtagsschmuck aus Salzteig herstellen, leidet darunter. Ich hoffe, dass es ab Herbst wieder besser wird. Immerhin kann sich damit niemand vergiften.«

Pippa hatte Beispiele von Margits Kunst aus Salzteig in Schottland bewundern dürfen: reichverzierter, filigraner Christbaumschmuck wie Engel, Schneeflocken und Weihnachtsmänner. Eigens für ihren Schwiegersohn Duncan hatte Margit kleine Whiskyfässer und Dudelsäcke angefertigt, die sie mit Zuckerguss im Tartankaro seines Clans gestaltete.

»Und da man für einen ordentlich geschmückten Christbaum gut und gerne dreißig deiner wunderschönen Engel benötigt, gibt es sicher viele Interessierte in der Umgebung, die lernen wollen, wie man diese himmlischen Heerscharen herstellt«, konstatierte Pippa.

Margit lächelte stolz. »Nicht nur Christbaumschmuck, auch Österliches oder Herbstliches zu Erntedank, Geburtstagsgeschenke aller Art, Hochzeitsdekorationen oder Lieblingstiere sind im Angebot. Bei den Herren stehen Sportwagen hoch im Kurs, die sie sich in der Realität nie leisten könnten.« Erneut verdüsterte sich ihr Gesicht. »Standen. Momentan Vergangenheitsform. Wie ich schon sagte: Durch den Skandal um den Backkurs hat sich auch die Warteliste für das Salzteig-Angebot in Luft aufgelöst. Ich kann hier bei dir sitzen, weil es meine Kurse faktisch nicht mehr gibt. Die Existenz der Akademie steht auf dem Spiel.«

Die beiden Frauen zuckten erschrocken zusammen, als etwas Kleines, Dunkles in rasender Geschwindigkeit zwischen ihnen hindurchsauste und dann wieder zurückschnellte.

Pippa fuhr herum. Ungefähr zwei Meter entfernt stand Gencal Abakay und starrte sie schuldbewusst an. Von der Hand des Achtjährigen baumelte ein Jo-Jo.

»Passiert mir nicht noch mal, Pippa«, flüsterte der Junge verlegen. »'tschuldigung.«

»Fehlt gerade noch, dass wir dein Jo-Jo an den Kopf bekommen, mein Lieber«, sagte Pippa. »Könntest du bitte dort drüben spielen?«

»Mach ich!« Gencal ging zögerlich wenige Meter zur Seite und ließ sein Jo-Jo geschickt auf und ab hüpfen. Dabei schielte er aber weiter zu den beiden Frauen herüber.

»Von dort aus kann er uns wenigstens nicht treffen, so weit reicht die Schnur nicht.« Pippa wandte sich wieder Margit zu. »In den Briefen wird den Empfängern empfohlen, die Akademie zu meiden, damit ihnen kein Unglück passiert, sagst du?«

Margit zog ein paar Bogen Papier aus ihrer Handtasche und übergab sie Pippa. »Lies selbst. Diese anonymen Schreiben haben verschiedene Dozenten und einige Gäste bekommen. Sehr unerfreulich, wenn du mich fragst.«

Pippa las aufmerksam und nickte dann. »Anonyme Botschaften sind eines, aber diese Briefe enthalten ja regelrechte Drohungen. *Pass auf, mit wem Du Dich in diesem Kurs einlässt … bleib zu Hause, sonst findest Du Deine Wohnung anders vor als bei Deiner Abreise … diese Warnung solltest Du beherzigen, wenn Dir Dein Leben lieb ist …*«

»Erst glaubten wir, die Warnungen bezögen sich nur auf die Gefahren, denen die Teilnehmer angeblich in der Akademie ausgesetzt sind. Aber bei genauerem Hinsehen …« Margit stockte, als fiele ihr das Weiterreden schwer.

»Du redest von konkreten Drohungen gegenüber einzelnen Empfängern?« Pippa sah Margit forschend an. »Gab es denn schon Vorfälle außer den mysteriösen Magenverstimmungen?«

»Leider«, sagte Margit Unterweger mit unglücklichem Gesicht. »Die dreijährige Tochter unseres Kurskoordinators

Martin Lenzbauer ist aus einem Fenster im ersten Stock der Akademie gefallen. Dort ist unser Spielzimmer. Da die Kinder sich auch außerhalb der Betreuungszeiten dort aufhalten dürfen, haben die Fenster Griffschlösser, die nur entriegelt werden, um die darunterliegende Markise zu reinigen. Oder wenn gelüftet wird. Von uns Erwachsenen. Normalerweise.«

Entsetzt griff Pippa sich an den Hals. »Du liebe Güte – ein kleines Mädchen? Ist sie schwer verletzt?«

Margit seufzte. »Uns – und ihr – reicht es. Sie fiel auf die ausgerollte Markise unseres Cafés und von dort auf das dicke Polster einer Sonnenliege. Sie hat einen komplizierten Beinbruch erlitten, der in einer Kur ausheilen soll.«

»Aber irgendjemand muss das Fenster offen gelassen haben …«

»Dieser Jemand hat sich jedenfalls bisher nicht getraut, seinen Fehler zuzugeben«, sagte Margit. »Außerdem hat ausgerechnet Lenzbauer den Brief erhalten, in dem stand, er wolle bestimmt nicht, dass noch mehr Menschen zu Schaden kommen. Natürlich hat er das eins zu eins auf den Unfall seiner Tochter bezogen.«

»Kann ich ihm nicht verdenken«, murmelte Pippa nachdenklich. Sie nahm Margits Hand. »Ich bin nicht die richtige Ansprechpartnerin. Da müssen Profis ran. Ihr solltet die Polizei einschalten.«

»Und riskieren, dass noch jemand verunglückt? Darüber würde ich gerne erst mit deinem Bruder reden. Freddy ist doch Polizist. Und hier sind wir weit genug weg von Plutzerkogel, dass niemand dort erfahren wird, wenn ich ihn um Rat frage.«

»Mein Herr Bruder ist nur leider noch weiter weg, als du glaubst«, sagte Pippa, »nämlich bei seiner Freundin Dorcas in Schottland. Und genau da will ich in ein paar Tagen ebenfalls hin.«

»Du willst Dorcas besuchen?« Margit lächelte wissend.

Pippa erwiderte das Lächeln. »Du weißt ganz genau, zu wem ich will.«

Margit hatte im letzten Winter miterlebt, wie sich Morris Tennant und Pippa anlässlich der Hochzeit von Duncan und Anita auf Kintyre begegnet waren. Der Historiker verbrachte ein Sabbatjahr auf der Halbinsel, um über Einflüsse keltischer Mönche auf die Besiedlung zu forschen. Inzwischen hatte Morris Pippa bereits zweimal in Berlin besucht, weil sie sich wegen der Verpflichtungen für ihre Haushüteragentur nicht hatte freimachen können. Ihr Gegenbesuch war seit Wochen geplant, und sie konnte es kaum noch erwarten, ihren Freund wiederzusehen. Die Möglichkeiten, die das Internet bot, waren nur ein unvollkommener Ersatz für gemeinsam verbrachte Zeit.

»Wenn du dich überreden lässt, deine Reise zu verschieben und uns zu helfen, lasse ich dich anschließend auf unsere Kosten von Graz nach Schottland fliegen«, sagte Margit und sah Pippa flehend an. »So wahr ich selbst an Höhen- und Flugangst leide!«

»Du fährst ja schwere Geschütze auf. Da kann ich ja kaum noch nein sagen.« Pippas Vorbehalte gerieten angesichts der Verzweiflung ihrer Besucherin ins Wanken. »Wie stellst du dir meinen Einsatz denn vor?«, fragte sie.

Margit Unterweger war sofort in ihrem Element. »Du reist als ganz normale Kursbesucherin an. Martin Lenzbauer begleitet seine Tochter in die Reha, in der Zeit stellt er dir sein Haus zur Verfügung. Es wirkt dann ganz so, als würdest du dort lediglich das Haus hüten, seine Blumen gießen, die Post aus dem Kasten holen und den Kater seiner Tochter betreuen. Haushüterdienste gegen freie Kurswahl: Das ist eine großartige Tarnung. Dass du dabei die eine oder andere Frage stellst, wird niemandem auffallen.«

»Ich eigne mich nicht als Spionin. Dafür habe ich zu viele Skrupel.«

»Pippa soll das Gleiche machen wie ich für dich, Opa Ede!«, schrie Gencal plötzlich direkt hinter Pippa quer über den Hof. »Als Spion arbeiten! Aber sie kann nicht. Sie hat *Krupel*!«

Der Junge stellte sich neben Margit und sagte mit verschwörerisch gesenkter Stimme zu ihr: »Du musst Pippa Geld geben!« Er kramte ein paar Münzen aus der Hosentasche. »Hier – die hab ich von Opa Ede. Weil ich sein Spion bin.«

»Ede Glasbrenner!«, rief Pippa dem alten Mann hinterher, der sich eilig vom Hinterhof zu schleichen versuchte. »Wie kannst du es wagen, ein Kind anzustiften, uns zu belauschen?«

Der Rentner zuckte verlegen mit den Schultern und verschwand ins Haus, nicht ohne Karin die Hoftür aufgehalten zu haben. Sie trug ein Tablett mit einer Schüssel Obstsalat und Dessertschalen.

»Das dürft ihr ihm nicht übelnehmen«, sagte Karin und stellte ihre Last auf dem Tisch ab. »Er hat im Auftrag der Hausgemeinschaft gehandelt.« Sie setzte sich zu den beiden Frauen und verteilte Obstsalat. »Also: Wofür wird jemand benötigt, der keine Skrupel hat? Ich bin seit drei Wochen ohne Arbeit und habe gerade jede Menge Zeit.«

»Wenn deine Freundin mitmachen will – umso besser«, flüsterte Margit Pippa zu. »Vier Augen sehen mehr als zwei, vier Ohren hören das Doppelte. Karin könnte wunderbar die Kurse besuchen, die parallel zu deinen stattfinden.«

Pippa schüttelte unwillkürlich den Kopf, erklärte Karin aber dennoch, worum es ging.

Ihre Freundin war sofort Feuer und Flamme. »Ich bin dabei!«, sagte sie und sah Pippa begeistert an. »Unser erstes gemeinsames Abenteuer seit Schreberwerder, und das ist bereits drei Jahre her! Wir gegen den großen bösen Unbekannten.«

»Aber weil wir nicht wissen, *wie* groß und *wie* böse der Unbekannte ist, stelle ich eine Bedingung.« Pippa wartete nicht auf eventuellen Protest, sondern sagte mit einer Stimme, die keinen Widerspruch duldete: »Wir holen uns professionelle Unterstützung. Die Suche nach einem Erpresser gehört in kompetente Hände. In die eines erstklassigen Kommissars. Eines Kriminalhauptkommissars a.D., um genau zu sein. Wenn Paul-Friedrich Seeger ebenfalls zusagt, bin ich dabei.« Pippa zückte ihr Handy und wählte eine Nummer. Sie sah die beiden anderen an und grinste. »Der Erpresser mag sich für clever halten. Aber wen Seeger jagt, der lernt das Fürchten.«

🐱 Kapitel 2 🐱

»Verdammt, wo bleibt der Mann?«

Mit einem Fuß stand Pippa in der Zugtür, mit dem anderen auf dem Bahnsteig des Braunschweiger Hauptbahnhofs. In einer Minute würde die Fahrt weitergehen, aber von Exkommissar Seeger fehlte noch jede Spur. Erst als sich der Bahnsteig nach und nach leerte, sah sie ihn: Er eilte am Zug entlang, den Blick konzentriert auf die getönten Fensterscheiben gerichtet.

»Bahnsteig 6, bitte einsteigen und Türen schließen«, quäkte es aus dem Lautsprecher. »Der ICE 597, Abfahrt planmäßig um 10.58 Uhr, fährt weiter über Hildesheim, Göttingen ...«

»Herr Seeger! Hier!«, schrie sie, so laut sie konnte, und winkte zusätzlich mit ihrem Halstuch.

Endlich entdeckte er sie. Mit hochrotem Kopf hetzte Paul-Friedrich Seeger am Zug entlang, einen uralten Koffer mit Schnallen unter dem Arm. Mit der anderen Hand schwenkte er grüßend eine Brötchentüte. Keuchend erreichte er Pippa, hievte das Gepäckstück in den Zug und stieg ein. Sofort schloss sich die Tür, und der Zug fuhr los. Der Ruck ließ Seeger gegen Pippa taumeln, und unwillkürlich klammerte er sich an ihr fest.

»Das nenne ich mal eine herzliche Begrüßung, Herr Seeger«, sagte Pippa und grinste.

Hastig ließ Seeger sie los und trat einen Schritt zurück, noch immer schwer atmend.

»Schon mal was von Wagenstandsanzeigern gehört? Da unsere Plätze reserviert sind und wir alle im gleichen Abteil sitzen, hätten Sie sich doch gleich auf Höhe des richtigen Waggons ...«

Seeger winkte ab und hob die Brötchentüte. »Ich brauchte noch Proviant, aber die Schlange war endlos lang ...« Er schnaufte und wischte sich mit dem Handrücken den Schweiß von der Stirn.

»Ist ja noch mal gutgegangen«, stellte Pippa fest. »Jetzt haben Sie elf Stunden Zeit, sich von der Aufregung zu erholen. Das reicht für Frühstück, Mittag- und Abendessen. Und für die Planung unseres Vorgehens in Plutzerkogel.«

Als Pippa nach Seegers Koffer griff, wollte er sie aufhalten, aber sie marschierte los. Dabei fragte sie sich, wann er zuletzt auf Reisen gegangen war, denn dieses Gepäckstück hätte jedem Kinofilm der fünfziger Jahre als Requisite dienen können. Außerdem war es so schwer, als würde es die Backsteine für ein ganzes Einfamilienhaus enthalten.

»Was ist das hier – ein Rentnerausflug? Geht das vielleicht *etwas* schneller?«, nörgelte jemand hinter ihnen.

Pippa drehte sich um. Ein Mann um die dreißig stand neben Seeger und blickte sie durch seine Sonnenbrille herausfordernd an. In seinem teuren, weiten Leinenanzug mit Blume am Revers glich er einem Beau alter Schule. Seine Boutonniere bestand aus einer weißen Calla und einer violetten Edeldistel. Ein Parfüm, für die Jahreszeit zu schwer, umgab ihn wie eine Wolke. Trotz seiner abgedunkelten Brillengläser sah Pippa, dass er Seeger von oben bis unten musterte und genervt die Augen verdrehte.

»Sind Sie sicher, dass Sie sich im richtigen Wagen befinden? Dies ist die erste Klasse!«, verkündete der Mann von oben herab.

»Einen Moment, bitte. Unser Abteil ist gleich da vorne«,

sagte Pippa so freundlich sie konnte, obwohl sie am liebsten deutlich patziger geantwortet hätte. Auch Seeger war anzumerken, dass er sich nur mühsam zurückhielt.

Der junge Mann schnaubte. »Wissen Sie, was? Sie lassen mich einfach vorbei. Ich habe nicht vor, die Fahrt im Gang zu verbringen.«

Grob drängte er sich an Seeger vorbei und rempelte Pippa an, als er sie passierte.

Stirnrunzelnd sah Seeger ihm nach und rief: »He, wollen Sie sich nicht ...«

»Sich bei mir für seine Rüpelhaftigkeit entschuldigen? *Der* doch nicht«, fiel Pippa ihm amüsiert ins Wort. »Eine teure Hülle kann man kaufen, Manieren nicht. Kommen Sie.«

Der Mann musste ihren Kommentar gehört haben, denn er verharrte kurz, als überlegte er, noch etwas zu sagen. Dann eilte er mit flatterndem Sakko weiter und verschwand hinter der Trenntür zum nächsten Wagen.

»Recht hat er ja. Musste es wirklich die erste Klasse sein?«, fragte Seeger, als Pippa die Tür zum nächsten Abteil öffnete, wo Margit und Karin auf sie warteten.

Margit strahlte den Neuankömmling an. »Ich war so frei. Wir wollen doch bequem reisen, uns in Ruhe unterhalten und Pläne schmieden.« Sie schüttelte ihm herzlich die Hand. »So sieht also der Mann zur Telefonstimme aus. Pippa schwärmt wirklich in den höchsten Tönen vom legendären Kommissar Seeger.«

»Exkommissar«, murmelte Seeger sichtlich verlegen.

Margit wedelte seinen Einwand mit der Hand beiseite. »Ach was. Einmal Kommissar, immer Kommissar. Sie hören ja auch nicht heute auf zu essen, nur weil Sie gestern satt waren. Außerdem profitiere ich davon, dass Sie in Pension sind. In meiner Misere ein echter Glücksfall.« Auffordernd klopfte sie auf den Platz neben sich. »Setzen Sie sich.«

Mit vereinten Kräften wuchteten Pippa und Karin den Koffer in die Gepäckablage.

»Was haben Sie denn da drin?« Karin ächzte und ließ sich wieder in den Sitz fallen. »Eine Reise-Gefängniszelle mit Eisengitter und Old-School-Handschellen aus Metall, falls wir jemanden verhaften müssen?«

»Darf ich vorstellen: meine Freundin Karin Wittig und ihre blühende Fantasie«, sagte Pippa. »Eine Mischung, vor der sich nicht nur der Erpresser in Acht nehmen sollte.«

»Ich bin die Harmlosigkeit in Person.« Karin klimperte unschuldig mit den Wimpern. »Erst gepaart mit Pippas Neugier und ihrem Tatendrang werde ich zur Waffe. Aber jetzt mal ehrlich – was ist in dem Koffer?«

»Ein paar Utensilien zur Spurensicherung, tatsächlich Handschellen und eine professionelle elektronische Grundausstattung vom Diktiergerät bis zur Abhöranlage«, erklärte Seeger und lehnte sich zufrieden ins Polster des Sitzes zurück. »Illegal und gebraucht – aber nützlich.«

Pippa starrte auf den Koffer im Gepäckfach über Seeger und runzelte die Stirn. »Dann haben Sie Ihren Koffer mit der Kleidung aufgegeben? Neben all den Geräten hätte doch da drin höchstens noch eine Kulturtasche Platz.«

Unauffällig musterte sie den Exkommissar. Sein graues Haar war länger als während seiner Dienstzeit, was ihm etwas Verwegenes gab. Nach wie vor trug er eine seiner geliebten Manchesterhosen. Allerdings hatte er sie heute mit einem gestreiften Freizeithemd kombiniert, das lässig über den Hosenbund fiel. Die Windjacke hatte er ausgezogen und zum Koffer ins Gepäckfach gestopft. Der Ruhestand tat Seeger sichtlich gut – er war braungebrannt und wirkte durchtrainiert.

»Das Duplikat zu diesem Outfit«, der Exkommissar zeigte an sich hinunter, »hat noch reingepasst. Sollte ich wider

Erwarten mehr benötigen, besorge ich es mir vor Ort – und befrage dabei gleich die Verkäuferinnen. Nichts ist informativer als die Gerüchteküche einer Kleinstadt. Beim Einkaufen von Oberbekleidung nehmen sich die Leute häufig mehr Zeit als für ein Gespräch mit dem Ehegatten.«

Margit lachte und drückte Seegers Hand. »Sie denken voraus, das gefällt mir. Großartig, dass Sie uns helfen wollen.«

Pippa lehnte sich entspannt zurück. Alle verstanden sich prächtig, und Margit hatte wieder zu gewohnter Form und Zuversicht zurückgefunden. Kein Vergleich zu der Verzweiflung bei ihrer Ankunft in Berlin. Seit Margit wusste, dass außer Pippa und Karin auch Seeger mit im Boot war, ging es ihr stündlich besser. Niemand, der nicht Bescheid wusste, hätte ihr die Sorgen, die sie drückten, noch angemerkt.

»Fragt sich, wer hier wem hilft«, sagte Seeger. »Dieser verdammte Ruhestand ist Gift für mich. Ich hätte niemals gedacht, dass ein Mensch sich derart langweilen kann.«

»Aber Sie hatten sich doch so auf die freie Zeit gefreut«, sagte Pippa verblüfft. »Endlich in Ruhe die Graureiher beobachten ...«

Seeger winkte ab. »Alles andere als abendfüllend, wie ich feststellen musste. Den Herbst und Winter habe ich damit verbracht, mein neues Zuhause auf Vordermann zu bringen. Es gab einiges zu reparieren, neu zu streichen oder zu modernisieren.« Er zwinkerte Pippa zu. »Bei meinem Einzug hatte ich eigentlich nur die Möbel ausgetauscht. Der Geschmack der Vorbesitzerin war doch etwas anders als meiner.«

Pippa grinste. Sie erinnerte sich gut an das Häuschen in Storchwinkel, das er übernommen hatte, nachdem sein letzter Fall aufgeklärt war. Tatsächlich unvorstellbar, dass er sich zwischen Wänden mit Rosenborte und dem altrosa Teppichboden dauerhaft wohl gefühlt hätte.

»Im Frühjahr gab es natürlich einiges im Garten zu tun«, fuhr Seeger fort. »Ich bin viel spazieren gegangen oder habe endlose Stunden im Unterstand am See gehockt und Vögel beobachtet. Als ich sie alle persönlich kannte, dachte ich: Und wen kann ich jetzt observieren? Dann der Schock: Mir ist niemand eingefallen, der mich nicht meine Pension kosten würde.« Er grinste. »Darüber nachgedacht hatte ich schon lange, aber Ihr Angebot gab den letzten Anstoß. Nach Ihrem Anruf habe ich ein Gewerbe angemeldet. Als Detektiv und Privatermittler. Ich bin jetzt so etwas wie der ältere Bruder von James Bond. Zwar zuständig für private Probleme – aber ebenfalls international tätig.« Er verbeugte sich knapp. »Gestatten, mein Name ist Seeger. Paul-Friedrich Seeger.«

»Dann wird es ja nicht mehr lange dauern, bis die Damen Schlange stehen!«, sagte Karin. »Wie soll denn das Seeger-Girl aussehen?«

Seegers Gesicht lief rot an, und Margit rief aufgeräumt: »Wie Pippa! Mein Lieber, wir sollten die beiden in das einweihen, was wir zwei am Telefon ausgeheckt haben.«

Alarmiert horchte Pippa auf und registrierte, dass Seeger ihrem Blick auswich.

»Sie haben ihr noch nichts erzählt?«, fragte er Margit entsetzt.

»Aber woher denn?«, rief die. »Da wollte ich Sie dabeihaben.«

Pippa wandte sich an Karin, aber die Freundin hob abwehrend die Hände. »Ausnahmsweise unschuldig wie ein neugeborenes Baby.«

»Raus damit.« Pippa sah Margit an. »Was habt ihr … *ausgeheckt*?«

»Wir haben eine wundervolle Idee: Herr Seeger wird ebenfalls in Lenzbauers Haus wohnen, genau wie du«, verkündete Margit triumphierend. »Ihr gebt euch als frischgebackenes Ehepaar aus, dachten wir. Das wirkt vertrauen-einflößend. Dann erzählen die Leute euch mehr.«

»Als Ehepaar …«, wiederholte Pippa fassungslos und versuchte, Karins Prusten neben sich zu ignorieren.

»Na, verheiratet ist Pippa ja …«, sagte Karin. »Noch.« Damit spielte sie darauf an, dass Pippa seit über zwei Jahren geduldig darauf wartete, von ihrem italienischen Gatten Leo geschieden zu werden.

Ich hätte Margit und Seeger auf keinen Fall allein miteinander telefonieren lassen dürfen, dachte Pippa. »Könnte nicht Karin diese Rolle übernehmen? Ihr scheint die Idee ja gut zu gefallen.«

»Für sie haben wir einen anderen Plan: Karin und du, ihr tut so, als würdet ihr euch in Plutzerkogel erst kennenlernen. Wie alle anderen Teilnehmer dieser Seminareinheit auch.« Margit nickte wie zur Bestätigung. »Auf diese Weise können wir doppelt so viel erfahren, denn einer von euch beiden werden die Leute sich bestimmt öffnen. Wenn ihr alle zusammengehört, könnte das für den Einzelfall kontraproduktiv sein. So haben wir drei Eisen im Feuer.«

Feixend stieß Karin Pippa in die Seite. »Wenn ich es genau überlege: Vielleicht kann ich dich nicht ausstehen? Mal sehen. Wenn dich jemand blöd findet oder dir misstraut, stehe ich gern parat, um über dich herzuziehen und falsche Informationen zu streuen.«

»Der nächste Halt ist Göttingen. Ich kann immer noch aussteigen«, knurrte Pippa und versuchte sich vorzustellen, wie es wäre, mit Seeger allein unter einem Dach zu leben, während ihre beste Freundin woanders untergebracht war.

»Ich … vielleicht sollten wir alles doch noch mal überdenken. Wir hätten Frau Bolle vorher fragen sollen«, murmelte Seeger.

Pippa hatte durchaus bemerkt, dass er in ihrem Gesicht

eine positive Reaktion gesucht und nicht gefunden hatte. Aber obwohl sie sich überrumpelt fühlte, musste sie zugeben, dass die Idee Potential in sich barg.

Sie gab sich einen Ruck und lächelte. »Wenn Sie glauben, dass diese Konstellation Erfolg verspricht, dann werden wir alles genau so machen. Sie sind hier der Fachmann.«

»Na also!« Margit blickte begeistert in die Runde. »Und jetzt hört endlich mit dem *Herr Seeger* und *Frau Bolle* auf. Ihr solltet euch schon mal daran gewöhnen, euch zu duzen, sonst fallt ihr aus Versehen noch aus der Rolle.«

»Paul-Friedrich«, sagte Seeger und streckte Pippa feierlich die Hand hin. »Meine geliebte Frau ist die Einzige, die mich nur Paul nennen darf, wenn sie das wünscht.«

Pippa nannte ihren Namen und schlug ein. »Danke, aber ich setze auf Paul-Friedrich. Liebe aber für meinen Teil jede Art von Schmeicheleien und Galanterien. Solltest du in dieser Hinsicht Nachhilfe brauchen …« Sie öffnete ihre Handtasche, zog einen E-Reader heraus und hielt ihn in die Höhe. »Vollgestopft mit Jane Austen. Englische Gesamtausgabe. Ich stelle auch gern eine Liste mit Lobpreisungen meiner Person zusammen. Die dürfen alle Verwendung finden, selbstverständlich besonders in der Öffentlichkeit.« Sie zwinkerte Seeger zu. »Und in möglichst glaubwürdigem Tonfall, Mr Darcy.«

Karin grinste, als sie Seegers entgeistertes Gesicht sah. »Mr Darcy ist einer der Hauptcharaktere in Jane Austens *Stolz und Vorurteil* und Pippas Ideal eines romantischen Helden. Bisher hat sie noch jeden Mann mit ihm verglichen.« Sie seufzte theatralisch. »Aber schon beim jährlichen Einkommen können die meisten nicht mithalten.«

Pippa knuffte ihre Freundin gutgelaunt gegen den Oberarm. »Und zufällig ist dieses Buch Thema im Literaturzirkel der Akademie. Ich fürchte, wenn Herr … Paul-Friedrich mit mir verheiratet ist, muss er es wohl oder übel auch lesen und mitkommen. Oder wir riskieren gleich zu Beginn unserer Ehe eine Krise.«

»Auge um Auge – dafür nehme ich dich mit zum Frühsport. Und das jeden Morgen. Ohne Pardon«, sagte der Ex-kommissar mit der Bestimmtheit, die Pippa von ihm kannte. »Wir müssen uns auch überlegen, wie wir heißen. Bolle-Seeger oder Seeger-Bolle? Oder nur Seeger?«

»Ich schlage vor, wir behalten jeder unseren eigenen Namen, das ist ja heute Gott sei Dank normal«, erwiderte Pippa. »Ich hätte zu viel Angst, dass ich nicht reagiere, wenn ich mit einem anderen Namen angesprochen werde.«

»Ihr müsst euch auch eine gemeinsame Geschichte überlegen, damit ihr nicht sofort auffliegt«, gab Margit Unterweger zu bedenken.

Die nächste Stunde verbrachten sie damit, sich verschiedene Szenarien auszudenken, verwarfen aber alle wieder, weil das unfreiwillige Ehepaar sich zu viele komplizierte Details hätte merken müssen.

»Lasst doch einfach alles, wie es ist«, sagte Karin schließlich, als ihnen nichts mehr einfiel. »Außer natürlich, dass ihr verheiratet seid. Ihr habt euch kennengelernt, als Pippa als Gesellschafterin bei einer alten Dame in der Altmark weilte. Ganz, wie es wirklich war. Dann könnt ihr keine Fehler machen, und wenn jemand nachforscht, kriegt er das sogar bestätigt.«

»Geheiratet haben wir erst vor kurzem. In Berlin. In ganz kleinem Kreis.« Seeger legte den Kopf schief. »Auf meinen ausdrücklichen Wunsch. Übrigens wollte ich lieber eine ausgedehnte Hochzeitsreise in die Karibik machen. Aber Pippa bestand auf Kursen in Plutzerkogel.«

»Das wäre Ihnen mit mir nicht passiert.« Karin schüttelte den Kopf, als hätte es diese Wahl tatsächlich gegeben.

»Jamaika, Barbados, Curaçao. Sollte die Sache mit Pippa nicht gutgehen: Ich stehe bereit.«

Pippa tat, als hätte sie den Einwurf nicht gehört. »Paul-Friedrich und ich haben immer noch zwei Wohnsitze: die Stadtwohnung in Berlin und das Häuschen auf dem Land. Auf dieser Reise wollen wir entscheiden, wo wir dauerhaft leben werden. So kann sich keiner von uns verplappern.«

»Lernt noch die wichtigen Eckdaten auswendig: Wann hat der andere Geburtstag? Wann habt ihr geheiratet? Alles muss sitzen. Und das bis heute Abend«, warf Margit ein. »Ab Graz spielen wir alle unsere Rollen. Karl Heinz holt nicht nur uns vom Bahnhof ab, sondern auch weitere Kursteilnehmer. Von da an können wir uns keine Fehler mehr erlauben.«

Kurze Zeit später erreichten sie Fulda und mussten umsteigen. Der Bahnsteig war voller Menschen, denn ein anderer Zug war ausgefallen, und bis Frankfurt wollten viele Fahrgäste die Verbindung nach Graz nutzen, um weiterzukommen. Während Karin und Margit den Wagenstandsanzeiger konsultierten, entdeckte Pippa in der Menge den jungen Mann, mit dem sie nach dem Halt in Braunschweig aneinandergeraten war. Er fuchtelte mit den Armen und redete lebhaft auf einen etwa gleichaltrigen Mann ein. Sein Gegenüber lauschte aufmerksam und nickte mehrmals. Als der Zug einlief, stiegen beide bester Laune in den Speisewagen.

Sieh an, dachte Pippa, der Typ kann auch anders.

In ihrem neuen Abteil ließen sie sich Kaffee und Kuchen servieren, dann bat Seeger darum, sich die Drohbriefe ansehen zu dürfen. Er studierte sie sorgfältig. Schließlich deutete er auf das gemalte Symbol. »Wissen wir, was das sein soll?«

»Solche Zeichen habe ich in Schottland oft gesehen«,

sagte Pippa. »Sie sind wohl keltischen Ursprungs. Aber was sie genau bedeuten ...« Sie zuckte mit den Achseln.

»Das finden wir heraus«, murmelte Seeger und wandte sich an Margit. »Diese Sache mit den kranken Teilnehmern nach Ihrem Backkurs: Halten Sie das für Sabotage?«

Margit sah ihn bedrückt an. »Auf den Gedanken könnte man kommen, nicht wahr? Karl Heinz vermutet es zumindest. Ich bin eher davon ausgegangen, dass einer der Teilnehmer krank war, die anderen angesteckt hat und jemand das ausnutzt, um uns zu verunglimpfen.«

»Ihr Mann glaubt, jemand hat Ihnen verdorbene Eier untergeschoben?«, fragte Karin ungläubig. »Vorsätzlich?«

»Wäre so etwas denn möglich?«, fragte Pippa. »Wo findet der Kurs statt? Sind die Räumlichkeiten frei zugänglich?«

»Wir benutzen die große Küche in der Akademie«, sagte Margit. »Sie ist nicht besonders gesichert, wird nicht mal abgeschlossen, wenn wir fertig sind. Praktisch könnte jeder, der einen der Kurse besucht oder sich bei uns auskennt, in die Küche gehen und ... Aber wer *tut* denn so was?«

»Jemand, der Ihnen schaden will«, erwiderte Seeger ernst. »Nicht zwangsläufig Ihnen persönlich, Sie leiten nur zufällig den Kurs, in dem mit Lebensmitteln gearbeitet wird. Das macht Manipulation besonders einfach und den Schaden höchst effektvoll. Besonders in der Außenwirkung.«

Pippa sah ihn prüfend an. »Du glaubst, es geht nicht um den persönlichen Erfolg der Unterwegers, sondern um das gesamte Unternehmen, nicht wahr?«

»Nadelstiche«, warf Karin angewidert ein. »Aber höchst effektiv.«

»Und feige«, sagte Pippa. »Passt haargenau zu Erpresserbriefen und der Mentalität ihres oder ihrer Verfasser. Siehst du einen Zusammenhang zwischen dem Unfall von Lenzbauers kleiner Tochter und den Erkrankungen im Backkurs, Paul-Friedrich?«

Seeger nickte und wandte sich an Margit Unterweger. »Erpresser kennen ihre Opfer und deren Schwachstellen immer ganz genau. Wenn Karin, Pippa und ich Ihnen helfen sollen, Frau Unterweger, müssen wir ebenso gut informiert sein wie unser Gegner. Es tut mir leid, aber Sie müssen uns auf dieser Fahrt auch über die Leichen im Keller der Mitarbeiter ... und Leiter der Akademie Sinnenschmaus aufklären.«

»Sie meinen, all die kleinen Animositäten innerhalb des Kollegiums oder zwischen der Akademie und unserem Umfeld spielen vielleicht eine Rolle? Klatsch und Tratsch? Gerüchte? All das Gerede darüber, wer mit wem?« Margit Unterweger war deutlich anzusehen, dass ihr diese Aussicht keine Freude bereitete.

Seeger nickte. »Irgendwo in diesen Informationen verbirgt sich der Antrieb für unseren Erpresser. Wir finden den Mistkerl, sobald wir seine Motivation kennen.«

»Mit der er vor sich rechtfertigt, was er tut.« Pippa schüttelte sich. »Sie haben ... du hast völlig recht«, sagte sie zu Seeger. »Das ist genau der Punkt, an dem wir ansetzen müssen. Was sollen diese Briefe erreichen? Wer will, dass die Akademie geschlossen wird? Und warum?« Sie sah die anderen der Reihe nach an. »Kurz gesagt: Wer hat etwas davon?«

»Also dann: Raus damit«, forderte Karin und lehnte sich erwartungsvoll ins Polster zurück. »Mit jedem kleinen dreckigen Detail.«

Bevor Margit dieser Aufforderung nachkommen konnte, klingelte ihr Mobiltelefon. Mit einer gemurmelten Entschuldigung zog sie es aus der Handtasche und sah aufs Display. »Das ist Gertrude. Ich dachte eigentlich, unsere Frau Direktor wäre heute bei ihrer Schwester auf der Josefsalm. Aber da gibt es gar kein Netz.«

Sie nahm das Gespräch an. Nach einer kurzen Begrüßung hörte sie nur noch zu und massierte mit der freien Hand eine Schläfe, als wollte sie einen beginnenden Kopfschmerz unterdrücken. Als das Telefonat beendet war, sah sie noch einen Moment nachdenklich auf das Gerät hinunter.

»Einer unserer langjährigen und regelmäßigen Kursteilnehmer ist gestern nach Ende seines Kurses von der Akademie nach Hause aufgebrochen – aber nie dort angekommen«, sagte sie leise. »Es wird angenommen, dass er zu jemandem ins Auto gestiegen ist, um sich bei der Hitze den langen Marsch zu ersparen.« Sie blickte auf, Entsetzen in den Augen. »Seitdem hat ihn niemand mehr gesehen oder gesprochen. Bernhard Lipp wird seit vierundzwanzig Stunden vermisst. Von ihm fehlt jede Spur.«

❦ *Kapitel 3* ❦

E s dämmerte bereits, als der Zug das Tempo verlangsamte, um in den Grazer Hauptbahnhof einzufahren.

»Paul-Friedrich und ich gehen vor bis zur zweiten Klasse«, sagte Pippa, als alle sich zum Aussteigen bereitmachten. »Wenn wir den Anschein erwecken wollen, als würden wir uns nicht kennen, sollten wir aus verschiedenen Wagen kommen.«

»Ohnehin besser so«, erwiderte Karin und half, Seegers alten Koffer aus dem Gepäcknetz zu hieven. »Neben diesem Ding will ich nicht mal tot über dem Zaun hängen. Meine Tarnung als Touristikassistentin eines namhaften deutschen Reiseunternehmens könnte Schaden nehmen.«

Pippa lachte und schob ihren Pseudoehemann aus der Abteiltür.

Erpressung, ungeklärte Unfälle, eine vermisste Person – und dabei soll in der Akademie nichts als Genuss und Entspannung gelehrt werden, dachte sie, während sie den Gang entlang bis zur nächsten Wagenklasse ging, die Komponenten der Ausgangssituation könnten nicht gegensätzlicher sein.

Pippa war schon mehrmals in Kriminalfälle verstrickt gewesen, hatte es dabei aber immer mit einem überschaubaren Kreis von Tatverdächtigen zu tun gehabt. In Plutzerkogel lag die Sache anders, hier konnte faktisch jeder seine Hand im Spiel haben: das Dozentenkollegium, die Kursbesucher, die Bewohner von Plutzerkogel, wenn nicht sogar jemand aus dem nahegelegenen Deutschlandsberg.

»Das Abenteuer beginnt«, sagte Pippa leise, wie um sich selbst Mut zuzusprechen. Als der Zug mit kreischenden Bremsen hielt, zwinkerte sie Seeger zu. »Nicht vergessen: Ab sofort sind wir verheiratet, Schatz.«

Der Exkommissar grinste. »Schatz? In den JVAs unseres Landes sitzen eine ganze Menge Leute, die weniger freundliche Namen für mich auf Lager haben. Aber an diese Abwechslung werde ich mich schnell gewöhnen, mein *Rotschopf.*«

Er öffnete die Tür und stieg aus, bevor Pippa ihren Protest über diesen Kosenamen loswerden konnte. Seit frühester Kindheit sammelte sie Kopfbedeckungen jeder Art, unter denen sie ihr tizianrotes Haar verstecken konnte, aber mittlerweile liebte sie ihre langen Locken. Dennoch erinnerte sie dieser Kosename unangenehm an Hänseleien aus ihrer Jugend. Als Seeger ihr die Hand reichte, um ihr galant aus dem Zug zu helfen, legte sie leise ihr Veto ein, doch dann wurde sie durch einen hageren Mann um die sechzig abgelenkt, der ein Schild mit der Aufschrift ›Akademie Sinnenschmaus‹ hochhielt.

»Das ist Karl Heinz Unterweger«, flüsterte sie Seeger zu. »Er sammelt seine Schäfchen ein.«

Sie ließen Margit Zeit, ihren Mann zu begrüßen, bevor sie ebenfalls zu ihm hinübergingen. Sie trafen gleichzeitig mit zwei weiteren Personen ein: einer brünetten Frau Anfang zwanzig, die für die Jahreszeit viel zu warm gekleidet war, und einem deutlich älteren Mann in Knickerbockern und mit Gamsbart am Hut. Die beiden stellten sich als Amelia Dauber und Oliver Mieglitz vor.

Margit strich die Namen der vier Neuankömmlinge von einer Personenliste, die sie auf einem Klemmbrett befestigt hatte.

Pippa traute ihren Augen nicht, als auch der Dandy im

Leinenanzug näher kam, im Schlepptau den Mann vom Bahnsteig in Fulda. Er nickte Karl Heinz zu und verkündete: »Karsten Knöller. Sie erwarten mich.«

»Nicht nur Sie, Herr Knöller«, erwiderte Margit freundlich und schüttelte ihm die Hand. Dann wandte sie sich seiner Begleitung zu. »Margit und Karl Heinz Unterweger. Herzlich willkommen in der Steiermark. Und Sie sind …?«

»Das ist Axel von Meinrad, ein bekannter Journalist«, antwortete Knöller statt seiner. »Ich habe ihm von der Akademie Sinnenschmaus erzählt. Und er ist interessiert. Mehr an mir als an der Akademie, aber beides fügt sich doch sehr komfortabel zusammen. Herr von Meinrad sieht in mir Potential für eine seiner beliebten Reportagen über interessante Persönlichkeiten auf *Grand Tour*. Er wird die Wirkung Ihres Etablissements auf mich schildern, meine Eindrücke fotografisch festhalten und dabei meine ganz persönliche Lebensphilosophie vorstellen.« Knöller sah zufrieden in die Runde. »Ich habe seinem Ansinnen bereits zugestimmt. Der Werbewert für Ihr Haus, um nicht zu sagen, der Mehrwert, ist dabei beträchtlich. Aber ich will keinen Dank. Mir reicht, wenn die Akademie Sinnenschmaus Herrn von Meinrad ein kleines, bequemes Plätzchen zur Verfügung stellt und ihm Tür und Tor öffnet.«

»Bei freier Unterkunft und freier Verpflegung möchte ich wetten«, raunte Seeger Pippa ins Ohr. »Ausgerechnet in dieser Situation, verdammt blöd.«

Margit und Karl Heinz schienen genauso zu denken, denn keiner der beiden wirkte begeistert bei der Aussicht, gerade jetzt einen Journalisten in der Akademie zu haben. »Ich bin mir nicht sicher, ob wir für diese Seminareinheit überhaupt Platz haben«, erwiderte Margit. »Wir erwarten noch einige Teilnehmer, hier und am Flughafen.« Sie konsultierte ihre Liste, als müsste sie nachzählen. »Wir sind noch nicht vollzählig, Herr Knöller. Frau Wittig? Karin Wittig?«

»Hier!«, rief Karin, die in diesem Moment zu ihnen stieß und ächzend ihren Koffer abstellte. Neugierig musterte sie die anderen Teilnehmer. »Ich bin Karin Wittig, Touristikassistentin aus Berlin und froh, einen der begehrten Akademieplätze ergattert zu haben.«

Mittlerweile hatte sich der Bahnsteig bis auf ihre Gruppe geleert. Pippa bemerkte, dass Karl Heinz sich dennoch suchend umblickte. Er seufzte, klemmte das Schild unter den Arm und nickte Margit zu. Die reichte ihm die Namensliste und sagte fröhlich: »Dann wollen wir mal! Sie auch, Herr von Meinrad. Wir werden Sie schon irgendwie unterbringen.«

Du machst gute Miene zum bösen Spiel, Margit, dachte Pippa, aber für mich sieht es so aus, als hättet ihr mit diesem Zug noch weitere Teilnehmer erwartet.

Karl Heinz lud das Gepäck in den kleinen Reisebus, den er an der Ostseite des Bahnhofs geparkt hatte. Mit ihnen war nicht einmal die Hälfte der Plätze im Bus besetzt, und außer Pippa und Seeger teilten sich nur von Meinrad und Knöller eine Sitzbank. Alle anderen saßen allein.

Margit hatte auf dem Reiseleitersitz neben dem Fahrer Platz genommen. Als Karl Heinz losfuhr, griff sie zum Mikrofon und schaltete die Lautsprecheranlage ein.

»Liebe Gäste, ich bin Margit Unterweger und heiße Sie recht herzlich willkommen. Am Steuer sitzt mein Mann Karl Heinz, der uns zuerst zum Flughafen Graz chauffieren wird, wo weitere Gäste aus Hamburg und Frankfurt auf uns warten. Wir begrüßen Sie zu erholsamen Tagen in der Akademie Sinnenschmaus. Dies ist Ihr Urlaub, und wir werden alles tun, damit Sie ihn genießen können. Gleich, wenn die anderen Gäste zugestiegen sind, werde ich noch etwas mehr zum morgigen Programm erzählen. Bis dahin bedanke ich mich für Ihre Aufmerksamkeit.«

»Bravo!«, rief Karin und spendete Applaus, dem sich – bis auf Knöller und den Journalisten – alle Mitfahrer anschlossen. Dann sah Karin sich um und fragte in die Runde: »Wir duzen uns doch, oder? Welche Kurse habt ihr denn so belegt?« Wie zufällig sah sie Pippa an. »Beginnen wir doch gleich mit euch beiden. Und vorstellen, bitte.«

Pippa unterdrückte ein Grinsen. Bis zu seiner Schließung drei Wochen zuvor hatte Karin ihr gesamtes Arbeitsleben in einem Reisebüro im Berliner Norden verbracht und dort den Umgang mit Menschen unterschiedlicher Couleur gelernt. Beinahe wunderte Pippa sich, dass Karin Margit nicht sofort das Mikrofon entwunden hatte, um kurzerhand selbst die Führung zu übernehmen.

»Pippa Bolle«, sagte Pippa, »mein Mann Paul-Friedrich Seeger und ich kommen auch aus Berlin. Genau wie Sie ... du. Das heißt: aus Berlin und aus der Altmark. Wir haben uns vorgenommen, uns jeden Morgen um sieben beim Frühsport einzufinden und gemeinsam zum Flirtkurs zu gehen. Ich möchte außerdem beim Literaturzirkel und beim Fotokurs mitmachen. Paul ...« Entsetzt stellte Pippa fest, dass sie sich nicht erinnern konnte, welche Pläne er gemacht hatte.

»... besucht ebenfalls den Fotokurs«, vervollständigte Seeger. »Ich interessiere mich sehr für Landschaftsfotografie, und die Kursleiterin Sarah MacDonald ist auf diesem Gebiet eine Berühmtheit. Ich besitze ein wunderbares Fotobuch von ihr.«

»Flirten, Fotografieren und Frühsport«, konstatierte Karin, »da ist aber noch jede Menge Luft nach oben. Wen werde ich denn in meinem Lyrikkurs treffen?«

Zögernd hoben Amelia Dauber und Oliver Mieglitz die

Hände, um einander gleich darauf wütend zu mustern und sich demonstrativ abzuwenden.

Karin grinste. »Noch zwei Dichter unter uns, wie schön. Was hast du denn sonst noch belegt?«, fragte sie die junge Frau.

»Ich bin Amelia. Ich fahre zum ersten Mal ins Ausland. Bisher habe ich nur in Deutschland Urlaub gemacht. Aber diesmal … also diese Gelegenheit …« Sie unterbrach sich selber und nickte den anderen schüchtern zu. »Befreiendes Malen steht noch auf meinem Plan. Aber es gibt ja noch so viele interessante andere Angebote. Das abendliche Kamingespräch, Wanderungen …« Sie zuckte mit den Schultern. »Ich werde ja sehen, was man mir noch alles zugedacht hat.«

»Und du?«, fragte Karin Mieglitz, der alles andere als Gesprächsbereitschaft ausstrahlte.

Er räusperte sich umständlich und blaffte: »Oliver. Dichten und Malen. Alles Weitere wird man sehen.«

Karin reckte den Hals und deutete auf Knöller. »Und du da hinten?«

»Knöller«, sagte er. »Karsten. Ich habe mich noch nicht festgelegt.« Er zeigte auf seinen Nebenmann. »Es wird ja jetzt darauf ankommen, wo und wie Axel mich porträtieren möchte.«

»Da würde ich den Malkurs empfehlen«, murmelte Seeger, und Pippa hatte große Mühe, ein Kichern zu unterdrücken.

In diesem Moment erreichten sie den Flughafen. Karl Heinz fuhr auf den Kurzzeitparkplatz, schnappte sich das Schild und stieg aus.

Nachdem Pippa sich leise mit Seeger beraten hatte, stand sie auf. »Ich würde gerne mitgehen«, sagte sie zu Margit.

»Nach der endlosen Zugfahrt kann ich ein wenig Bewegung gebrauchen – und eine saubere Toilette.«

Margit nickte, und ihre Miene zeigte, dass sie verstanden hatte: Pippa wollte abseits der anderen ein paar Worte mit Karl Heinz reden.

»Herr Unterweger! Warten Sie!«, rief Pippa und hatte ihn nach wenigen Schritten eingeholt. Gemeinsam betraten sie die Ankunftshalle.

»Gibt es etwas Neues über den Vermissten?«, fragte Pippa.

»Bernhard Lipp?« Karl Heinz schüttelte den Kopf. »Nichts. Leider. Er ist noch immer nicht aufgetaucht.«

»Müssen wir uns ernsthafte Sorgen machen? Oder könnte es sein, dass er irgendwo versackt ist?«

»Auf gar keinen Fall«, erwiderte Karl Heinz. »Bernhard besucht unsere Kurse regelmäßig. Wir kennen ihn gut. Er lebt in Deutschlandsberg, und wir ... die Akademie ist im Laufe der Jahre so etwas wie sein Zufluchtsort geworden. Er ist kein glücklicher Mann, aber er ist überaus korrekt.«

»Also Sorgen machen«, murmelte Pippa, dann deutete sie auf die Anzeigetafel mit den Ankünften. »Der Flieger ist bereits gelandet. Wen holen wir ab?«

»Familie Schultze und Falko Schumacher. Herr Schumacher ist offenbar äußerst wählerisch, was seine Kurse angeht. Die Frau Direktor hat mit ihm telefoniert und ihn haarklein beraten müssen. Herr Schultze ist Verleger. Er kommt mit Frau und Tochter.«

Als passionierte Vielleserin war Pippa besonders gespannt auf die Schultzes. Insgeheim hoffte sie, der Verleger würde genau wie sie am Literaturzirkel teilnehmen.

Karl Heinz und sie positionierten sich, und er hielt das Erkennungsschild vor seine Brust. Als die Schiebetüren aufgingen, kam eine stark geschminkte Frau in den Fünfzigern auf sie zu, einen deutlich jüngeren Mann am Ärmel seines Sakkos hinter sich herziehend.

»Hallo! Da sind Sie ja«, rief sie schon von weitem und ließ beim Winken zahlreiche goldene Armreifen klimpern. »Ich bin Belinda Schultze!«

Karl Heinz schüttelte ihr die Hand, dann sagte er zu dem Mann: »Und Sie sind Herr Schultze?«

»Du liebe Güte – nein!« Belinda Schultze drohte neckisch mit dem Zeigefinger. »Einen so attraktiven jungen Gatten trauen Sie mir zu? Vielen Dank! Nein, das ist Falko. Herr Schumacher. Wir haben uns beim Umsteigen in Frankfurt kennengelernt und ganz erfreut festgestellt, dass wir dasselbe Ziel haben. Ich habe natürlich sofort veranlasst, dass man uns nebeneinander platziert.«

Falko Schumacher schien von diesem Schachzug nicht annähernd so begeistert wie Belinda Schultze. Dezent legte er einige Schritte Distanz zwischen sich und die Frau.

Karl Heinz sah sich suchend um. »Frau Schultze, ich vermisse Ihren Gatten und Ihre Tochter. Waren sie nicht in derselben Maschine?«

Belinda Schultze winkte ab. »Doch, doch. Aber die beiden sind Touristenklasse geflogen. Ich dagegen bevorzuge einen gewissen Komfort. Businessklasse ist so viel bequemer, finden Sie nicht? Und man hat obendrein charmante Gesellschaft.« Sie stellte sich wieder eng neben Schumacher und tätschelte dessen Arm. Er machte keinen Hehl aus seiner Erleichterung, als sie sich plötzlich von ihm abwandte und schrie: »Da sind sie ja! Naomi! Waldemar! Hier!«

Ein einfach gekleideter Mann und eine pummelige junge Frau traten aus dem Sicherheitsbereich in die Ankunftshalle. Erstaunt versuchte Pippa, den unauffälligen Herrn Schultze mit dem Paradiesvogel Belinda zu einem Ehepaar zu kombinieren. Auch an Tochter Naomi war das einzig Auffallende ihr ungewöhnlicher Vorname, der sofort an ein bekanntes Supermodel denken ließ. Dieses hätte sich allerdings, im Gegensatz zu seiner Namensvetterin, vermutlich niemals in flachen Schuhen, brauner Cordhose und grobgestrickter Jacke in der Öffentlichkeit gezeigt.

Belinda Schultze schob ihre Tochter auf Falko Schumacher zu. »Das ist meine Naomi ...«

»Wollen wir nicht lieber aufbrechen?«, unterbrach Karl Heinz freundlich. »Die anderen warten bereits im Bus.«

Sie gingen auf den Ausgang zu, und Belinda Schultze hielt Falko Schumacher zurück, als dieser Anstalten machte, zu Pippa aufzuschließen. Sie drängte sich zwischen die beiden und beäugte Pippa von den langen roten Locken bis hinunter zu den grasgrünen Schuhen. »Und wer sind Sie? Gehören Sie zur Akademie?«

»Frau Bolle ist Kursteilnehmerin, Frau Schultze«, erklärte Karl Heinz. »Sie war so nett, mir Gesellschaft zu leisten.«

Und so frech, die Aufmerksamkeit von Falko Schumacher auf sich zu ziehen, der offensichtlich bereits für des Verlegers Töchterlein auserkoren ist, dachte Pippa amüsiert, zumindest, wenn es nach dem Willen der Mama geht.

Während sie über die nächtlichen Straßen der Steiermark fuhren, griff Margit wieder zum Mikrofon und begrüßte die neu zugestiegenen Gäste. Dann fuhr sie fort: »Ich will mich kurz fassen: Wir werden in etwa fünfzig Minuten Plutzerkogel erreichen und Sie bei Ihren jeweiligen Unterkünften abliefern. Zur zwanglosen Begrüßungsveranstaltung im Innenhof der Akademie Sinnenschmaus erwarte ich Sie morgen um 15 Uhr. Alle Kursleiter werden dort sein, sich selbst und ihr Kursprogramm vorstellen sowie sämtliche noch offenen Fragen beantworten.« Sie lächelte und fügte hinzu:

»Für heute aber haben Sie es beinahe geschafft. Um Mitternacht liegen Sie im Bett, versprochen.«

Sofort übernahm Karin wieder das Kommando und forderte die Nachzügler auf, sich vorzustellen.

Die Gattin des Verlegers ließ sich nicht lange bitten und präsentierte sich und ihre Familie. »Wir freuen uns sehr auf die Kurse. Bestimmt werden wir uns prächtig amüsieren, nicht wahr, Naomi?« Obwohl das Mädchen versuchte, tief in den Sitz zu kriechen, zog ihre Mutter sie am Arm. »Sag ›Hallo‹, Naomi. Und lümmele dich nicht so in den Sitz. Deine Haare sind schon ganz verwuschelt. Ich sage ja, du brauchst einen Stufenschnitt und ein Glätteisen, aber dazu wird diesem Italiener schon was einfallen. Der verpasst dir eine Frisur, die du besser bändigen kannst. So wie jetzt kann es nicht weitergehen.« Frau Schultze drehte sich wieder den anderen zu. »Wir gehen in den Schönheitskurs bei Giorgio Gallastroni. Allein schon der Name klingt nach *bella figura*. Und dann verwandeln wir Naomi in einen schönen Schwan, ganz wie das hässliche Entlein im Märchen.« Belinda Schultze klatschte vor Begeisterung in die Hände, ohne zu bemerken, wie sowohl ihr Mann als auch ihre Tochter zusammenzuckten. »Und wir gehen in den Flirtkurs. Gehst du auch in den Flirtkurs, Falko? Du musst einfach. Enttäusch mich nicht ...«

Während die Frau weiterplapperte, blendete Pippa sich aus und beobachtete die Tochter. Naomi hatte sich aus dem Griff ihrer Mutter befreit und umklammerte die Rückenlehne vor sich, als wäre diese ein Ersatz für Belinda Schultzes Gurgel. Sie entspannte sich erst, als ihr Vater eine Tafel Schokolade aus der Jackentasche zog, einen Riegel abbrach und ihr reichte. Naomi warf ihm eine Kusshand zu, die er pantomimisch mit der Hand auffing und lächelnd an sein Herz drückte.

Die beiden leben in ihrer eigenen Welt, erkannte Pippa.

Bei einer Mutter beziehungsweise Gattin wie Belinda vermutlich purer Selbstschutz.

Von Minute zu Minute wurde es ruhiger im Bus, und als sie endlich in Deutschlandsberg einfuhren, hatte selbst Karin ihr Pulver verschossen. Der Bus arbeitete sich einen Hügel hinauf und bog nach rechts ab in eine kurvenreiche Straße. Halb schlafend nahm Pippa eine prachtvoll erleuchtete Burganlage wahr, die in der Dunkelheit zu schweben schien. Sie fuhren einen steil abfallenden Hang mit einzeln stehenden Häusern entlang und bogen dann in ein Waldstück ein. Hier war es so dunkel, dass Pippa nichts mehr erkennen konnte, außer dass es weiter stetig bergauf ging, bis sie den kleinen Vorort Plutzerkogel erreicht hatten. Ein Kursteilnehmer nach dem anderen stieg an seiner Unterkunft aus, bis nur noch Pippa, Seeger, Karin und die Unterwegers übrig waren.

»Ein buntes Völkchen«, sagte Karin und gähnte. »Und dieses arme Mädchen. Wie heißt sie? Naomi? Ich fresse einen Besen, wenn ihre Mutter nicht versuchen wird, sie an den Mann zu bringen. Flirten lernen? Die Kleine gehört in einen Selbstverteidigungskurs!«

»Ich hatte den Eindruck, als würde sie schon jede Menge Strategien beherrschen, ihre Mutter an sich abtropfen zu lassen«, entgegnete Pippa und wandte sich dann an Margit. »Auf eurer Liste haben noch weitere Namen gestanden. Ihr habt mit mehr Leuten gerechnet, oder?«

Margit Unterweger nickte. »Allerdings. Drei weitere Teilnehmer aus Salzburg und Wien sollten kurz vor uns in Graz eintreffen. Sie haben nicht storniert. Noch besteht die Möglichkeit, dass sie sich spontan für die Anreise mit dem Auto entschieden haben, aber viel Hoffnung habe ich nicht.«

»Und dieser Journalist ist alles andere als ein adäquater

Ersatz«, sagte Karl Heinz und hielt vor einem hell erleuchteten Holzhaus, in dessen Garten Pippa trotz der Dunkelheit seltsame hölzerne Räder ausmachen konnte, die an hohen Pfählen befestigt waren.

»Deine Station, Karin. Du wohnst bei Maxi Frühwirt. Ich bin sicher, du wirst sie mögen, sie ist eine wirklich patente junge Frau. Bisher waren noch alle Gäste, die wir zu ihr geschickt haben, restlos begeistert. Sie ist erst Ende zwanzig, aber sie macht ihre Sache gut. Ihre Zimmer sind außerordentlich günstig. Dafür spendieren wir ihr einmal im Monat eine Spezialbehandlung von unserem hauseigenen Friseur, dem legendären Signore Gallastroni.«

Karin erhob sich und streckte sich ächzend. »Endlich ins Bett.« Sie beugte sich zu Pippa herunter und umarmte sie fest. »Bis bald, beste Freundin. Man sieht sich ...«

»... in vierzehn Tagen«, vervollständigte Pippa.

Karin stieg aus, und Karl Heinz begleitete sie zur Haustür, die von einer jungen Frau mit kurzen, zerzausten Haaren geöffnet wurde. Maxi Frühwirts Lächeln war breit und einladend, und Pippa fühlte einen kleinen Stich des Neids, weil sie die kommende Zeit nicht mit den beiden teilen konnte.

Nach ein paar weiteren Minuten Fahrt stoppte Karl Heinz erneut, diesmal vor einem kleinen Holzhaus mit breitem Balkon unter dem Spitzgiebel. Im Erdgeschoss waren einige Fenster erleuchtet. Er hupte kurz, und die Außenbeleuchtung flammte auf.

Ein schlanker Mann um die vierzig trat vor die Haustür, um die Gäste in Empfang zu nehmen. Sie folgten ihm in ein Wohnzimmer, das etwas überladen wirkte. Ein kleiner schwarzweißer Kuhkater spähte bei ihrem Eintritt unter dem Sofa hervor, zog sich aber sofort wieder zurück.

»Herr Lenzbauer, das sind Pippa Bolle und Paul-Friedrich Seeger«, stellte Margit sie vor. Während Pippa und Seeger Martin Lenzbauer die Hand schüttelten, kniete Margit sich vor die Couch und versuchte, das Tier hervorzulocken, hatte aber keinen Erfolg. »Wie schade. Ich würde Ninas neuen Kater zu gerne einmal sehen«, sagte sie enttäuscht und stand wieder auf.

Lenzbauer winkte ab. »Vergebene Liebesmüh, er will sich nicht zeigen. Wir haben ihn völlig verängstigt aus der Mülltonne unseres Nachbarn gezogen. Der kleine Streuner wollte wohl an die Essensreste und kam danach nicht wieder heraus. Das ist schon zwei Wochen her, aber er ist immer noch nicht zutraulich. Wir versuchen es mit den besten Leckerbissen, vielleicht nützt es eines Tages etwas. Ich habe Ihnen aufgeschrieben, was er am liebsten frisst.« Lenzbauer wirkte abgekämpft. Er bat sie mit einer fahrigen Geste, Platz zu nehmen, und übergab eine Liste mit Anweisungen für den Kater und das Leben im Haus. »Ich weiß nicht, wie ich Ihnen danken soll. Sie helfen nicht nur der Akademie, sondern auch mir persönlich. Seit meine Frau mich verlassen hat ... ich weiß einfach nicht mehr ... meine kleine Tochter ist ...« Seine Stimme versagte, und er schlug die Hände vors Gesicht.

»Pippa weiß über alles Bescheid«, sagte Margit sanft, »auch über Ninas Unfall. Sie müssen nicht darüber reden. Überlassen Sie ab jetzt einfach alles uns.«

»O doch, wir müssen darüber sprechen.« Lenzbauer sprang auf und holte einen braunen Briefumschlag, der auf einer Kommode gelegen hatte. Mit zitternden Fingern zog er ein Blatt heraus und hielt es Pippa vor die Nase. »Da. Sehen Sie. Der ist heute gekommen.«

»*Verlass die Akademie, Lenzbauer! Werd aus Schaden klug, wenn Dir das Leben Deiner Tochter lieb ist*«, las Pippa den anderen vor. »*Einer, der es gut mit Dir meint – bis sein Geduldsfaden reißt ...*«

Pippa blickte betroffen in die Runde. Margit hatte erschrocken die Hand vor den Mund geschlagen, Karl Heinz runzelte die Stirn, und Seegers Gesicht war unergründlich.

»Sehen Sie?« Martin Lenzbauers Stimme klang gebrochen; die Knöchel seiner ineinander verkrampften Finger waren weiß. »Jetzt bin ich endgültig sicher: Der Sturz meiner Tochter war kein Unfall.«

»Und genau deshalb ist es gut, dass Sie mit Nina wegfahren«, sagte Margit. »In der Rehaklinik sind Sie beide in Sicherheit. In der Zwischenzeit wird Pippa sich hier um alles kümmern.«

Ihr Mann schlug Martin Lenzbauer freundschaftlich auf die Schulter. »Sie nehmen jetzt Ihr Gepäck und kommen mit uns. Morgen früh fahren Sie dann zum Spital und holen Ihre Kleine ab. Ich verspreche Ihnen: Wenn Sie beide zurückkommen, ist der Spuk hier längst vorbei.«

Lenzbauers Blick klebte hoffnungsvoll an Pippas Gesicht. Sie nickte, um die Worte der Unterwegers zu bestätigen.

»Wir werden herausfinden, wer diese Briefe geschrieben hat und Sie und Ihre Tochter bedroht. Er wird seine gerechte Strafe bekommen«, sagte sie mit deutlich mehr Zuversicht in der Stimme, als sie gerade spürte.

Kapitel 4

Hartnäckiges Klopfen weckte Pippa am nächsten Morgen aus tiefem Schlaf.

»Bist du wach?«, fragte Seeger durch die geschlossene Zimmertür.

So kann man das nicht nennen, dachte Pippa, rieb sich die Augen und blinzelte. So kann man das ganz und gar nicht nennen.

Der Wecker neben dem Bett bestätigte unbarmherzig ihre Vermutung: Es war 7.45 Uhr. Kein Zeitpunkt, um ausgeschlafen zu sein. Nicht an einem Sonntag, und erst recht nicht nach der anstrengenden Anreise.

Sie erwog kurz, zu warten, bis der Exkommissar aufgab, antwortete aber dann doch: »Ich schlafe noch! Ganz tief. Traumphase. Gerade bringt mir ein netter Mensch Tee, Schrippen und selbstgemachte Himbeermarmelade ans Bett.«

»Hier heißen die Dinger Semmeln!«, rief Seeger, für Pippas Geschmack deutlich zu munter. »Und dank Karl Heinz weiß ich, wo man sie bekommt. Deshalb schlage ich vor, wir wandern zur Josefsalm hinauf und genehmigen uns dort ein zünftiges Frühstück.«

Pippa überlegte fieberhaft, wie ihr der Spaziergang erspart bleiben könnte. »Ich kann mir nicht vorstellen, dass dort so früh schon geöffnet ist.«

»Im Gegenteil. Am Wochenende hat die Besitzerin Logiergäste, bei voller Verpflegung. Da fällt ein hungriger Esser mehr oder weniger nicht ins Gewicht. Außerdem kommen wir an der Akademie vorbei und können uns dort gleich ein wenig umsehen. Ohne Zuschauer.« Als Pippa nicht antwortete, fuhr er fort: »Margit sagt, die Almhütte wird von der Schwester der Akademiedirektorin betrieben. Josefa Schliefsteiner hat daraus ein beliebtes Ausflugsziel gemacht, sowohl für Einheimische als auch für Touristen. Wenn ich es richtig verstanden habe, ist die Alm da oben im Sommer so etwas wie die Informationszentrale für die gesamte Gegend und damit genau der Ort, an dem wir erste Eindrücke sammeln können.«

»An einem Sonntag? Zu so unchristlicher Morgenstunde?« Pippa wollte nicht kampflos aufgeben. »Hoffentlich zerstören wir da nicht unsere Tarnung. Wir sind schließlich in den Flitterwochen.«

»Der Weg nennt sich ›Verlobungsweg‹ und wurde zu allen Zeiten von Verliebten frequentiert, die turteln wollten. Also, wenn du mich fragst, passt diese …«

Pippa hatte den Exkommissar im Vorjahr als jemanden kennengelernt, der jede seiner Handlungen mit Bedacht plante, auch wenn sich der Sinn nicht immer gleich erschloss. Sie war wohl gut beraten, seiner Strategie zu vertrauen – und aufzustehen.

Deshalb unterbrach sie ihn. »Schon gut, schon gut – ich weiß, wann ich verloren habe. Aber ich habe noch einiges zu erledigen, bevor es losgehen kann: wach werden, Otto füttern und vor allem versuchen, ihn zu streicheln, außerdem …«

Diesmal fiel Seeger ihr ins Wort. »Alles schon erledigt, sonst hätte ich bereits vor einer halben Stunde vor deiner Tür gestanden! Aber ich wollte dich ausschlafen lassen, schließlich sind wir in den Flitterwochen.«

Nach wenigen Minuten Fußweg erreichten sie die Akademie und traten durch den großen Torbogen in den quadratischen

Innenhof. Die mit üppigen Blumen geschmückten Bogenfenster des dreistöckigen Gebäudes, das Kopfsteinpflaster, zwischen dessen Steinen sich kein Unkraut hervorwagte, der wie ein Kreuzgang wirkende ebenerdige Umlauf und das in angenehmen Pastelltönen verputzte Mauerwerk: Alles strahlte heitere Gelassenheit aus und wirkte auf angenehme Weise luxuriös, ohne protzig zu erscheinen. Pippa hatte mit einem stattlichen Haus gerechnet, groß genug, um neben den Unterrichtsräumen Wohnungen für Gastdozenten oder Teilnehmer anzubieten, aber ein derartig beeindruckendes Herrenhaus hatte sie nicht erwartet. »Ende 19. Jahrhundert, würde ich sagen. Wiener Jugendstil«, sagte sie. »Alles wirkt so ruhig, so friedlich. Man sollte nicht meinen ...«

Seeger nickte und drehte sich um die eigene Achse. »Wo genau ist die kleine Nina Lenzbauer denn verunglückt?«

Pippa zeigte auf den Torbogen, der dem Eingangsportal gegenüberlag, aber um einiges kleiner war. »Dort, an der Rückseite des Gebäudes, wenn ich das richtig verstanden habe.«

Sie verließen den Hof durch den Hinterausgang und sahen einen schlanken Mann in dunkelgrüner Weste über weißem Oberhemd und in dunkler Hose eine riesige Markise entrollen. Sie würde den Tischen und Stühlen Schatten spenden, sobald die Sonne die Caféterrasse erreichte.

Als der Mann sie bemerkte, winkte er freundlich und rief: »Servus, die Herrschaften! Leider sind Sie zu früh. An Sonntagen öffnet das Café Kürbishügel seine Pforten erst zum Mittag, aber dann bin ich ganz der Ihre.« Er deutete eine Verbeugung an. »Gestatten: Beppo Sonnbichler, stets zu Diensten.« Mit einem Zwinkern fügte er hinzu: »Während der Öffnungszeiten.«

Pippa ging zu ihm hinüber, reichte ihm die Hand und stellte sich und Seeger als Gäste der Akademie Sinnenschmaus vor. »Schade«, sagte sie und grinste. »Einen Moment lang hatte ich gehofft, ich könnte mir den Weg zur Josefsalm sparen.«

Offenbar wollte Sonnbichler kollegial sein, denn er erwiderte: »Das sollten Sie sich nicht wünschen, gnädige Frau! Das Sonntagsfrühstück bei Josefa ist legendär. Deshalb öffne ich ja nicht früher. Lohnt sich nicht. Mit der Backkunst der Josefa konkurriert man nicht.«

Pippa warf Seeger einen kurzen Blick zu und sah an seinem Gesicht, dass er das Gleiche dachte wie sie: Beppo Sonnbichler hatte bisher auch Leckereien der Unterwegers in seinem Café angeboten. Jetzt litt er ebenso unter den Nachwirkungen der Salmonellen-Gerüchte wie das Ehepaar selbst, wollte dies aber vor Gästen der Akademie nicht ansprechen.

»Ich sehe, die Markise ist wieder repariert«, sagte Seeger unvermittelt. »War sie stark beschädigt? Ich meine, so eine Markise ist ja nicht als Sprungtuch ausgelegt, da ist doch bestimmt etwas kaputtgegangen.«

»Sprungtuch?« Beppo Sonnbichler starrte den Exkommissar verblüfft an. Sein Lächeln war wie weggewischt. »Ich weiß nicht, was Sie meinen.«

Wie ein neugieriger Tourist blickte Seeger sich um. »Der Unfall von Nina Lenzbauer – das war doch hier?«

Sonnbichler musterte sein Gegenüber misstrauisch. »Der Sturz wurde nicht publik gemacht. Schon um die kleine Nina vor der Öffentlichkeit zu schützen. Wieso wissen Sie davon?«

»Herr Lenzbauer hat es uns erzählt, gestern Abend«, erklärte Pippa und lächelte den Wirt an. »Wir wohnen während unseres Aufenthalts in seinem Haus und kümmern uns um alles.«

Beppo Sonnbichler entspannte sich sofort. »Ach, Sie sind die Haushüterin aus Berlin. Der Martin hat mir erzählt, dass er dank Ihnen mit der Kleinen in die Reha kann. Das ist natürlich etwas anderes.«

Er zeigte auf die Verankerung der Markise in der Wand. »Die würde es auch aushalten, wenn Sie aus dem ersten Stock fallen, gnädige Frau. Die ist bombensicher.«

»Schrecklich, dieser Unfall.« Pippa blickte ihn an. »Sie mussten den Sturz doch nicht etwa mit ansehen?«

»Vor Entsetzen sind mir zwei Einspänner und ein Stück Kürbiskerntorte vom Tablett gerutscht! An Tisch 7.« Der Wirt zeigte auf einen Tisch unter der Markise. »Das war das erste Mal in meinem Leben, dass mir so etwas passiert ist.« Er sah zum Fenster hinauf. »Ich hatte hochgeschaut, weil ich einen Schrei hörte. Und da sah ich das Kind auch schon fallen. Deshalb war ich sofort zur Stelle und konnte helfen. Wenn die Markise nicht gewesen wäre … und eine der großen gepolsterten Sonnenliegen … Nicht auszudenken.«

»Das muss ein schöner Schreck gewesen sein«, sagte Seeger.

»Schreck ja, schön gewiss nicht.« Sonnbichler verzog grimmig den Mund. »Wenn ich den erwische, der das Fenster offen gelassen hat, dann werfe ich ihn eigenhändig dort oben hinaus.«

»Warum ist ein offenes Fenster denn etwas Besonderes?«, fragte Seeger. »Bestimmt wollte jemand lüften.«

Sonnbichler schüttelte den Kopf. »Das ist das Fenster des Kinderparadieses der Akademie, dort werden die Kinder der Kursteilnehmer und Dozenten betreut, während ihre Eltern beschäftigt sind oder sich bei mir einen Franziskaner gönnen.« Er lächelte. »Eine einmalig gute Idee der Frau Direktor, diese Kinderbetreuung«, fuhr er mit so viel Stolz in der Stimme fort, als wäre er selbst darauf gekommen. »Diese Einrichtung wird besonders von Teilnehmern aus der näheren Umgebung sehr geschätzt. Aus Sicherheitsgründen sind die Fenster dieses Raumes mit einem Griffschloss abgesichert. Sie werden nur geöffnet, wenn gelüftet oder die Markise gereinigt werden muss. Und dann bleibt so lange ein Erwachsener im Raum.«

»Und die Schlüssel hat Frau Schliefsteiner in Verwahrung ...«, soufflierte Pippa, um Beppo Sonnbichler zum Weiterreden zu animieren.

Der Wirt nickte. »Und ich. Ach, und die Aloisia Krois natürlich, die putzt hier und braucht ihre eigenen. Die Frau Direktor oder ich geben den Schlüssel manchmal an Sigrid Sommerfeld weiter. Die unterrichtet neben den Flirtkursen auch Kindertanz.«

»Aber an diesem Tag wurde kein Schlüssel rausgegeben?«, fragte Pippa.

»Wo meiner zu dem Zeitpunkt war, weiß ich. Die Aloisia gibt ihren nicht her, sie braucht ihn ja ständig. Die Frau Direktor müssen Sie schon selber fragen.«

Seeger nickte. Offenbar hatte er beschlossen, dass er für den Moment genug erfahren hatte, denn er sagte freundlich: »Wenn Sie uns jetzt noch sagen, wie wir auf dem schnellsten Wege zu unserem Almfrühstück kommen ...«

Sonnbichler drehte sich sofort in Richtung Wald. »Sehen Sie die Lichtung dort? Am hinteren Ende führt ein Weg in den Wald. Nach etwa zweihundert Metern gabelt er sich. Nach links kommen Sie zur Burg, rechts nach Deutschlandsberg und immer der Nase nach direkt zu Josefas Alm.«

Als sie außer Hörweite waren, blieb Seeger stehen und drehte sich noch einmal zur Akademie um. »Ist es dir aufgefallen?«, fragte er.

»Du meinst seine Antwort auf die Frage nach seinem Schlüssel.« Pippa blickte wie er zur Caféterrasse, wo der Wirt gerade mit einem großen Besen die Steinplatten kehrte, und erwiderte: »Er hat zwar gesagt, dass er genau weiß, wo sein Schlüssel sich befand, aber nicht, ob er ihn jemandem gegeben hatte.«

Seeger grinste anerkennend. Pippa sah ihm an, dass er es sehr genoss, wieder ermitteln und Rückschlüsse ziehen zu dürfen.

»Ein geschicktes Ausweichmanöver«, bestätigte er. »Er hat nicht gelogen – aber auch nicht die Wahrheit gesagt. Die Frage ist: warum?«

Sie unterbrachen ihr Gespräch, weil sie Stimmen vernahmen.

»Unmöglich«, hörte Pippa ausgerechnet Karin sagen. »Das kann nicht der richtige Weg zur Josefsalm sein.«

Einige Schritte weiter kam die kleine Gruppe in Sicht.

»Ich finde wirklich, der Akademie sollte daran gelegen sein, dass ihre Gäste sich nicht verlaufen. An diese Gabelung gehört ein ordentlicher Wegweiser«, maulte ein Mann, der wie Pippa die vierzig erst knapp überschritten zu haben schien. Trotz seiner Sonnenbräune wirkte er in seiner exakt aufeinander abgestimmten Freizeitkleidung wie kostümiert und in der freien Natur merkwürdig deplatziert. »Ich habe keine Lust, erst zum Mittagessen auf dieser Alm anzukommen.«

»Tobias«, zwitscherte die sorgfältig geschminkte Blondine an seiner Seite, »entspann dich doch mal. Du bist im Urlaub. Die Sonne scheint. Zwei genussreiche Wochen liegen vor dir.« Sie schmiegte sich an ihn. »Und wir zwei sind endlich mal zusammen.«

Als Pippa die junge Frau mit ihrem Freund turteln sah, nahm sie Seegers Hand.

»Wir sind frisch verheiratet. Und zeigen jetzt mal schön, wie gut wir unsere Rollen beherrschen«, murmelte sie.

Sie zog ihn zu den anderen und sagte: »Guten Morgen!

Ihr wollt auch auf die Alm? Wir haben uns gerade erkundigt, es geht hier entlang. Etwas mehr als eine halbe Stunde Wald, Wiesen und Weiden und dann jede Menge Frühstück!«

»Sieh an, seit wann …«, begann Karin und stockte, als sie Pippas warnenden Blick bemerkte. »Seit wann seid ihr denn schon unterwegs? Ausgerechnet das frischgebackene Ehepaar hätte ich nicht vor Tau und Tag im Wald erwartet.« Sie wandte sich an das andere Pärchen. »Darf ich vorstellen? Tobias und Livia, das sind Pippa und Paul-Friedrich. Sie sind so frisch verheiratet, dass ihnen eigentlich noch Reiskörner aus den Haaren purzeln müssten. Auch Kursteilnehmer. Mit sportlichem Schwerpunkt.«

»Tobias Jauck, angenehm«, sagte der Mann. »Sind Sie sicher, dass wir diesen Weg einschlagen müssen? Ich gehe gar nicht gerne Umwege und …«

»Livia Riegler«, unterbrach ihn seine Freundin. »Ihr seid frisch verheiratet?« Sie seufzte und warf ihrem Begleiter einen koketten und zugleich leicht vorwurfsvollen Blick zu. »Beneidenswert, findest du nicht, Tobias? Sich ganz frei füreinander entscheiden zu können.«

Sofort fügten sich kleine Details vor Pippas innerem Auge wie von selbst zu einem Bild: Ein schmaler, heller Streifen an Jaucks linkem Ringfinger markierte die Stelle, wo sonst vermutlich ein Ehering saß. Jetzt trug er ihn nicht, und Livias Bemerkungen ließen auf eine Geliebte schließen, die sich wünschte, ihre Liebe nicht nur heimlich ausleben zu dürfen.

Während sie eine leichte Steigung hinaufgingen, unterhielt Karin alle mit den Erlebnissen ihrer ersten Nacht in Plutzerkogel.

»Von meinem Zimmer aus kann ich bis zur Burg gucken. Ein wunderbarer Anblick, besonders, weil sie in so warmem Licht angestrahlt wird. Und die Weinberge davor. Wusstet ihr, dass man sie hier *Weingärten* nennt? Bezaubernd, oder?« Karin sah sich begeistert in der Runde um. »Ich habe es ohnehin gut getroffen. Um unser Haus herum gibt es nämlich jede Menge Buschenschänken. Die werde ich alle der Reihe nach ausprobieren. Mit mir braucht ihr beim Frühsport also nicht zu rechnen.« Karin genoss sichtlich ihre Rolle als Zicke gegenüber Pippa, als sie fortfuhr: »*Ich* glaube ja auch nicht, dass ich meinen untrainierten Körper in diesen zwei Wochen auf Modelmaße trimmen kann. Diese Illusion überlasse ich gerne anderen.«

Etwa die Hälfte des Weges zur Alm führte durch kühlen Wald, nur einmal überquerten sie eine Holzbrücke über eine Klamm, auf deren Grund ein Wildbach rauschte.

Pippa blickte schaudernd in die Tiefe. »Das sind mindestens zehn Meter. Und dann noch all diese scharfen Felskanten … Da mag man kaum hinuntersehen.«

»Höhenangst?«, fragte Karin scheinheilig. »Gibt es im Kursprogramm nicht so etwas wie therapeutisches Malen? Vielleicht könnte dir das helfen, etwas Selbstvertrauen und Mut zu finden.«

Pippa war drauf und dran, ihre Freundin zu knuffen, erinnerte sich aber noch rechtzeitig, dass das bei einer angeblich neuen Bekannten seltsam ausgesehen hätte.

Keine zehn Minuten später ging der Wald in einen grasbewachsenen Hang über. Etwas außer Atem erreichten die fünf die Kuppe, auf der eine weißgetünchte Kapelle mit Zwiebeltürmchen thronte. Von hier hatte man einen weiten Blick ins Land. Als Pippa zurücksah, konnte sie zwischen den Bäumen des Waldes den Verlauf des Wildbaches ausmachen, bis er in den Tiefen der Klamm verschwand. Über die Schönheit der Landschaft vergaß sie für einen Moment den Grund für ihren Aufenthalt in Plutzerkogel.

Livia las aus einem Reiseführer vor: »*Auf dem Plutzerkogel, zu Deutsch ›Kürbishügel‹, steht eine Wallfahrtskapelle mit beachtenswertem Flügelaltar aus dem 18. Jahrhundert. Die kleine Kirche ist dem heiligen Honorius, dem Schutzheiligen der steirischen Ölmüller und Bäcker, gewidmet. Errichtet wurde die Kapelle an dieser Stelle, da sie von hier im gesamten Stammland des Kürbisanbaus zu sehen ist. Kürbiskernöl aus dieser Region wird heute in vielen verschiedenen Gerichten verwendet, zum Beispiel ...*«

»Gnade«, unterbrach Karin mit flehender Stimme, »bitte erst wieder vom Essen reden, wenn es vor mir steht. Sonst werfe ich mich noch auf den Boden und beiße rein in diesen Kürbishügel!«

Auf der anderen Seite der Kuppe durchquerten sie noch eine bewaldete Senke und einen dichten Tannenwald, dann lag die Josefsalm vor ihnen. Am Ende des Wiesenweges stand ein einladendes Holzhaus mit großem Giebelbalkon und farbenfrohen Geranien vor den Fenstern. Die Aussicht auf Rast und Erfrischung beflügelte Pippa so sehr, dass sie den Staketenzaun, der das Gelände der Almhütte umschloss, vor den anderen erreichte.

Neben der Hütte luden grob gezimmerte Tische und Bänke zum Verweilen ein. Vier Personen, alle in den Sechzigern, hatten dort bereits Platz genommen: ein für die Alm etwas zu elegant gekleidetes Paar, ihnen gegenüber ein bärtiger Mann und eine großmütterlich wirkende Frau in einfachem Alltagsdirndl. Der Bärtige redete lebhaft auf seine Tischgenossen ein.

Pippas Gruppe beschloss, sich an den angrenzenden Tisch zu setzen, und Pippa übernahm es, ins Haus zu gehen und bei Josefa Schliefsteiner fünf Almfrühstücke in Auftrag zu geben. Sie betrat die Hütte und damit einen großen, gemütlichen Gastraum mit einer Bank, die sich an drei Wänden entlangzog und vor der schwere Eichentische standen.

Die freie Stirnseite nahm ein Ungetüm von Ofen ein, aus dessen Backröhre eine kurzhaarige Frau im Dirndl soeben einen Mohnstrudel zog, den sie auf einem der Tische abstellte.

»Grüß Gott!«, sagte sie herzlich und nahm Pippas Bestellung entgegen. Dann stutzte sie kurz, musterte Pippas rote Locken und fuhr fort: »Sie sind die Pippa aus Berlin, nicht wahr? Ich bin die Josefa. Meine Schwester sagte, Sie würden auch mit mir sprechen wollen, aber so schnell habe ich Sie nicht erwartet.«

»Heute wollen wir uns auch nur umsehen. Aber es ist gut möglich, dass wir die heimliche Leitzentrale der Gegend schon in den nächsten Tagen anzapfen werden. Karl Heinz sagt, Sie wissen alles über jeden.«

Josefa Schliefsteiner lächelte. »Sie sind jederzeit willkommen. Und wenn ich irgendwie helfen kann … Die distinguierten Eheleute dort draußen sind übrigens auch Kursteilnehmer, die beiden anderen an ihrem Tisch sind Eddi und Aloisia Krois. Eddi ist Heimatkundler und Hobby-Archäologe. Bei ihm wurde der Funke für sein Steckenpferd durch seinen Beruf gezündet: Er und seine Frau machen Tierpräparationen für die Museen und Schulen in der Umgebung.«

»Seine Frau auch?«, hakte Pippa nach. »Ich dachte, Aloisia hält die Akademie sauber?«

»Manchmal denke ich, das macht sie nur, weil sie auch gerne Seminare geben würde«, erzählte Josefa. »Auf diese Weise kann sie meine Schwester täglich aus der Ruhe bringen. Denn das tut sie, das weiß ich aus erster Hand.«

»Wie bitte? Sie will Putzseminare geben?«

»Nein, sie hat die Mission, Menschen an die Kunst der Tierpräparation heranzuführen, denn in erster Linie führt sie ihr Studio für Taxidermie. Und zwar mit ebenso eiserner Hand wie den Schrubber. Wo sie auftaucht, flüchtet der Staub vor Schreck ganz von selbst zurück in die Stratosphäre.« Josefa verdrehte die Augen, lachte aber. »Sagen Sie Bescheid, wenn die beiden Sie nerven, dann werfe ich sie raus.«

»Womit sollten sie uns nerven?«, fragte Pippa. Brennend gern hätte sie die Frau im Dirndl sofort nach dem Verbleib ihres Schlüsselbundes während Ninas Fenstersturz befragt.

»Das werden Sie ohne Zweifel gleich herausfinden.« Josefa winkte ab. »Aber die beiden sind nicht mein größtes Problem. Das ist die Akademie. Die Erpresserbriefe, die Absagen ... Wenn meine Schwester leidet, geht es mir ebenfalls schlecht. Und jetzt auch noch der Bernhard ...«

»Sie meinen Herrn Lipp? Er wird noch immer vermisst, nicht wahr?«

Die Almwirtin senkte die Stimme. »Von seiner Frau allerdings nicht. Alle machen sich Sorgen, nur die Renate nicht.«

Plötzlich nieste jemand hinter ihnen, und Pippa legte rasch den Finger an die Lippen, um Josefa Schliefsteiner zu unterbrechen. Sie wandten sich zur Geräuschquelle um, und Pippa seufzte innerlich, denn Axel von Meinrad lehnte in der Tür und sah aus, als hätte er gerade einen Schatz entdeckt.

»Guten Morgen, die Damen. Habe ich Sie erschreckt?« Er zog ein Taschentuch aus der Hosentasche und schnäuzte sich. »Verdammter Heuschnupfen«, fügte er grinsend hinzu, bevor er mit selbstgefälligem Lächeln wieder nach draußen ging.

Durch ein Fenster beobachtete Pippa, wie er sich zum Rest ihrer Gruppe an den Tisch setzte. Auf den fragenden Blick der Almwirtin hin erklärte sie knapp: »Journalist. Hat sich im Kielwasser eines Gastes in die Akademie geschlichen. Und ich traue ihm keinen Meter über den Weg.«

Als Pippa wieder an den Tisch trat, hatten sich alle miteinander bekanntgemacht und waren enger zusammengerückt.

Seeger übernahm es, sie vorzustellen: »Meine Frau Pippa. Liebling, das sind Ilsebill und Jodokus Lamberti aus Wiesbaden. Sie bewohnen eine der Ferienwohnungen in der Akademie.«

Pippa zuckte bei Seegers Anrede, nickte dann aber freundlich in die Runde. Ilsebill Lambertis unaufdringliche Eleganz erinnerte sie an ihre eigene Mutter Effie, während Jodokus Lamberti, stattlich und weißhaarig, wie ein Mann wirkte, der es gewohnt war, Entscheidungen zu treffen und Verantwortung zu tragen.

»Eddi Krois, habe die Ehre.« Der bärtige Mann erhob sich zur Begrüßung halb von der Bank. »Meine Frau Aloisia.«

»Herr Krois ist Heimatkundler. Er erzählt uns gerade von seinen Ausgrabungen«, sagte Ilsebill Lamberti. »Haben Sie gewusst, dass hier in grauer Vorzeit Kelten lebten?«

»Wirklich? Ich dachte, die Kelten gehören nach Schottland und Irland.« Pippa wechselte einen raschen Blick mit Seeger. »Haben Sie bei den Ausgrabungen etwas gefunden?«

»Kleinere Artefakte, von alten Tonscherben bis hin zu Gürtelschließen.« Der Heimatkundler runzelte die Stirn. »Aber ich bin mir sicher, da ist noch mehr. Und einer muss sich darum kümmern. Unbedingt.« Er wandte sich an den Journalisten. »Wäre das nichts für Ihre Zeitung?«

»Oder vielleicht ein Artikel über unsere Handwerkskunst?«, hakte seine Frau ein. »Wir präparieren Tiere, wie schon mein Vater und mein Großvater vor uns. Unsere Devise: lebensecht für die Ewigkeit. Ich zeige Ihnen gern unsere Wirkungsstätte. Wir haben ein kleines Ladengeschäft.«

Diese Frau weidet und stopft wirklich Tiere aus?, dachte Pippa, denn mit den grauen Löckchen und der biederen

Goldrandbrille wirkte Aloisia eher, als würde sie nach ihrer Putzarbeit gemütlich im Schaukelstuhl sitzen und Märchen vorlesen.

Eddi und Aloisia Krois sahen Axel von Meinrad hoffnungsvoll an, aber der zuckte mit den Achseln. »Beides Nischenthemen. Lediglich von regionalem Interesse. Glaube kaum, dass ich für eine solche Reportage Abnehmer fände.«

Nein, du hoffst stattdessen auf einen saftigen Skandal, dachte Pippa und wandte sich wieder an Krois. »Bei den Ausgrabungen arbeiten Sie allein?«

Der schüttelte den Kopf. »Nein, ich habe freiwillige Helfer: die örtlichen Pfadfinder.«

»Freiwillig ... wer's glaubt«, murmelte Josefa Schliefsteiner, die an den Tisch getreten war und große Holzbretter mit einer beeindruckenden Käse- und Brotauswahl vor Pippa und Seeger abstellte. »Alle anderen haben es abgelehnt, sich durch meine Kälberwiese zu wühlen! Die Fußballmannschaft, der Wanderverein ...«

»Es geht um die Historie unserer Heimat, Josefa«, fiel Krois ihr ins Wort. »Ich bin Heimatforscher, ich habe einen Auftrag!«

Die Almwirtin stemmte die Hände in die Seiten. »Nein, das hast du nicht, Eddi. Die Uni Graz hatte einen Auftrag, und die haben ihr Gelumpe vor mehr als zwei Jahren zusammengepackt und sind wieder abgezogen. Und warum? Ganz einfach: weil es nichts zu finden gibt.«

»Die können auch was übersehen«, gab Krois mit Vehemenz zurück. »Ich bin sicher, ich werde etwas Spektakuläres ausgraben. Und dann wird deine Alm berühmt, Josefa. Du wirst noch an meine Worte denken.«

❧ Kapitel 5 ❧

Wie still es hier oben ist«, sagte Karin, als die Gruppe der Almbesucher auf dem Rückweg das Wiesengelände um die Wallfahrtskirche betrat. »Kein Laut, nichts als ...«

»Pippas Handy«, vollendete Paul-Friedrich Seeger ironisch, weil in diesem Moment Dudelsacktöne über den Hügel hallten. »Ab hier gibt es also wieder ein Netz. Nur die Josefsalm ist wirklich beschaulich.«

Pippa entschuldigte sich für den durchdringenden Klingelton, der ihr einen Anruf ihres schottischen Freundes signalisierte. »Geht ihr doch bitte schon mal vor, ich will nur kurz ...«

Den Rest des Satzes ließ Pippa unausgesprochen. Sie konnte unmöglich sagen, dass sie als vermeintlich glücklich verheiratete Frau mit ihrem Liebhaber telefonierte. Insgeheim verwünschte sie Seegers spontanes Almfrühstück, über dem sie ihr allmorgendliches Gespräch mit Morris Tennant vollkommen vergessen hatte. Während die anderen die Wallfahrtskirche betraten, um den berühmten Flügelaltar zu besichtigen, blieb sie vor dem Eingangsportal stehen und meldete sich in Englisch.

»Na endlich, Schatz. Wo steckst du denn nur?«, fragte Morris erleichtert, als er ihre Stimme hörte. »Ich habe eine wichtige Nachricht für dich von Sarah MacDonald. Sie möchte dich sprechen, bevor der offizielle Teil der Einführungsveranstaltung beginnt, denn sie will wissen, wie sie sich dir und meinem offiziellen Rivalen gegenüber verhalten soll, wenn ihr euch in der Öffentlichkeit begegnet.«

»Sehr vorausschauend«, erwiderte Pippa. »Es würde unserer Mission schaden, wenn Sarah und ich gleich von Beginn des Kurses an als Freundinnen gelten. Schließlich ist sie obendrein eine gute Bekannte von Margit. Wir sollten unbedingt vermeiden, dass der Erpresser zu viele Berührungspunkte zwischen uns entdeckt.«

»Deshalb wartet Sarah in der Kapelle des heiligen Honorius auf dich. Weißt du, wo die ist?«

Pippa drehte sich zur Wallfahrtskirche um und seufzte. »Ja, allerdings.«

Sie fluchte leise und entfernte sich hastig ein gutes Stück vom Eingang der Kapelle, in der Sarah MacDonald vermutlich gerade innerlich betete, dass Pippa nicht ausgerechnet jetzt hereinkam, während die anderen Ausflügler der Akademie den Altar bewunderten.

Pippa wollte lieber abwarten, bis die Gruppe die Kapelle wieder verlassen hatte. Sie turtelte noch ein wenig mit Morris und versicherte ihm abschließend, dass sie keinesfalls noch einmal vergessen werde, den Tag mit seiner Stimme zu beginnen. Lächelnd verstaute sie das Handy in der Jackentasche.

»Man sollte sich immer vergewissern, ob die Luft rein ist, bevor man mit seiner Nummer eins telefoniert.«

Pippa fuhr herum und erblickte Livia Riegler, die wissend grinste.

»Meine Englischkenntnisse sind rudimentär, aber so viel habe ich verstanden: Der Adressat deines Liebesgeflüsters war nicht der Mann, mit dem du in den Flitterwochen bist.« Sie zog Pippa auf eine Bank und setzte sich neben sie. »Du scheinst im Betrügen noch keine Übung zu haben, Pippa. Da habe ich dir einiges voraus. Wenn du Tipps brauchst: Ich stehe zur Verfügung. Und keine Angst, das lernt sich alles sehr schnell. In ein paar Wochen sind dir die Heimlichkeiten in Fleisch und Blut übergegangen.«

Pippa biss sich auf die Lippe. Wie hatte sie nur so nachlässig sein können, nicht darauf zu achten, ob sie wirklich allein war?

»Du interessierst dich nicht für den heiligen Honorius?«, fragte sie Livia, um Zeit zu gewinnen.

»Gibt es einen Schutzheiligen der ewig hoffenden und wartenden Geliebten? Dem würde ich sofort eine Kerze anzünden, um mein Ziel zu erreichen.« Livia wedelte sich mit ihrem Reiseführer Kühlung zu. »Bis dahin heißt es, jederzeit begehrenswert und vor allem *anders* zu sein als die Ehefrau. Kein leichtes Unterfangen.«

»Muss es denn unbedingt Tobias Jauck sein? Es gibt doch auch nette, aber unverheiratete Männer.«

Livia ließ sich Zeit mit der Antwort. Sie holte eine Puderdose aus ihrer Handtasche und klappte sie auf. Konzentriert blickte sie in den Spiegel, hielt ihn weit von sich weg und prüfte ihr Aussehen aus verschiedenen Perspektiven. Erst dann begann sie, sich ausgiebig zu pudern. »Ich will einen Mann mit ordentlichem Einkommen, guten Umgangsformen und vernünftigen Genen, das schränkt die Auswahl enorm ein«, sagte sie leise und nicht ohne Selbstironie. Dann klappte sie die Puderdose energisch zu und fügte lauter hinzu: »Obendrein will ich ihn auch noch lieben und den Rest meines Lebens mit ihm verbringen. Und da habe ich bisher nur einen Einzigen getroffen, mit dem ich mir das vorstellen kann. Tobias Jauck. Leider ist dieser Mann – noch – verheiratet, und ich muss weiter hoffen und warten, dass er erkennt, was er an mir hat.«

»Und?«, fragte eine männliche Stimme hinter ihnen. »Stehen die Chancen gut?«

Pippa erstarrte vor Schreck. Axel von Meinrad hatte sich ebenso lautlos angeschlichen wie zuvor Livia bei ihr, nur dass diese keinerlei Bestürzung über das Erscheinen eines ungewollten Lauschers zeigte. Ganz im Gegenteil: Sie sah so zufrieden aus wie eine Maus vor einem saftigen Stück Käse.

Der Journalist blieb einen Moment abwartend stehen, erkannte aber rasch, dass keine weiteren Enthüllungen zu erwarten waren. Während er in sein Aufnahmegerät diktierte: »Die Idylle dieses Ortes ist vollkommen. Deshalb wird er nicht nur von Gläubigen, sondern auch von Liebespaaren aufgesucht. Ganz besonders von denen, die aus gutem Grund die Öffentlichkeit scheuen …«, machte er sich auf den Weg zurück in den Ort. Mit jedem seiner Schritte wurde seine Stimme leiser und verklang schließlich ganz.

»Stell dir vor, Pippa, wir haben unsere zukünftige Fotokursleiterin in der Kirche getroffen!«, rief Seeger, der gerade aus der Kirche kam. Mit der Fotografin kam er herüber zur Bank, auf der Pippa und Livia saßen. »Darf ich vorstellen? Sarah MacDonald. Sie hat den Altar fotografiert.«

Pippa schüttelte ihrer Freundin die Hand, als sähe sie Sarah zum allerersten Mal, und hoffte inständig, dass niemand ihre kleine Scharade bemerkte. Dann hakte sie sich bei ihrem Pseudoehemann ein und zog ihn mit sich in Richtung Akademie.

Außer Hörweite der anderen sagte sie: »Gut gemacht, Paul-Friedrich. Bestimmt hast du Sarah von meinen Fotos wiedererkannt und konntest deshalb die Situation retten. Echter polizeilicher Spürsinn. Auf dich ist eben Verlass.«

Seeger blieb stehen und starrte Pippa irritiert an, dann lachte er herzlich. »So gern ich Komplimente einheimse – aber mir war tatsächlich nicht klar, dass ihr euch kennt! Hervorragend geschauspielert, die Damen. Ich muss eindeutig aufmerksamer werden. Die Idylle der Weststeiermark hat mich abgelenkt. Für einen Moment hatte ich glatt vergessen, dass wir nicht im Urlaub sind.«

Als die Ausflügler den Innenhof der Akademie betraten, hatten sich die restlichen Kursteilnehmer dort bereits eingefunden. Zu dritt oder zu viert saßen sie an schmiedeeisernen Tischen.

Pippa und Seeger entschieden sich, bei den Lambertis Platz zu nehmen, und schlängelten sich zwischen einem Flipchart und einer Reihe Stühle bis zum Tisch des sympathischen Wiesbadener Ehepaars hindurch. Dabei nahm Pippa aus dem Augenwinkel wahr, dass Belinda Schultze einen Fluchtversuch Falko Schumachers vereitelte, indem sie sich ihm in den Weg stellte und ihn zurück auf seinen Platz drückte. Dann dirigierte die resolute Hamburgerin Tochter Naomi auf den danebenstehenden Stuhl, bevor sie sich wie eine Personenschützerin hinter den beiden positionierte.

Karin saß mit Tobias Jauck und Livia Riegler zusammen und winkte der schüchternen Amelia Dauber, sich zu ihnen zu gesellen. Karsten Knöller brütete etwas abseits der anderen vor sich hin und ignorierte dabei geflissentlich seinen Tischnachbarn Oliver Mieglitz, der sich zwar sichtlich unbehaglich fühlte, aber wohl nicht dazu aufraffen konnte, sich umzusetzen. Durch den großen Torbogen kam Axel von Meinrad herangeschlendert und setzte sich neben Knöller, was Mieglitz noch ein wenig mehr in sich zusammensinken ließ.

Wo kommt denn der jetzt erst her?, dachte Pippa. Der hätte doch schon lange vor uns hier eintreffen müssen.

Sie kam nicht dazu, ihre Beobachtung mit Seeger zu teilen, weil das Kollegium aus dem Hauptgebäude trat und neben dem Flipchart Aufstellung nahm. Fotografin Sarah MacDonald war zusammen mit den Gästen von der Kapelle zur

Akademie hinuntergelaufen und gesellte sich jetzt zu ihren Kollegen, mit denen sich die Unterwegers und eine elegante Frau von Mitte fünfzig noch kurz besprachen.

Das muss die Direktorin sein, dachte Pippa. Erst auf den zweiten Blick konnte sie eine Ähnlichkeit zwischen der sorgfältig frisierten Dame im maßgeschneiderten Kostüm und der burschikosen Dirndlträgerin Josefa Schliefsteiner erkennen. Hätte sie es nicht gewusst, wäre sie wohl nicht darauf gekommen, dass die beiden Schwestern waren.

Die übrigen Dozenten waren ein athletischer, braungebrannter Mann mit modischem Kurzhaarschnitt, ein eleganter Herr im Anzug mit leuchtend rotem Einstecktuch in der Brusttasche, ein Paar um die vierzig, das im Flüsterton diskutierte, und ein vergeistigt wirkender Mann mit Nickelbrille und halblangen, graumelierten Haaren. Als Nachzügler stieß noch ein Mittdreißiger dazu. Er wirkte wie ein überbesorgter Beamter, der seine eigene Arbeit vernachlässigte, um die seiner Kollegen kontrollieren zu können. Unnötigerweise rückte er jeder der Damen den Stuhl zurecht, bevor sie Platz nahmen. Dann sah er sich beifallheischend um und stellte sich einsatzbereit hinter dem Flipchart auf, um bei Bedarf die Riesenseiten umzuschlagen.

Pippa registrierte, dass Naomi Schultze seine eifrigen Handreichungen mit einem amüsierten Lächeln verfolgte und dann ihre Mutter musterte, als überlegte sie, wie dieser emsige Mensch wohl bei der Männer-Qualitätskontrolle abschnitte.

»Würde mich gar nicht wundern, wenn Naomi gerade plant, einen Dorn ins Fleisch ihrer Mutter zu setzen«, flüsterte Pippa Seeger zu, der die Szene ebenfalls beobachtete.

In der Zwischenzeit hatte Gertrude Schliefsteiner mit dickem Filzstift die Namen des Lehrpersonals auf dem Flipchart aufgelistet. Jetzt wandte sie sich ihrem Publikum zu.

»Meine lieben Gäste«, sagte sie mit einem Lächeln, »ich bin Gertrude Schliefsteiner und begrüße Sie sehr herzlich in der Akademie Sinnenschmaus. Mein Kollegium und ich freuen uns darauf, Ihnen zwei entspannte und sorglose Urlaubswochen bereiten zu dürfen. Bevor wir zu einem Rundgang über unser Gelände aufbrechen, werden die Dozenten die Gelegenheit nutzen, sich und ihre Kurse vorzustellen. Bei allen Fragen zu administrativen Dingen wenden Sie sich bitte an meinen Assistenten Herrn von Pauritz.« Der beflissene Mittdreißiger kam kurz hinter dem Flipchart hervor und nickte mehrmals in die Runde, bevor er sich wieder zurückzog. »Sie finden ihn im Bürotrakt«, fuhr die Rednerin fort. »Seine Sprechzeiten sowie alle Kurstermine, Adressen, wichtige Telefonnummern, ein Lageplan und vieles mehr sind in den Unterlagen enthalten, die vor Ihnen auf den Tischen bereitliegen. Alles, was die Kurse betrifft, besprechen Sie bitte mit Herrn Achleitner, er ist unser Kurskoordinator.« Der Nickelbrillenträger erhob sich und machte eine linkische Verbeugung. »Bleiben Sie bitte gleich stehen, Herr Achleitner«, sagte die Direktorin, als er sich wieder setzen wollte, »wir fangen am besten gleich mit Ihnen an.«

Achleitner räusperte sich umständlich. »Mein Name ist Heribert Achleitner«, begann er leise, »und meine Kurse …«

»Geht das auch etwas lauter?«, rief Karsten Knöller. »Ich verstehe kein Wort!«

Pippa runzelte die Stirn. Dieser Mann brauchte einen Dämpfer, sonst würde er nicht nur diese Veranstaltung, sondern den gesamten Aufenthalt aller Teilnehmer stören. Sie drehte sich zu ihm um und fragte freundlich: »Möchten Sie mit mir tauschen, Herr Knöller? Ich höre noch sehr gut, ich kann ruhig weiter hinten sitzen.«

Sie genoss Knöllers giftigen Blick, als Seeger ihr zuraunte: »Zwei Fliegen mit einer Klappe, Pippa!«, und mit einer Kopfbewegung auf von Meinrad deutete, der sie nach ihrem Einwurf verkniffen musterte. Während Pippa darüber grübelte, was diese beiden Männer wirklich verband, sprach Achleitner weiter über seine Angebote.

»Meine Kurse sind die Dichterwerkstatt und Befreiendes Malen«, sagte er gerade und rückte seine Brille zurecht. »Wer den Tag mit Meditation und einem Gebet beginnen möchte, ist bei meiner Einkehr vor dem Frühstück herzlich willkommen. Samstags führe ich Sie unter dem Thema ›Mit der Natur auf Du und Du‹ auf eine therapeutisch-besinnliche Wanderung.«

Pippa sah Karins Mundwinkel verräterisch zucken. Sie kannte ihre Freundin lange genug, um zu wissen, dass sie die Wanderung und vor allem die morgendliche Einkehr garantiert in ihr Programm aufnehmen würde – als therapeutische Maßnahme für den Kursleiter.

Schade, dass ich nicht dabei sein kann, wenn du loslegst, allerbeste Freundin, dachte Pippa, ich bin ja während der Einkehr beim Frühsport, und das stelle ich mir deutlich anstrengender vor als deine unterhaltsamen Fragen an Achleitner.

Im Hintergrund ertönte ein vernehmliches Räuspern, und alle wandten sich zu Aloisia Krois um, die mit einem Bündel Werbezettel winkte. »Mit der Natur auf Du und Du – das erleben Sie bei mir deutlich unmittelbarer als auf einem Spaziergang. Nämlich dann, wenn Sie mein Studio für Taxidermie besuchen.« Sie eilte von Tisch zu Tisch und verteilte ihre Werbung. »Vielleicht möchten Sie ja ein hübsches präpariertes Murmeltier als Andenken mitnehmen? Oder einen Gamskopf? Gerne dürfen Sie mir auch bei der Arbeit zusehen. Sprechen Sie mich einfach an, wenn ich in der Akademie putze. Ich bin täglich ...«

»Aloisia, bitte«, sagte Gertrude Schliefsteiner beherrscht. »Wir würden gern fortfahren, wenn du gestattest.«

Während Aloisia Krois sichtlich beleidigt den Innenhof verließ, fuhr die Direktorin fort: »Ich bitte Sie, die Unterbrechung zu entschuldigen. Herr Baumgartner, bitte.«

Der athletische junge Mann federte von seinem Stuhl hoch und stellte sich ans Flipchart. »Servus, Herrschaften, ich bin der Valentin. Valentin Baumgartner. Ich werde euch beim Frühsport scheuchen, und ich verspreche euch, dass ich niemanden schonen werde.« Er zwinkerte in die Runde und ließ mit breitem Grinsen seine weißen Zähne blitzen. »Wer danach noch nicht genug hat, kann mich auch für private Trainingseinheiten buchen. Nur Mut – bis jetzt hat es noch jeder überlebt! Da ich der Meinung bin, dass nicht nur der Körper, sondern auch der Geist geschult werden sollte, biete ich außerdem das abendliche Kamingespräch an, bei dem jedes Thema, das euch interessiert, willkommen ist.« Er nickte und setzte sich wieder zu seinen Kollegen.

»Du bist beim Frühsport dabei, Pippa? Ich darf doch du sagen, oder?«, fragte Ilsebill leise. Als Pippa nickte, fuhr die Wiesbadenerin fort: »Wenn du hingehst, mache ich auch mit. Jodokus hat bereits Einzelstunden gebucht, aber mir ist Gesellschaft lieber. Dann kann man sich gegenseitig motivieren, nicht wahr?« Sie blickte zu den Dozenten hinüber und sagte: »Oh, wer ist denn dieser gutaussehende Gentleman?«

Der Herr mit dem Einstecktuch nahm nonchalant so neben dem Flipchart Aufstellung, dass er Tonio von Pauritz verdeckte. »Buongiorno, Signore, Signori. Wenn ich mich vorstellen darf: Giorgio Gallastroni, Parfümeur und Coiffeur. Ich will Sie sozusagen mit Haut und Haaren.« Seine Verbeugung war um ein Vielfaches eleganter und schwungvoller als die seines Kollegen. »Ich führe Sie in die Welt der Farben und Düfte ein. Sie können bei mir Ihren eigenen, ganz persönlichen Duft entwerfen, ein Parfüm, das zu Ihnen passt wie eine zweite Haut. Ein Duft, an dem Sie in Zukunft erkannt werden können wie an Ihrem Fingerabdruck.« Er deutete auf Valentin Baumgartner und fuhr fort: »Mein geschätzter Kollege trägt übrigens ein Parfüm namens *Spitzenreiter*, das ich extra für ihn kreiert habe. Ein sehr sportlicher, energetischer Duft. Valentin hat sicher nichts dagegen, wenn Sie zur Probe an ihm schnuppern möchten.«

Einige der Damen kicherten begeistert, als der Sportlehrer lächelnd nickte.

Pippa setzte die Einzelstunden bei Gallastroni ganz oben auf ihre Liste. Wenn bei den Ermittlungen auch noch ein eigenes Parfüm herauskam, sollte es ihr recht sein. Vielleicht etwas, das nach Meerwasser, Moos und Heide duftete und sie an Morris und Schottland erinnerte?

Zu ihren sehnsüchtigen Gedanken passte, dass jetzt Sarah MacDonald in ihrem liebenswert gebrochenen Deutsch die Vielfalt der steirischen Landschaft mit ihrer Heimat Schottland verglich und den Teilnehmern ihres Fotokurses schöne Motive unabhängig von gutem oder schlechtem Wetter versprach.

Als Nächstes stellte Margit sich und ihre im Angebot verbliebenen Kurse vor, gefolgt von Karl Heinz, der in lebhaften Worten schilderte, wie handfest es bei ihm zugehen würde: Streifzüge durch den Wald, um Äste zu sammeln, die später in der Werkstatt zu Kratzbäumen für die hauseigenen Katzen verarbeitet werden könnten. Aber auch nach Material für Margits Deko-Bastelkurs werde man Ausschau halten.

»Die scheinen sich nicht ganz einig zu sein«, raunte Seeger ihr zu, als nur noch die zwei Dozenten des Flirtkurses übrig waren. Die beiden debattierten gerade flüsternd miteinander, wer die Präsentation übernehmen sollte. Schließlich machte die Frau eine ungeduldige Handbewegung und erhob sich. Ohne ihren Partner eines weiteren Blickes zu würdigen, stellte sie sich als Sigrid Sommerfeld und ihren mürrisch dreinschauenden Kollegen als Stefan Kleindienst vor. Dann fuhr sie fort: »Der Flirtkurs ist beileibe nicht nur für Singles, die lernen wollen, das andere Geschlecht zu umgarnen, bei uns erfahren Sie auch vieles über Kommunikation und wie Sie die Körpersprache Ihres Gegenübers richtig deuten«, erklärte Sigrid Sommerfeld weiter. »Das Stichwort lautet: nonverbale Kommunikation. Auch im nicht romantischen Alltag immer und überall wichtig. Stefan leitet außerdem den Literaturkurs, der ja erstaunlich gut gebucht zu sein scheint. Sie lesen in diesen vierzehn Tagen die englische Autorin Jane Austen. Ihre Bücher passen bestens zu unserem gemeinsamen Flirtkurs.« Sigrid Sommerfeld machte eine bedeutungsvolle Pause. »Und über Stolz und Vorurteile, das kann ich Ihnen versichern, weiß Stefan Kleinschmidt wirklich bestens Bescheid.«

Die Flirtkurs-Dozentin hatte ihrem Kollegen auf diese Weise nicht nur die eigene Vorstellung genommen, sie warf ihm auch einen so giftigen Blick zu, dass Gertrude Schliefsteiner schnell wieder das Wort übernahm.

»Liebe Gäste, jetzt haben Sie einen guten Überblick über das Programm der nächsten zwei Wochen bekommen. Hat dazu noch jemand eine Frage? Können wir Ihnen noch etwas erklären?«

»Allerdings!«, rief Axel von Meinrad und stand auf, um sich so die allgemeine Aufmerksamkeit zu sichern. »Mir ist zu Ohren gekommen, dass es hier an der Akademie noch freie Plätze geben soll. Und zwar, weil es Absagen hagelt. Könnte das mit dem aufschlussreichen Graffiti am Akademiegebäude zu tun haben, von dem ich gehört habe?«

In der nun folgenden Stille hätte man eine Stecknadel fallen hören können. Margit hatte hilfesuchend nach der Hand ihres Mannes gegriffen, aber die Direktorin bewahrte die Fassung.

»Wo Erfolg ist, da sind auch Neider. Jedes gut florierende Unternehmen wird irgendwann durch Widersacher verleumdet. Wir sind aber in der glücklichen Lage, missgünstigen Gerüchten mit unserer Tatkraft, unserem ausgewogenen Programm und hervorragenden Dozenten entgegenzutreten. Wir brauchen uns nicht einschüchtern zu lassen.«

»Aber die freien Plätze? Ich habe doch selbst gesehen, dass Ihre Kollegen am Bahnhof noch Leute erwartet haben, die nicht aufgetaucht sind«, bohrte der Journalist weiter.

Gertrude Schliefsteiner lächelte. »Ich verstehe, dass Sie schon aufgrund Ihres Berufs neugierig sein müssen, Herr von Meinrad. Aber manchmal kommt es vor, dass Menschen ihre Zusagen nicht einhalten und stornieren. Damit müssen wir leben. Zu Ihrem Glück – wie ich betonen möchte. Immerhin kommen Sie dadurch in den Genuss unseres außergewöhnlichen Angebotes – und unserer Gastfreundschaft. Ich würde mich freuen, wenn Sie sich dieser würdig erweisen würden.«

Dann fuhr sie übergangslos fort: »Liebe Gäste, ich möchte nicht versäumen, zwei Personen unter Ihnen noch besonders herzlich zu begrüßen: Amelia Dauber und Oliver Mieglitz. Die beiden Glückspilze sind die diesjährigen Gewinner des Live-Wettbewerbs einer Rätselzeitung um das am schnellsten gelöste Kreuzworträtsel. Frau Dauber, Herr Mieglitz, ich freue mich, Ihre Gastgeberin zu sein. Vielleicht bekommen wir alle Lust auf Denkspiele, wenn Sie beide uns einmal eine Kostprobe Ihrer Rätselkunst geben?«

Während die anderen Gäste applaudierten, sah Pippa sich unauffällig um. Der provokante Zwischenruf des Journalisten schien die Kursteilnehmer weder sonderlich beunruhigt noch interessiert zu haben. Woher wusste er von der Schmiererei? Karl Heinz hatte sie doch sofort entfernt.

Als Pippa sich wieder Gertrude Schliefsteiner zuwandte,

sagte diese gerade: »Bevor Margit und Karl Heinz Unterweger Ihnen nun das Akademiegelände zeigen, möchte ich Sie bitten, sich für alle Kurse, die Sie belegen möchten, in diese Tabelle einzutragen. Dann ist ab morgen alles für Sie vorbereitet.«

Gemeinsam mit Tonio von Pauritz hob sie das erste Blatt des Flipcharts und schlug es nach oben um. Pippa sog scharf die Luft ein. Auf der nächsten Seite erschien nicht die erwartete Tabelle, sondern ein Symbol aus ineinander verwobenen Linien, gemalt mit blutroter Tinte.

Während Tonio von Pauritz geistesgegenwärtig das Blatt herunterriss, sagte Seeger leise: »Schau an, wieder einmal das ominöse keltische Zeichen. Das Signum der Erpresserbriefe.«

✘ Kapitel 6 ✘

Margit Unterweger hatte das keltische Zeichen ebenfalls gesehen, zwang sich aber ein Lächeln ins Gesicht. »Meine Damen, meine Herren, dann wollen wir mal einen Rundgang über das Gelände machen, damit Sie sich hier in unserer Akademie zurechtfinden.«

Pippa sah sich unauffällig um. Margits Ablenkungsmanöver funktionierte: Der Zwischenfall schien den meisten Teilnehmern nicht aufgefallen zu sein. Aber für den Journalisten war jeder Skandal, jedes Geheimnis Gold wert. Der würde nicht lockerlassen, bis er mehr wusste.

Axel von Meinrad hatte ein schwarzes Notizbuch gezückt und etwas hineingekritzelt. Nun ließ er es mit einem vernehmlichen Klatschen zuklappen und grinste fett.

Die Runde durch das Gebäude führte die Gäste zunächst durch großzügige Flure zu Seminarräumen, die eher bequemen Wohnzimmern als Klassenräumen glichen. Das Maleratelier hatte bodentiefe Fenster mit Blick ins Tal und zur Burg. Heribert Achleitner strahlte, als er die Vorzüge der großzügigen Verglasung pries, die auch bei schlechtem Wetter einen optimalen Lichteinfall bot. Danach ging es in ein gemütliches Esszimmer mit großer Tafel, an das eine riesige Küche grenzte, die mit Arbeitstischen aus Metall sowie großen Herden und Backöfen ausgestattet war.

Pippa zollte den Unterwegers insgeheim Respekt, weil sie sich nicht anmerken ließen, wie sehr sie die Fragen des Journalisten und das Auftauchen des keltischen Zeichens schockiert hatten. Sie plauderten scheinbar entspannt mit ihren Teilnehmern.

»Hier werden wir mit Salzteig arbeiten und Ihre bisherigen Vorstellungen von Christbaumschmuck für immer revolutionieren«, sagte Margit gerade. Karl Heinz präsentierte zahlreiche Beispiele von Margits Kunst, die der Gruppe begeisterte Ausrufe entlockte.

»Das ist alles aus Salzteig? Auch diese Schneeflocken?«, fragte Ilsebill Lamberti entzückt. »Wenn ich das nicht ebenso zauberhaft hinbekomme, kaufe ich einfach Ihren gesamten Bestand. In diesem Jahr wird in Wiesbaden die Steiermark am Christbaum hängen.«

Sogar Knöller, bei dem Pippa eher mit Spott gerechnet hätte, schien beeindruckt. »Ganz außerordentlich, diese Arbeiten. Beeindruckend. Kann man auch Anstecknadeln, Krawattennadeln oder Manschettenknöpfe herstellen?«

»Das habe ich noch nicht versucht«, sagte Margit, »aber gemeinsam können wir bestimmt etwas Besonderes für Sie kreieren. Wie wäre es mit einer Rose für Ihr Knopfloch, die niemals verwelkt?«

Ihre nächste Station war das Studio von Giorgio Gallastroni, das sich als elegante Mischung aus Schönheitssalon und Duftlabor entpuppte. Strahlend stand der italienische Dozent inmitten von Utensilien für Haar- und Schönheitspflege sowie Hunderten Tiegeln, Töpfen, Flaschen und Flakons. Es duftete betörend.

Gallastroni verbeugte sich vor Ilsebill. »Gnädige Frau, Sie haben sich bei mir zu Einzelstunden angemeldet, ich bin entzückt. Mit Ihrer natürlichen Eleganz fordern Sie meine ganze Kreativität heraus. Gemeinsam werden wir ein spektakuläres Ergebnis erzielen.« Er wandte sich der Gruppe zu und fuhr fort: »Niemand verlässt diese Räume ohne einen persönlichen Duft, der nicht nur Ihr Äußeres, sondern auch Ihre Persönlichkeit unterstreicht.«

»Entwickeln Sie auch Herrendüfte?«, fragte Knöller. »Ich hätte Interesse an einem einzigartigen Parfüm. Hoher Wiedererkennungswert ist mir ausgesprochen wichtig.«

»Das wäre dann ein echter Knöller ... Knüller, wollte ich sagen«, kommentierte Karin.

Gallastroni blickte in die Runde und lächelte gewinnend. »Signore, Signori, merken Sie sich eins: Alles ist Duft. Jeder Mensch, jedes Tier, jeder Gegenstand verströmt seinen individuellen Duft. Man muss sich nur die Zeit nehmen, ihn zu entdecken. Und wenn man diesen Duft studiert, erzählt er uns etwas. Duft hat Charakter. Duft *ist* Charakter.«

Karin Wittig nickte. »Unser Hinterhof hat häufig viel zu viel davon. Besonders wenn der Freitagabend-Kneipenbesuch mit dem Samstagmorgen-Kehrdienst kollidiert.«

Alle lachten, aber Gallastroni erwiderte: »Sie haben ganz recht. Auch welche Art Gerüche wir unserer Umgebung zumuten, ist ungemein wichtig. Deshalb sollte unser eigenes Parfüm nie zu aufdringlich sein. Aber«, er hob den Finger, »man sollte merken, wenn es fehlt. Wir sollten es tragen wie eine Signatur, wie die Verkörperung unseres Selbst.«

»Der Mann weiß, wie man Kunden fängt«, flüsterte Karin Pippa zu. »Mich hat er überzeugt. Ich will auf jeden Fall wissen, wie mein Charakter duftet.« Sie trug sich in der bereitliegenden Liste für eine Einzelstunde am nächsten Tag ein. »Und ich möchte unbedingt selbst experimentieren.«

»Ich finde, Sie lehnen sich ganz schön weit aus dem Fenster«, sagte Axel von Meinrad und schnalzte mit der Zunge. »Sie wollen jedem einen Duft verpassen, der seiner Persönlichkeit entspricht. Ihnen reicht also eine kurze Begegnung, um den Charakter einer Person zu erkennen?«

Ein feines Lächeln umspielte Gallastronis Mundwinkel. »Bei einigen brauche ich dafür viele Stunden, andere tragen ihren Charakter wie eine Monstranz vor sich her und wollen ihn als besonders wertvoll oder interessant verkaufen. Da greife ich gleich zur richtigen Flasche.«

»Lass mich raten – Kuhmist?«, murmelte Karin nur für Pippa hörbar, die nach dem erneuten Angriff auf ihre Lachmuskeln das aufsteigende Prusten gerade noch in krampfhaftes Räuspern umwandeln konnte.

Resolut schob Belinda Schultze ihre widerstrebende Tochter in Richtung des Parfümeurs. »Naomi könnte auch einen eigenen Duft gebrauchen. Ich denke an etwas Jugendliches, Frisches, aber dennoch weich und süß, vielleicht sogar mit einer dunkleren Note.«

Naomi entwand sich gekonnt dem Griff ihrer Mutter. »Also eine Mischung aus Gummibärchen, Milchreis und Zartbitterschokolade. Ich wusste gar nicht, dass du mich so gut kennst.«

Ihr Vater hob die Hand, um mit Naomi abzuklatschen, und alle lachten beifällig. Belinda Schultzes erhobene Hand wurde weder von ihrem Gatten noch von ihrer Tochter beachtet. Enttäuscht ließ sie den Arm sinken.

Die Ärmste steht trotz ihres geballten guten Willens außen vor, dachte Pippa, und sie versteht nicht mal, wieso.

Im Fitnessraum wurden sie von Valentin Baumgartner erwartet. Während der attraktive Trainer mit vollem Körpereinsatz einige Übungen vorführte, erklärte er diese, ohne auch nur schwerer zu atmen.

»Also, wenn ich ihn mir genauer anschaue ... ich hätte wohl auch noch Zeit für ein passendes Training«, sagte Karin und grinste. »Nur zu zweit, versteht sich.«

Als hätte er sie gehört, sagte Baumgartner: »Ich bin staatlich geprüfter Konditionsinstrukteur. Personal Training ist meine Spezialität. Ich verspreche: Bei mir wird jeder und jede gelenkiger und ausdauernder. Wenn es sein muss, mache ich eine Übung auch hundertmal vor. Wir trainieren so lange, wie es zu Ihrer körperlichen und geistigen Gesunderhaltung – und Ihrem Spaß – beiträgt.«

Jodokus Lamberti schüttelte amüsiert den Kopf. »Für mich ist das nichts. Statt auf einem Laufband ins Nichts zu laufen, habe ich lieber ein konkretes Ziel in freier Natur. Ich habe Reben gesehen, als wir gekommen sind. Viele Reben, wie bei uns im Rheingau. Ich laufe lieber zur nächsten Straußwirtschaft. Da habe ich genug körperliche Ertüchtigung, und am Ziel wartet eine erfrischende Belohnung auf mich.«

»Als Nordlicht muss ich leider nachfragen«, sagte Falko Schumacher, »was ist denn eine Straußwirtschaft? Kein Blumenladen, oder?«

»Ein von Winzern und Weinbauern betriebener saisonaler Ausschank zum Verkauf eigener Produkte«, rasselte Oliver Mieglitz zum Erstaunen aller wie aus der Pistole geschossen herunter. »Siebzehn Buchstaben, Eszett wird ersetzt durch Doppel-s.«

»Bei 15 Buchstaben wäre es eine Besenwirtschaft«, warf Amelia Dauber lässig ein.

Mieglitz runzelte die Stirn. »Da müsste man die anderen Wörter waagerecht und senkrecht beachten, denn mit fünfzehn Buchstaben gäbe es auch noch die Rädlewirtschaft. Das eine wäre die entsprechende Bezeichnung in Württemberg, die andere stammt aus der Bodenseeregion.«

»Sechzehn«, sagte Amelia Dauber und fügte erklärend hinzu: »Rädlewirtschaft, meine ich. Das ä wird im Kreuzworträtsel zu ae. Außerdem heißen diese Schänken in jeder Weinbauregion anders, so zum Beispiel in Franken …«

»Heckenwirtschaft!«, trompetete Mieglitz. »Ebenfalls sechzehn Buchstaben.«

Amelia Dauber nickte. »Leider wird selten präzise genug gefragt, um nur eine Antwort zuzulassen. Eindeutiger wäre: ein von Weinbauern betriebener saisonaler Ausschank in der Steiermark mit dreizehn Buchstaben, dann wäre die Antwort eindeutig die ...«

»... Buschenschank«, fiel Mieglitz ihr ins Wort. »Die nächste ist ganz nah bei der Akademie, keine zehn Minuten Fußweg. Dort soll es besonders leckeren Schilcher geben.«

Wie bei einem Tennismatch war Falko Schumachers Kopf zwischen den beiden Buchstabier-Duellanten hin und her gegangen. »Und was ist Schilcher?«, fragte er jetzt.

Mieglitz öffnete den Mund, aber Amelia Dauber war schneller. »Roséwein, gewonnen aus einer Traube namens ›Blauer Wildbacher‹, neun Buchstaben.«

Spontan klatschten Pippa und Seeger Beifall, und die anderen Zuhörer taten es ihnen nach.

»Hoffentlich ist bei meinen Seminaren immer eines unserer wandelnden Lexika dabei«, sagte Schumacher. »Dann brauch ich nichts mehr zu googeln.«

»Reines Schlagwortwissen.« Axel von Meinrad verzog den Mund. »Angelesen und auswendig gelernt. Was nützt das schon im wirklichen Leben? Nichts.«

»Immerhin hat es die beiden hierhergebracht«, wandte Jodokus Lamberti ein. »Bei zwei Wochen freier Kost und Logis.«

Axel von Meinrad winkte ab. »Die habe ich auch.«

»Aber im Gegensatz zu den beiden haben Sie es sich nicht verdient«, fauchte Karin. Abrupt wandte sie sich ab und marschierte, gefolgt von Tobias Jauck und Livia Riegler, zu den großen Schiebetüren aus Glas, die das Fitnessstudio vom Badebereich trennten.

Livia Riegler drehte sich zu dem Journalisten um und musterte ihn provozierend. »Preisfrage: rechteckige, geka-chelte Vertiefung im Boden, gefüllt mit H zwei O in liqui-dem Aggregatzustand ...«

»Pool«, erwiderte von Meinrad schnell.

Livia grinste. »Leider falsch. Zehn Buchstaben. Schwimm-bad. Wissen Sie, man sollte immer bis zum Ende zuhören und genau hingucken, bevor man voreilige Schlüsse zieht.«

Wenn der Mann so weitermacht, hat er bald alle gegen sich, dachte Pippa. Sie hatte das untrügliche Gefühl, dass Livias Belehrung über die bloße Bedeutung der Worte hin-aus noch eine andere Botschaft für den Journalisten enthielt.

Eine Botschaft, die niemand außer den beiden verstand.

Sie gingen durch die Glastür nach draußen und folgten Mar-git Unterweger am Pool entlang über eine ausgedehnte Lie-gewiese und durch den Saunagarten. Dahinter war auf einen hohen, hölzernen Sichtschutz eine typisch steirische Land-schaft gemalt: Langgestreckte Hügel mit Reben umgaben eine pittoreske Buschenschank.

»Dies ist ein Werk früherer Besucher unserer Akademie. Es entstand unter der Anleitung unseres Hauskünstlers He-ribert Achleitner«, erklärte Margit. Die Gruppe erkannte erst, dass die Tür des gemalten Hauses echt war, als Margit sie öffnete und alle hindurchbat. »Bitte nicht trödeln! Sie werden gleich verstehen, warum.«

Sie betraten einen beinahe verwunschen wirkenden Gar-ten mit schattenspendenden Bäumen. Hier und dort waren bequeme Liegen und Gartensessel aufgestellt, auf einem Tisch standen ein Tablett mit Gläsern und eine große Karaffe mit Wasser, in dem Zitronenscheiben schwammen. An einigen der Bäume waren hölzerne Plattformen befestigt, auf denen Katzen lagen, die jetzt neugierig die Hälse reckten. Ein gro-

ßes getigertes Exemplar erhob sich und verließ ihren Liege-
platz über die Kletterleiter, die hinunter ins Gras führte.
Dort setzte die Katze sich hin und begann sich zu putzen.

Sichtlich erfreut sah Margit das Staunen ihrer Gäste und
lächelte. »Willkommen in unserer Oase der Ruhe und Entspannung. Hier geben nicht wir Menschen den Ton an, sondern unsere Yogakatzen. In dieses Refugium dürfen Sie sich
zurückziehen, wenn Sie Ruhe, Trost oder Streicheleinheiten
brauchen.« Mit einem Lächeln deutete sie auf die Laufstege,
die in unterschiedlicher Höhe von den Bäumen durch Katzenklappen in ein hölzernes Gebäude führten. »Da hinein
dürfen Sie, wenn Sie wieder richtig entspannen lernen wollen. Bitte folgen Sie mir.« Sie führte die Gruppe zu einer Tür.
»Hereinspaziert, meine Herrschaften.«

Sie traten in einen Stall mit sanft abgetönten Wänden
und rustikalem Steinfußboden. Die Fenster ließen Sonnenlicht in den Raum, der mit bequemen Sofas ausgestattet war,
wo es sich weitere Katzen bequem gemacht hatten. Überall
standen aus Ästen oder Baumstämmen gezimmerte Kratzbäume; an einer Wand entlang zog sich eine ausgedehnte
Kletterkonstruktion mit mehreren Plattformen, von denen
aus zwei Katzen sie aufmerksam beäugten. Zwei weitere
Tiere sprangen von den Sofas und kamen neugierig angelau-
fen.

Sofort kniete Pippa sich hin und ließ sie an ihren Händen
schnuppern. Hinter sich hörte sie die begeisterten Ausrufe
von Ilsebill, Karin und Naomi.

»Hier werde ich Stammgast!«, verkündete Waldemar
Schultze. »Ruhe, immer frisches Wasser, jede Menge Le-
ckerli und Streicheleinheiten! Genau meine Kragenweite.«

»Wir stehen hier im ehemaligen Pferdestall«, erklärte
Margit. »Zwei der Boxen haben wir erhalten und zu Ruhe-
quartieren für unsere zwölf Katzen umgebaut. Dorthin zie-

hen sie sich zurück, wenn ihnen nicht nach Gesellschaft ist. Niemand wird hier zu etwas gezwungen – weder Sie noch die Tiere. Aber ich versichere Ihnen: Hier können Sie die Welt vergessen. Und nun zeigt mein Mann Ihnen den Ort, an dem Sie sich handwerklich betätigen können.«

Bis zu Karl Heinz' Werkstatt musste die Gruppe ein Stück gehen.

»Um die allgemeine Ruhe und Konzentration nicht zu stören, befindet sich die Werkstatt hier draußen am Waldrand«, sagte Karl Heinz. »Wenn wir an einer Skulptur arbeiten oder einen neuen Kratzbaum für unsere Katzen zimmern, wird es laut.«

»Lasst mich durch – da bin ich dabei!« Wie ein Schulkind hob Karin die Hand, drängelte sich durch die Gruppe und positionierte sich an der Eingangstür. »Endlich mal etwas mit den Händen machen. Kann ich den Kratzbaum auch mit nach Hause nehmen, falls ich einen hinkriege, der gerade steht?«

»Und wie sieht es mit der dazugehörigen Katze aus?«, fragte Ilsebill Lamberti. »Damit ein Kratzbaum in meiner Wohnung auch Sinn ergibt?«

Margit nickte lächelnd. »Wenn eine Katze sich für Sie entscheidet, steht ihrem Auszug nichts entgegen. Dann lösen wir den Vertrag.«

»Bitte, immer hereinspaziert in die gute Stube. Ich öffne die Fensterläden.« Karl Heinz nickte Karin auffordernd zu. »So viel Arbeitseifer muss belohnt werden. Sie dürfen sich als Erste einen Arbeitstisch aussuchen.«

Karin strahlte und öffnete die Tür. Drei Schritte weit ging sie in den schummrigen Innenraum, blieb wie erstarrt stehen und tastete sich dann rückwärts wieder aus dem Gebäude. Sie drehte sich zur Gruppe um, kreidebleich und mit

93

schreckgeweiteten Augen. Mit zitterndem Finger deutete sie in die Werkstatt, wollte etwas sagen, schaffte es aber nicht.

Pippa unterdrückte den Impuls, Karin zu Hilfe zu eilen, und spähte mit den anderen erschrocken ins Innere der Werkstatt. Als durch eines der Fenster Sonnenlicht flutete, stöhnten die vorne Stehenden kollektiv auf, und Belinda Schultze kreischte entsetzt: »Eine Leiche! Da hängt eine Leiche!«

O nein, bitte nicht, dachte Pippa.

Allerdings sprach die Szenerie eine deutliche Sprache: Mit dem Rücken zur Tür baumelte an einem riesigen Kratzbaum eine Gestalt, am Hals aufgeknüpft.

»Alle weg von der Tür!«, kommandierte Seeger und stürmte durch die zurückweichende Gruppe hindurch in die Werkstatt, direkt gefolgt von Karl Heinz. Pippa manövrierte sich wieder nach vorne und beobachtete, wie Karl Heinz eine Leiter griff und neben dem Kratzbaum aufbaute. Er stieg ein paar Sprossen hinauf und schnitt die Gestalt ab, die von Seeger aufgefangen wurde.

»Was ist denn da los?«, fragte Livia Riegler, die weiter hinten stand.

»Selbstmord«, sagte von Meinrad genüsslich. »Wenn wir ganz viel Glück haben: Mord.«

Den haben wir ganz bestimmt, wenn du dich weiter aufführst wie eine Kreuzung aus Paparazzo und Wadenbeißer, dachte Pippa, und wenn mich nicht alles täuscht, wird bald eine ganze Menge Leute Schlange stehen, um die gute Tat zu vollbringen.

Sie verfluchte, dass sie aufgrund ihrer offiziellen Rolle nicht sofort zu ihrer Freundin eilen konnte, beruhigte sich aber, als sie sah, wie liebevoll Ilsebill sich um die geschockte Karin kümmerte. Dann hörte sie Seeger laut lachen. Auch wenn es grimmig klang, kam es eingedenk der Situation mehr als unerwartet.

Die beiden Männer traten aus der Werkstatt, und Karl Heinz Unterweger sagte zu Karin: »Frau Wittig, ich bin untröstlich, dass wir Sie derart erschreckt haben.« Er wandte sich an die stumm wartende Gruppe. »Sie alle sind schockiert, und das ist meine Schuld. Das dort drinnen ist keine Leiche, jedenfalls keine echte. Ich hatte vollkommen vergessen, dass sie noch hier hängt. Es handelt sich um eine Schaufensterpuppe, die bei unserem Krimidinner auf der Alm am kommenden Wochenende die Leiche spielen sollte.« Er legte die Hand auf die Brust und sah alle nacheinander an. »Mea culpa. Bitte nehmen Sie meine Entschuldigung an. Ich möchte es wiedergutmachen. Vielleicht in der besten Buschenschank am Ort, mit einem guten Glas Schilcher?«

»Na, hier kriegt man ja vielleicht was geboten.« Von Meinrad ging in die Hütte und beugte sich über die am Boden liegende Puppe. »In Zukunft mache ich keinen Schritt mehr ohne meine Kamera.«

Margit warf ihm einen kurzen Blick zu, dann versuchte sie ein aufmunterndes Lächeln. »Die Frau Direktor wird nicht erfreut sein, dass Sie alle jetzt unsere Leiche kennen! Nun müssen wir uns für unser Krimidinner etwas ganz Neues ausdenken. Wer möchte uns dabei unterstützen? Vielleicht der Herr Verleger?«

Waldemar Schultze schüttelte den Kopf. »Da bin ich der Falsche; mit Kriminalgeschichten kenne ich mich überhaupt nicht aus. Wir verlegen ausschließlich Liebesromane.«

Axel von Meinrad ließ von der vermeintlichen Leiche ab und baute sich neben dem Verleger auf. »So wie Sie es ausdrücken, könnte man glatt meinen, es ginge um echte Literatur. Dabei handelt es sich doch wohl eher um Hefte, wenn nicht Heft*chen*. Ich habe mir Ihr Verlagsprogramm angesehen: Arztromane, Bergdoktoren, dazu historischer Schund … Nichts mehr als läppische Groschenheftchen.«

»Und nichts weniger«, erwiderte Waldemar Schultze gelassen.

Margit bat die Gruppe zurück ins Haupthaus, während Pippa absichtlich trödelte, um auf Seeger zu warten. Er hatte noch einmal die Werkstatt umrundet und schloss nun zu ihr auf. Um außer Hörweite zu bleiben, folgten sie den anderen nur langsam.

»Du siehst so ernst aus«, sagte sie, »dabei war es doch nur eine Puppe. Gott sei Dank. Ich dachte schon …«

»Du dachtest richtig. Leider. Das Krimidinner hat Karl Heinz sich schnell einfallen lassen, um die Gäste zu beruhigen, und Margit hat gut geschaltet.« Seeger seufzte tief und reichte ihr einen Bogen Papier. »Hier. Das war an die Puppe geheftet.«

Pippa erkannte sofort, dass es eine weitere Nachricht des Erpressers war. »*Die Ratten verlassen das sinkende Schiff. Lenzbauer ist weg, und auch andere denken daran, sich in Sicherheit zu bringen*«, las sie. »*Gut so. Es ist an der Zeit, die Fregatte Sinnengraus mit Mann und Maus zu versenken – mit der Todesbäckerin als Galionsfigur.*« Sie blickte Seeger an. »O nein – das ist eine offene Drohung an Margit!«

»Allerdings, und nicht nur das.«

Als Ilsebill Lamberti sich zu ihnen umdrehte, legte Seeger den Arm um Pippa, zog sie an sich und murmelte: »Lächeln, meine Liebe, lächeln. Der besorgte Ehemann spendet seiner erschrockenen Gattin gerade liebevollen Trost. Hoffentlich wartet sie nicht auf uns.«

Aber Ilsebill winkte nur und wandte sich wieder ab.

Seeger ließ Pippa los und fuhr nach einer kurzen Pause fort: »Es kommt noch schlimmer. Auch die Kleidung der Puppe ist eine Botschaft. Blaue Latzhose und buntkariertes Hemd: die Arbeitsbekleidung aus seinem Spind, sagt Karl

Heinz.« Seeger schüttelte den Kopf. »Zuerst Lenzbauer und seine kleine Nina. Dann verschwindet Bernhard Lipp. Jetzt, fürchte ich, sind die Unterwegers in Gefahr.«

❧ Kapitel 7 ❧

*P*ippa und Paul-Friedrich Seeger holten die Gruppe, die den Fund der erhängten Schaufensterpuppe weiterhin heiß diskutierte, auf der Straße vor dem Akademiegebäude ein. Besonders Axel von Meinrad schürte die Spekulationen mit immer neuen Theorien.

Margit warf Pippa einen beschwörenden Blick zu. »Sie hatten vorhin noch eine Frage, Frau Bolle. Helfen Sie mir bitte auf die Sprünge – wegen des Durcheinanders in der Werkstatt erinnere ich mich leider nicht mehr, was Sie von mir wissen wollten.«

Pippa schaltete sofort. »Aber gerne! Ich brauche einen Tipp, wo mein Mann und ich luftige Kleidung kaufen können. Es ist zwar Sommer, aber auf diese Hitze waren wir nicht eingestellt.«

Sichtlich erleichtert über Pippas schnelle Reaktion wandte Margit sich an die Gruppe. »Bestimmt hat nicht nur Frau Bolle zu dicke Kleidung eingepackt, oder? Ich werde eine kleine Liste mit Geschäften in Deutschlandsberg für Sie zusammenstellen, wo Sie Kleidung, Souvenirs und«, sie lächelte in Richtung Amelia Dauber und Oliver Mieglitz, »druckfrische Kreuzworträtselhefte erhalten.«

»Ein Einkaufsbummel – da mache ich mit«, verkündete Karin. »Durch Valentin Baumgartners Fitnessprogramm werden meine Polster schmelzen wie Butter in der Sonne. Bald brauche ich eine Konfektionsgröße kleiner!«

Axel von Meinrad musterte sie mit hochgezogenen

Brauen. »Das wäre mir doch glatt eine Reportage wert, wenn man neuerdings vom Zusehen abnähme. Wie soll denn das gehen? Weihen Sie mich ein.«

»Aber selbstverständlich!« Karin lächelte zuckersüß. »Genauso selbstverständlich, wie sich heutzutage Schnorrer Journalisten nennen dürfen und Männer am Spielfeldrand grundsätzlich bessere Fußballer sind als die eigentlichen Akteure, genauso sicher kann ich prophezeien, dass mein Körper durch das Training unseres Konditionsinstrukteurs zu einem Modelbody wird! Außerdem: Der legendäre Schilcher soll auch ein probates Schlankheitsmittel sein, richtig?« Sie hakte sich bei Karl Heinz unter und setzte sich mit ihm an die Spitze der Gruppe. »Und mit dieser Diät würde ich jetzt gerne so bald wie möglich beginnen.«

Pippa und Margit wechselten einen Blick. Karin hatte mit ihrer kleinen Ansprache nicht nur den richtigen Ton getroffen, um alle zum Lachen zu bringen – sie hatte die anderen auch abgelenkt. Nun freuten sie sich auf den Schilcherwein, den Karl Heinz ihnen als Entschädigung für den Schreck ausgeben wollte.

Die Sonne hatte die letzten Wolken des Vormittags vertrieben und machte den Spaziergang zur Buschenschank zu einem reinen Vergnügen. An einigen der steil abfallenden Rebhänge entdeckte Pippa etliche der an hohen Pfählen befestigten Holzräder, die ihr schon in der Nacht ihrer Ankunft aufgefallen waren.

Sie blieb stehen und deutete darauf. »Sind das Windmühlen?«, fragte sie Margit.

Die schüttelte den Kopf. »Das sind Klapotetze, die hiesige Version von Vogelscheuchen für unsere Weingärten. Die meisten von ihnen hat Maxi Frühwirt, Karins Gastgeberin, gebaut und aufgestellt. In ihrem Garten gibt es eine ganze

Kolonie davon«, erklärte Margit. »Das Prinzip ist denkbar einfach: Das Windrad treibt eine Welle an, die verschiedene Holzklöppel in Bewegung versetzt. Je nach Windstärke klappern sie mal schneller, mal langsamer. Der Lärm soll die Vögel von den Trauben fernhalten. Für mich spielen die Klapotetze die Melodie unserer Weinberge. Ich finde das Geräusch äußerst beruhigend.« Sie verdrehte die Augen. »Leider geht das nicht allen Menschen so, deshalb dürfen die Klapotetze offiziell erst ab dem Jacobi-Tag, dem 25. Juli, betrieben werden. Eine Ausnahme gibt es: Wochentags darf Maxi Frühwirt ab 15 Uhr eine halbe Stunde lang klappern lassen, wenn sich ein Kunde für ihre Klapotetze interessiert. Ansonsten haben sie Schweigepflicht.«

Da sie wegen der Klapotetze stehen geblieben waren, hatten sie zusätzlichen Abstand zur Gruppe um Karl Heinz und konnten in normaler Lautstärke sprechen.

»Ich hätte auch gern ein so sonniges Gemüt wie deine Freundin Karin«, sagte Margit nachdenklich. »Unglaublich, wie schnell sie den Schock verdaut hat. Als ich eben die erhängte Puppe sah, dachte ich, mir bleibt das Herz stehen! Es schlägt noch immer dreimal so schnell wie normal.«

»Du dachtest einen Moment lang, es ist Bernhard Lipp, nicht wahr?«, fragte Pippa.

Margit nickte, unfähig, ihr Grauen in Worte zu fassen.

»Zwischen seinem Verschwinden und den Erpressungen muss es nicht zwangsläufig einen Zusammenhang geben«, fuhr Pippa fort.

»Ich weiß nicht, ob ich mir das wünschen soll.« Margit seufzte. »Denn das hieße, an zwei Fronten zu kämpfen.«

»Allerdings«, erwiderte Seeger ernst. »Deshalb denk bitte noch einmal nach: Gab es zwischen Bernhard Lipp und der Akademie Sinnenschmaus irgendwelche Unstimmigkeiten?

Hat er sich über jemanden geärgert? Oder hatte er vielleicht selbst einen Grund, euch zu schaden?«

Margit sah ihn ungläubig an. »Du glaubst, er könnte der Urheber all dieser Widerlichkeiten sein, der jetzt abgetaucht ist? Niemals, Bernhard ist äußerst friedliebend. Du würdest so etwas nicht denken, wenn du ihm schon mal begegnet wärst. Er gibt eher nach, als einen Streit zu provozieren. Bernhard ist ein guter Freund und überall geschätzt.«

»Fast zu perfekt, um wahr zu sein«, warf Pippa ein. »Gibt es in seiner Biografie nichts, bei dem man Bauchschmerzen bekommen könnte?«

»Doch, das gibt es: Renate. Aber die verursacht mir nicht nur Bauchschmerzen, die ist gänzlich unverdaulich.«

Margit schüttelte sich, und der Exkommissar horchte auf. »Seine Frau?«

»Sein Rucksack voller Steine, sein ewig leeres Portemonnaie, seine schlechtere Hälfte – nenn sie, wie du willst.«

Derart ablehnend hatte Pippa die Freundin noch nie erlebt. »Aber irgendetwas Positives gibt es doch über jeden Menschen zu sagen, also bestimmt auch über Renate Lipp.«

Margits Gesicht entspannte sich und wurde weich. »O ja, Lukas. Den hat sie wirklich gut hinbekommen. Der kleine Sohn der beiden ist ein Goldschatz. Nach seiner Geburt hatte Bernhard mich sogar gebeten, die Patenschaft zu übernehmen. Ich fühlte mich sehr geehrt und habe mit Freuden zugesagt.« Erneut verdüsterte sich ihre Miene. »Leider fand dann doch keine Taufe statt. Plötzlich war Renate der Meinung, Lukas solle sich, wenn er alt genug ist, selbst für oder gegen die Taufe entscheiden. Ich war sehr enttäuscht, als Bernhard uns davon unterrichtete. Seitdem herrscht Funkstille zwischen dem Hause Lipp und dem Hause Unterweger.«

Also gab es doch Unstimmigkeiten zwischen ihnen, dachte

Pippa, weil der Vermisste die Entscheidung seiner Frau mitgetragen hatte.

»Eines ist jedenfalls deutlich erkennbar«, sagte Paul-Friedrich, »nicht nur die Häufigkeit der Botschaften des Erpressers nimmt zu, auch sein Ton wird schärfer. Seine Hinweise werden konkreter, seine Aktionen drastischer – und er selbst damit immer unberechenbarer.«

Sie hatten das Wirtshaus erreicht. Die anderen waren bereits eingetreten, aber Paul-Friedrich hielt seine Begleiterinnen zurück. »Ich fürchte, meine Lieben, ich werde wenig Zeit für die Kurse der Akademie haben. Stattdessen werde ich mich opfern und von hier aus meine Ermittlungen leiten.« Er grinste. »Wie ich höre, ist Leopold Pommers Buschenschank bei den Einheimischen überaus beliebt und demzufolge der ideale Ort, um hier Stammgast zu werden und unauffällig die Ohren zu spitzen. Ich müsste mich schon sehr täuschen, wenn der derzeitige Klatsch und Tratsch nicht überaus aufschlussreich für uns ist.«

Pippa nickte, aber Margit schien nicht zuzuhören.

»Wenn man vom Teufel spricht ... Renate«, murmelte sie und deutete unauffällig mit dem Kopf auf eine langhaarige blonde Frau, die mit einer Hand nachlässig eine Kinderkarre vor den Eingang manövrierte und mit der anderen ein Smartphone hielt, dessen Display offenbar ihre ganze Aufmerksamkeit einforderte.

Das allein wäre schon bemerkenswert gewesen, fand Pippa, staunte aber noch mehr über die schwindelerregend hohen Absätze der Frau. »Wie hat sie es in diesen Schuhen bloß den steilen Hügel heraufgeschafft?«, fragte sie leise. »Ich käme nicht einmal mit einer Leiter in diese Dinger.«

Paul-Friedrich lachte. »Aber wer es auf die Absätze schafft, für den ist der Hügel ein Klacks.«

Noch während er das sagte, trat Aloisia Krois aus der

Tür, begrüßte Renate Lipp herzlich und beugte sich dann zur Kinderkarre hinunter. Sie nahm das Baby heraus und trug es vor der Mutter her in die Buschenschank.

»Aloisia ist Renates Tante«, erklärte Margit. »Wenn die Lipps jemanden brauchen, der auf Lukas aufpasst, bringen sie den Kleinen meist in Aloisias kleinen Betrieb. Verwandtschaftlicher Babysitterservice.« Sie stockte einen Moment lang und fuhr fort: »Jedenfalls hat es sich in den vergangenen Monaten so entwickelt.«

Welch kuscheliger Ort für ein Kleinkind, dachte Pippa und fragte: »Vorher kam Lukas zu dir und Karl Heinz?«

Margit nickte nur knapp. Dann sagte sie: »Lasst uns reingehen. Die anderen fragen sich bestimmt schon, wo wir bleiben.«

Da die Sonne alle Gäste in den Gastgarten des Wirtshauses gelockt hatte, hielt sich niemand im rustikal eingerichteten Schankraum auf. Stattdessen saßen jede Menge Leute unter zwei riesigen Kastanienbäumen und einer weinberankten Pergola, vor sich Gläser mit roséfarben schillerndem Wein und einer Bilderbuchaussicht auf grüne Rebhänge und die imposante Burganlage.

Sofort nahm Pippa sich vor, Paul-Friedrich häufiger beim Ermitteln Gesellschaft zu leisten – auf jeden Fall abends, wenn die Burg illuminiert wurde.

Aloisia, den schlafenden Lukas auf dem Arm, und ihr Eddi saßen bereits mit Gästen der Akademie an einem großen Tisch, wo gerade die Verkostung des Schilchers begann. Poldi Pommer, Wirt und Weinbauer in Personalunion, stand dabei und wartete gespannt auf die Reaktionen seiner Gäste.

Pippa, Margit und Seeger setzten sich auf die letzten freien Plätze. Renate Lipp fehlte in der Runde, und Pippa entdeckte sie am Nebentisch. Wohl weil sie ihr Baby in guter Obhut wusste, hatte sie sich zu drei kartenspielenden jüngeren Männern gesellt. Sie schien in Flirtlaune zu sein und scherzte mit ihnen, während sie einem von ihnen das Weinglas stibitzte und daraus trank. Dabei überprüfte sie allerdings alle paar Sekunden ihr Handy, das sie auf dem Tisch platziert hatte, als würde sie eine Textnachricht erwarten.

»Jetzt bin ich gespannt auf eure ehrliche Meinung«, sagte Karl Heinz gerade. »Ihr trinkt unsere berühmten Schilcherweine und den Schilchersekt. Diese Produkte genießen Sortenschutz. Sie dürfen ausschließlich aus einer hier angebauten Rebsorte hergestellt werden, die Blauer Wildbacher heißt. Es ist sehr wahrscheinlich, dass die Kelten bereits um 400 vor Christus auf dem Gebiet der heutigen Steiermark diese Rebenart aus einer heimischen Sorte gezogen haben. Flüssige Historie, richtig, Poldi?«

Der Wirt nickte stolz und sah genau wie Karl Heinz abwartend in die Runde. Während einige mit sichtlichem Genuss tranken, verzogen andere das Gesicht, als hätten sie in eine Zitrone gebissen.

»Geschmack des Schilchers mit sieben Buchstaben«, sagte Amelia Dauber gepresst.

»Trocken«, erwiderte Oliver Mieglitz.

Amelia Dauber schüttelte den Kopf. »Sauerrr – mit drei r, eins reicht da bei weitem nicht aus.«

Die Runde lachte, und Livia Riegler deutete auf ihr Glas. »Möchte jemand meinen austrinken? Mir ist Süßes lieber.« Sie warf Tobias Jauck einen feurigen Blick zu, den dieser lächelnd erwiderte.

»Ich mag es knackig.« Waldemar Schultze stieß mit seiner Tochter an. »Aber ein großes Stück Torte dazu wäre nicht zu verachten. Oder Zartbitterschokolade – perfekt.«

Knöller nahm einen Schluck, ließ den Wein durch die Zähne zischen und rollte ihn im Mund. »Fein säuerlich, lebendig, harmonisch.« Er lehnte sich zurück und hob sein Glas. Als wäre der Wein ein alter Cognac, ließ er ihn mit großer Geste kreisen, und die zartrote Flüssigkeit changierte im Sonnenlicht in Tönen von Orange bis Rot.

»Leider nicht mein Geschmack.« Belinda Schultze blickte zum Wirt auf. »Aber diese wundervolle Farbe ... dieses Schillern ist einzigartig. Und es braucht noch nicht einmal die Sonne, um ihn zum Funkeln zu bringen.«

»Ah – sehr gut erkannt.« Poldi Pommer verbeugte sich kurz vor ihr. »Küss die Hand, gnädige Frau, Sie haben wirklich ein gutes Auge. Schilchern ist das österreichische Wort für schillern – daher der Name.«

Die Freude über dieses Kompliment färbte Belinda Schultzes Wangen passend zum Wein. Sie leerte das Glas mit einem beherzten Schluck, was bei ihrem Mann sichtliche Verblüffung auslöste.

Mit halbgeschlossenen Augen verfolgte von Meinrad die lebhafte Diskussion über den Geschmack des Weins. »Wenn wir das nächste Getränk selbst bezahlen, bekommen wir dann etwas Besseres als Essig?«, fragte er provozierend laut und unterbrach damit das Gespräch am Tisch.

»Essig? Nur bei ungeübtem Gaumen. Für alle anderen ist er trocken und frisch«, gab Paul-Friedrich zurück. »Dieser Wein ist genau meine Kragenweite. Wieso lerne ich ihn erst jetzt kennen? Von mir aus darf Herr Pommer eine Pipeline zu mir in die Altmark legen!« Ein leises Räuspern von Pippa erinnerte ihn an seine aktuelle Rolle, und er fügte eilig hinzu: »Und nach Berlin, natürlich. Damit beide Residenzen versorgt sind.«

Ilsebill Lamberti nickte ihrem Vorredner zu. »Dieser Wein würde jederzeit neben gutem Rheingauer Riesling bestehen. In Wiesbaden mögen wir es auch knackig und säurehaltig.«

Waldemar Schultze reckte den Hals. »Ist das für uns? Ich bin im Schlaraffenland!«, verkündete er und leckte sich unwillkürlich die Lippen angesichts des riesigen Tabletts mit Torte, das eine Kellnerin gerade an den Tisch brachte.

Während sie die Torte aufschnitt und verteilte, sagte Pommer: »Kürbiskerntorte – ein Genuss zu meinem Schilcher. Gebacken von meinem guten Freund Beppo aus dem Akademie-Café. Beppo verwendet dafür nur selbstgeröstete Kürbiskerne und das allerbeste Kürbiskernöl. Und genau wie mein Schilcher ist auch das Kürbiskernöl eine steirische Spezialität. Der Beppo kann damit zaubern, von süß bis salzig, von scharf bis mild – aber immer unvergesslich.«

Von Meinrad verzog den Mund. »Wo bin ich hier – auf einer Kaffeefahrt für Rentner? Ich komme mir vor wie auf einer von Lokalpatriotismus verbrämten Verkaufsveranstaltung.«

»Ich nenne es eine Einladung, die Region über ihre leckeren Alleinstellungsmerkmale kennenzulernen«, entgegnete Jodokus Lamberti ruhig, dem ebenso wie Pippa Pommers Empörung über die Bemerkung des Journalisten nicht entgangen war. Genüsslich probierte er vom Kuchen. »Ich werde hier auf jeden Fall investieren. In mehr als Wein und Torte.« Dann griff er sich den Teller, der für von Meinrad gedacht gewesen war, rückte näher an Waldemar Schultze heran und fügte hinzu: »Ich denke, wir zwei sind trotz unseres Alters noch rüstig genug, um Herrn von Meinrad gemeinsam vor den aggressiven Kalorien dieser überaus leckeren Versuchung zu bewahren, was meinen Sie?«

Der Verleger ließ sich nicht lange bitten. Statt einer Antwort stach er seine Kuchengabel in das angebotene Stück und aß mit sichtlichem Appetit. »Und wer zusammen von einem Teller isst, der kann sich auch duzen. Waldemar der Name.«

Jodokus nannte seinen Namen, die beiden schlugen mit den Gabeln gegeneinander, als wären es Sektgläser, und grinsten breit.

Pippa drehte sich zu Seeger um, aber der hatte von alldem nichts mitbekommen. Er hatte eine Flasche Schilchersekt, eine Spätlese und einen normalen Schilcher nebeneinandergestellt und studierte konzentriert die Etiketten. Als hätte er ihren Blick gespürt, sah er hoch und deutete dann auf die Flaschen. Pippa schluckte, denn auf jedem Label prangte ein keltisches Zeichen, darunter auch jenes, das sie von den Erpresserbriefen kannte.

»Eine Frage, Herr Pommer«, sagte Seeger und hob eine Flasche.

Der Wirt kam sofort um den Tisch herum. »Ich bin der Poldi. Der Herr Pommer bin ich nur auf dem Finanzamt in Deutschlandsberg. Den schrägen Neubau müsst ihr euch mal angucken – der wurde mit unserem Geld bezahlt, was, Karl Heinz? Deinem und meinem schwer verdienten Geld!«

Die Runde am Tisch lachte, während Karl Heinz aufstand, demonstrativ eine leere Hosentasche herauszog und sich wieder setzte.

»Die Etiketten, Poldi«, sagte Seeger. »Sie sind ungewöhnlich.«

Pommer nickte. »Darauf bin ich sehr stolz. Die Idee zu den keltischen Zeichen kam mir bei einem Besuch in unserem Burgmuseum. Ich suchte schon lange etwas, das gleichzeitig regional und international ist. Die Symbole sind ebenso mystisch und präsent wie unser Wein und verweisen gleichzeitig auf seinen keltischen Hintergrund. Aber dazu erfahren Sie mehr im Museum. Sie sollten es sich unbedingt ansehen. Wirklich unglaublich, was es dort an Artefakten gibt. Sogar eine vollständig erhaltene Totenmaske!« Er kicherte und fuhr mit einem Blick auf von Meinrad fort: »Daraus könnte ein wirklich *guter* Reporter eine *wirklich* gute Schlagzeile machen. Der junge Wein eines jeden Jahres wird nämlich auch gerne mal als ›Sturm‹ bezeichnet.« Mit der Hand machte er eine Geste, als würde er den Aufmacher einer Zeitung in die Luft zeichnen. »*Schilchersturm weckt Tote auf …*«

Akkordeonmusik, die aus dem Wirtshaus drang und immer lauter wurde, unterbrach Pommers Rede. Ein älterer Herr trat, die Ziehharmonika vor der Brust, in den Garten und blickte sich suchend um. Als Margit winkte, kam er zu ihnen an den Tisch. Auf seinem breiten Gesicht, das von kurzen schneeweißen Haaren umrahmt war, lag ein entspanntes Lächeln. Virtuos glitten die Finger des Mannes über die Knöpfe und Tasten seines Instruments, während er mit leicht rauchiger Stimme dazu sang.

Livia Riegler sprang auf und zog ihren Tobias zu einer gepflasterten Fläche, wo sie auf eine Art miteinander tanzten, die viel Übung verriet.

»Das machen die beiden nicht zum ersten Mal«, sagte Paul-Friedrich. »Sie bilden eine richtige Einheit. Ob sie sich beim Tanzen kennengelernt und daraus ein gemeinsames Hobby gemacht haben?« Könnte sein, dachte Pippa und erinnerte sich an das unerwartet vertrauliche Gespräch mit Livia am Morgen. Bestimmt kneift die Ehefrau sich dafür, dass sie nicht mit ihm zum Tanzkurs gehen wollte, denn seither hält er eine andere Frau in den Armen, und das nicht nur während der Übungsstunden.

Pippa wurde ein wenig neidisch, als sie dem ausgelassenen Tanz der beiden zusah. Auch Leo, ihr Exmann, war ein begnadeter Tänzer und hätte es mit Tobias durchaus aufnehmen können. Ob Tobias auch ein so großer Charmeur war? Seit sie sich von Leo getrennt und wieder in Berlin niedergelassen hatte, vermisste sie die gemeinsamen Abende auf dem Tanzparkett. Aber das war auch schon alles, was ihr fehlte, denn vor Leos Eskapaden mit anderen Frauen hatte sie die Augen nicht länger verschließen können.

Pippa lächelte unwillkürlich, als ihr aufging, dass sie noch etwa ein Jahr lang die Ehefrau eines Italieners war, die vorgab, die Gattin eines Deutschen zu sein, während sie in Wirklichkeit einen festen Freund in Schottland hatte.

Gedankenverloren sah sie sich um und zuckte leicht zusammen, als sie feststellte, dass von Meinrad sie anstarrte. Als ihr Blick den seinen traf, blätterte er angelegentlich durch sein allgegenwärtiges schwarzes Notizbuch. Dann beugte er sich über den Tisch zu ihr herüber und flüsterte: »Herr Jauck und Frau Riegler amüsieren sich in Plutzerkogel offenbar ganz hervorragend. Aber wohin fahren *Sie*, wenn Sie sich *amüsieren* wollen? Oder reicht Ihnen telefonischer *Kontakt*? Es soll ja Leute geben, die es so mögen.«

Innerlich schnappte Pippa nach Luft. Sie wusste genau, worauf er anspielte, die akzentuierte Betonung verriet es.

Abrupt wandte sie sich von dem Journalisten ab und klatschte mit den anderen Beifall, denn der Musiker hatte sein Lied beendet und verbeugte sich.

»Jovan Glantschnig, zu Diensten«, sagte er mit dem melodischen Akzent eines Slowenen. »Welches Lied soll ich für Sie spielen? Dies ist Ihr Wunschkonzert. Ich bin Ihre Musikbox. Sie drücken die Knöpfe, ich singe die Lieder – wenn ich sie kenne.«

Alle applaudierten noch heftiger, und es wurden einige Titel gerufen, die er jeweils mit einem Kopfnicken akzeptierte.

Einer der Kartenspieler vom Nebentisch grölte: »Spiel mal *Fürstenfeld* von S. T. S.! Das ist Renates Lieblingslied!«

Glantschnig runzelte die Stirn, aber Aloisia nickte begeistert, und Karin rief: »Das Lied kenn ich! Das Lied kenn ich!

Darauf haben wir mal einen Berliner Text gemacht! O bitte!«

Glantschnig rückte sich das wuchtige Instrument zurecht, begann zu spielen und sang: »*Langsam find't der Tag sei End und die Nacht beginnt, in der Kärtnerstrass'n do singt aner* ...«

Wie die anderen lauschte Pippa dem wehmütigen Lied um einen Straßenmusikanten, der in Wien sein Glück versucht und unter dem Heimweh nach der Steiermark leidet. Schnell konnten die Zuhörer den eingängigen Refrain wenn schon nicht mitsingen, dann doch zumindest summen.

Pippa fiel auf, dass Margits Blick auf Renate Lipp ruhte, die sich am entgegengesetzten Ende des Tisches von Aloisia den kleinen Lukas reichen ließ. Die Frau kam auf sie zu, denn sie ging zum Musiker, da das Baby begeistert mit den Armen fuchtelte und die Händchen nach dem Instrument ausstreckte.

»Findest du, dass sie bekümmert wirkt?«, fragte Margit Pippa, ohne den Blick von Renate Lipp abzuwenden. Wegen der lauten Musik schien sie es nicht für nötig zu halten, die Stimme zu senken.

Pippa zuckte mit den Schultern. »Keine Ahnung, wie ich mich verhalten würde, aber in Gegenwart des Kindes würde ich mir meine Sorgen ganz sicher nicht anmerken lassen.«

»Mag sein, aber ihr Handy ist ihr trotzdem wichtiger als das Kind. Und in aller Öffentlichkeit mit den jungen Burschen zu poussieren, in ihrer Situation. Das schmerzt mich. Ich denke, sie vermisst Bernhard nicht halb so sehr wie Karl Heinz und ich.«

Viel zu spät bemerkte Pippa, dass von Meinrad sie und Margit unverhohlen belauschte und genau wusste, über wen sie geredet hatten.

Er mag ein mieser Journalist sein, dachte sie gallig, aber

er hat eine Paparazzo-Antenne für Dinge, die sich zu einem Skandal aufbauschen lassen. Es ist schon das zweite Mal, dass wir unvorsichtig sind und Wasser auf seine Mühlen gießen. Neue Regel: keine Gespräche in Gegenwart von Axel von Meinrad, es sei denn, über die Schönheit der Landschaft – oder über ihn.

Von Meinrad stand plötzlich auf, nahm Renate Lipp den kleinen Jungen aus dem Arm und setzte ihn ausgerechnet auf Margits Schoß. Dann zog er die überraschte Frau auf die Tanzfläche.

Während er Renate Lipp herumwirbelte, als ginge es um eine Meisterschaft, funkelten seine Augen hungrig.

Aber Pippa wusste: Dieser Hunger galt nicht der Frau in seinen Armen, sondern der Sensation, die er witterte.

Kapitel 8

Nie wieder so viel von diesem Schilcher, dachte Pippa, als sie am nächsten Morgen mit Kopfschmerzen erwachte. Um sich gegen das einfallende Sonnenlicht zu schützen, rollte sie sich auf die Seite. Sie überlegte ernsthaft, ob sie später Lenzbauers roten Stockschirm aus dem Schirmständer mitnehmen und als Sonnenschutz zweckentfremden sollte, um sich schmerzfrei ins Freie wagen zu können.

Gerade wollte sie sich die Decke über den Kopf ziehen, als sich ihre angelehnte Schlafzimmertür mit leisem Knarren einen Spalt weit öffnete.

»Bitte, Paul-Friedrich, nur noch ein paar Minuten«, flehte sie, stutzte aber, weil sie aus der Küche das Klappern von Geschirr hörte.

Sie hielt den Atem an, als sie erkannte, wer ihr da einen Besuch abstattete: Zuerst schoben sich eine rosa Nase und Schnurrhaare, dann ein weißes Gesicht mit schwarzer Batman-Maske herein, danach folgte der ganze Otto. Der kleine Kater schlich Zentimeter um Zentimeter näher, den schwarzweiß gefleckten Körper angespannt und leicht geduckt, während er sich aufmerksam umsah.

Pippa ging das Herz auf, denn seit ihrer Ankunft hatte Otto das Versteck unter dem Sofa nur verlassen, wenn sie und Paul-Friedrich außer Haus waren. Die bei ihrer Rückkehr stets geleerten Futternäpfe legten davon beredt Zeugnis ab.

»Noch dreißig Minuten bis zum Frühsport!«, rief Paul-Friedrich in diesem Moment laut aus dem Flur.

Nicht nur Pippa erschrak, auch Otto verschwand mit einem Fauchen unter ihrem Bett.

»Tierquäler! Menschenschinder!«, antwortete Pippa. »Eine barbarische Uhrzeit, um uns so zu erschrecken!«

Genau wie der Kater zuvor schob nun Seeger den Kopf durch den Türspalt. »Uns? Hab ich gestern Abend was verpasst?«

»Otto ist hier im Zimmer. Wir wollten uns gerade besser kennenlernen, aber dank deines Geschreis ist er unters Bett geflüchtet.«

»Immerhin, ein positives Zeichen«, erwiderte Paul-Friedrich ungerührt, »er geht also im Haus auf Tour, wenn es ruhig ist und er sich nicht bedrängt fühlt. So kann er unseren Geruch aufnehmen und sich an uns gewöhnen. Genau, wie du dich ans frühe Aufstehen gewöhnen wirst.«

Pippa stöhnte. »Kann für mich der Frühsport heute bitte ausfallen? Nur heute! Morgen komme ich ganz sicher mit, Pfadfinderehrenwort. Mein Kopf fühlt sich an wie eine Berliner Eckkneipe und mein Körper, als hätte ich viel zu wenig geschlafen.«

»Du *hast* zu wenig geschlafen. Keine vier Stunden, um genau zu sein. Die Luft war lau, die Gesellschaft unterhaltsam …«

»Und der Schilcher lecker. Wie kannst du nur schon so penetrant gutgelaunt und hellwach sein?«

»Senile Bettflucht. Du kommst auch noch in das Alter, dann bist du froh, wenn du überhaupt ein paar zusammenhängende Stunden Schlaf schaffst. Außerdem ist mein Wille morgens eisenhart – und das ist gut so, denn er muss ja für zwei reichen. Deshalb: auf jetzt. Unser detektivisches Tagwerk wartet.«

»Du weißt, wie man Frauen rumkriegt.« Pippa kicherte. »Das war das perfekte Stichwort. Machst du mir bitte schon mal einen Tee?«

»Wird erledigt, sonst hätte ich ja den halben Vormittag einen Zombie neben mir. Als guter Gatte weiß ich natürlich, dass du morgens einen Tee mit Milch brauchst. Die Gene deiner englischen Mutter lassen sich eben nicht verleugnen.«

Als Seeger verschwunden war, legte Pippa sich quer auf den Bauch, beugte ihren Oberkörper kopfüber aus dem Bett und spähte darunter. Otto hockte mit peitschendem Schwanz in der hintersten Ecke und starrte sie aus großen Augen ängstlich an.

»Na, mein Kleiner«, gurrte Pippa, »erinnere mich unbedingt daran, dass ich auf jeden Fall einen Langschläfer heirate. Oder sollte ich es stattdessen lieber mit einem kleinen, zärtlichen Kuhkater wie dir versuchen? Du solltest es dir überlegen, Otto: Dieses Bett ist kuschelig weich.«

Der Kater miaute, und Pippa übersetzte laut: »Denkst du echt, das weiß ich nicht schon längst?«

Auf dem Weg zum Trainingsplatz der Akademie legte Paul-Friedrich Seeger ein strammes Tempo vor – deutlich zu sportlich für Pippas Geschmack, sie hatte Mühe, Schritt zu halten. Zu ihrer Überraschung trafen sie unterwegs mehr Leute als erwartet: Ilsebill und Jodokus, Waldemar samt Tochter Naomi sowie Falko Schumacher. Auch Karin war dabei.

»Willst du auch zum Frühsport?«, fragte Pippa.

Karin schüttelte den Kopf. »Gott bewahre. Dazu bin ich nach der durchzechten Nacht viel zu kaputt. Mir reichen die geplanten Einzelstunden. Heute Morgen glaube ich nicht an Regeneration durch Sport, sondern an die Macht der inneren Einkehr und gehe zu Achleitners Meditation. Ich freue mich schon darauf, zu visualisieren, wie ihr euch im Schweiße eures Angesichts abplagt. Turnt ihr nur! Meinen Segen habt ihr.«

Wie gern ginge ich jetzt mit dir, dachte Pippa neidisch,

als die Freundin sich mit einem fröhlichen Winken verabschiedet hatte.

Sie durchquerten den Innenhof der Akademie, da stieß Paul-Friedrich Pippa an und deutete unauffällig mit dem Kopf auf Livia und von Meinrad. Sie standen in einer Ecke des Hofes zusammen und waren in ein vertraulich wirkendes Gespräch vertieft, das durch das angeregte Geplauder der Gruppe übertönt wurde.

Prompt ließ Pippa ihr Handtuch fallen und schlenderte weiter, dann blieb sie stehen und blickte sich suchend um, während die Gruppe ihren Weg fortsetzte. Mit gespitzten Ohren ging Pippa ein paar Schritte zurück und hob ihr Handtuch auf.

»… und deshalb wäre ich an Ihrer Stelle vorsichtig«, sagte von Meinrad gerade, »oder entgegenkommender. Dann würde ich vielleicht für mich behalten, was ich weiß.«

Wenn das mal keine Drohung ist, dachte Pippa, aber zu ihrem Erstaunen lachte Livia und erwiderte: »Ich habe vor niemandem Angst, Herr von Meinrad. Am wenigsten vor …«

Mehr konnte Pippa nicht verstehen, denn in diesem Moment kamen die Leiter des Flirtkurses durch den Torbogen, wie gewohnt lauthals streitend.

»Ich finde es wichtig, den Leuten gleichzeitig etwas Etikette beizubringen«, sagte Stefan Kleindienst aufgebracht. »Immer musst du dich gegen alles sträuben, was ich vorschlage.«

»Nicht, wenn es sinnvoll ist«, gab Sigrid Sommerfeld zurück. »Gegen moderne Etikette habe ich überhaupt nichts, aber einige deiner Vorstellungen gehören ins vorletzte Jahrhundert. Einer Frau den Vortritt zu lassen macht noch lange keinen Mr Darcy aus dir.«

Die beiden nickten Pippa zu, als sie an ihr vorbeikamen, und setzten ihren Streit dann fort.

»Wer höflich ist, hat mehr Chancen beim weiblichen Geschlecht«, sagte Kleindienst. »Und dazu gehört, der Dame die Tür zu öffnen und sie vorangehen zu lassen. Ganz zu schweigen von anderen kleinen Aufmerksamkeiten. Eine *echte* Dame weiß das zu schätzen.«

Die Dozentin schnappte nach Luft. »Ach so, eine *echte* Dame. Und ich bin keine, willst du damit sagen. Gut: Was bin ich dann, deiner Meinung nach?«

»Das frage ich mich, seit ich mit dir zusammen diese Kurse zu geben versuche …«

Pippa blickte ihnen amüsiert nach und drehte sich dann wieder zu Livia und von Meinrad um, aber die zwei waren wie vom Erdboden verschluckt.

Die Sportgruppe war bereits am Trainingsplatz versammelt. Waldemar Schultze hatte es sich etwas abseits auf einer Decke bequem gemacht. »Ich werde diese Stunde genießen und nichts als meine Augenlider bewegen«, verkündete er, »und auch das nur im Notfall. Danach gehe ich zu den Katzen und lasse mir weitere Lektionen in professionellem Müßiggang erteilen.« Er verschränkte die Arme hinter dem Kopf und blickte in den blauen Himmel hinauf, heiß beneidet von Pippa.

Sie war nicht der einzige Nachzügler, denn kurz nach ihr erschien von Meinrad auf der Bildfläche. Allerdings nicht, um Sport zu treiben, denn er ging an der Gruppe vorbei auf den sichtlich ungeduldig wartenden Karsten Knöller zu. Sie flüsterten miteinander, dann zogen sie sich Liegen heran. Demonstrativ positionierten sie sich so, als wären sie Juroren bei einem Wettkampf und wollten die Sportgruppe bewerten.

Valentin Baumgartner rief: »Guten Morgen, Herrschaften! Wir machen uns erst einmal warm«, er baute sich so auf, dass er Knöller und von Meinrad den Blick versperrte, »und beginnen mit Kniebeugen!« Kurz demonstrierte er die gelenkschonendste Variante und kommandierte dann: »Und eins, und hoch, und zwei, und hoch, und drei …«

»Hetz- und Schmutzpresse mit zehn Buchstaben«, sagte Pippa absichtlich laut, während sie den Anweisungen folgte, »oder auch abfällige Bezeichnung für Journalisten, die sich durch unsensibles Verhalten auszeichnen!«

»Journaille«, keuchte Amelia Dauber und verlor beinahe das Gleichgewicht.

Ilsebill Lamberti absolvierte die Übung ohne erkennbare Anstrengung. »Das Wort ist übrigens abgeleitet vom französischen ›Kanaille‹, dem Wort für Halunke oder Schuft«, bemerkte sie im Plauderton.

Axel von Meinrad sprang auf und rief in Ilsebills Richtung: »Jeder hat eine Leiche im Keller! *Jeder*! Die gilt es zu finden. Das ist Spürsinn, das ist Detektivarbeit. Das ist investigativer Journalismus!« Abrupt drehte er sich um und stapfte davon.

In seiner Rage rempelte er Tonio von Pauritz an, der mit einer zusammengerollten Yogamatte unter dem Arm ebenfalls zum Frühsport kam.

Der Akademiesekretär blickte dem wutschnaubenden Journalisten verblüfft hinterher, dann zuckte er mit den Achseln und breitete seine Matte neben Naomi Schultze aus, die ihm ein erfreutes Lächeln schenkte.

»Wo ist er denn jetzt hin?«, fragte Karsten Knöller, vom plötzlichen Abgang von Meinrads sichtlich überrumpelt. »Wir wollten doch meine Magazinstory besprechen!«

Du Armer, dachte Pippa, du hast als Einziger noch nicht begriffen, dass du lediglich der Türöffner für unseren Paparazzo warst. Für den gibt es mittlerweile deutlich Interessanteres als dich selbsternannten Lebemann … obwohl ich tatsächlich gern wissen möchte, wie du zu deinem Geld gekommen bist.

»Mich interessiert aber nicht nur Knöllers Reichtum und warum der Mann überhaupt hier ist«, sagte Pippa später im Frühstücksraum zu Seeger, während die anderen sich am Buffet bedienten, »mich interessieren die Hintergründe aller Leute. Und zwar sowohl die der anderen Gäste als auch die der Dozenten. Ich vertraue Margit zu hundert Prozent, aber auch sie kann nicht alles wissen. Wie soll sie zum Beispiel den Wahrheitsgehalt der ausgefüllten Anmeldebögen prüfen?«

Paul-Friedrich nickte. »Ich habe schon daran gedacht, meine alten Kontakte spielen zu lassen, bestimmt könnte ich so das eine oder andere über unsere Pappenheimer herausfinden. Bei den Deutschen überhaupt kein Problem, aber bei den Österreichern müsste ich tiefer in die Trickkiste greifen.«

Pippa wandte ihre Aufmerksamkeit der Gruppe zu, die über die Abendgestaltung des kommenden Samstags diskutierte. Zur Wahl standen einerseits das Krimidinner und andererseits die Möglichkeit, auf der Kälberwiese der Alm zu zelten und am Sonntagmorgen bei Josefa zünftig zu frühstücken.

»In einer klaren Nacht sieht man dort oben bestimmt sehr viel mehr Sterne als bei uns im Rhein-Main-Gebiet«, sagte Ilsebill gerade. »Dort gibt es nicht so viel Lichtverschmutzung wie in der Stadt.«

»Aber so ein Krimidinner ist doch viel spannender!« Auf der Suche nach Unterstützern sah Belinda Schultze in die Runde. »Überlegt doch mal: Mörderhand mit leckerem Essen!«

Zeit, einzugreifen, dachte Pippa alarmiert. Das Krimidinner war schließlich nur Ausrede gewesen, um die erhängte Puppe in der Werkstatt zu erklären. Wenn die Gruppe sich jetzt dafür entschied, stünde die Akademie vor einem ernsthaften organisatorischen Problem.

»Ein Krimidinner kann ich auch in Berlin haben. Ich würde gern mal die Milchstraße in voller Pracht sehen«, sagte sie. »Die kenne ich nur von Fotos.«

Sie sah Karin an, die prompt ins Schwärmen geriet. »Und erst die Plejaden, die liebe ich. Stellt euch vor: ein Sternenhaufen, der vierhundert Lichtjahre von uns entfernt ist und den wir trotzdem mit bloßem Auge erkennen können!«

Naomi klatschte begeistert in die Hände. »Vielleicht sehen wir sogar Sternschnuppen!«

»Dann können wir uns etwas wünschen, das wäre doch wunderbar.« Livia hakte sich bei ihrem Tobias ein und schmiegte sich an ihn. »Das ist romantischer als ein Krimidinner, sogar mit der gesamten Gruppe. Ich plädiere für den Almausflug.«

»Ich weiß nicht recht«, warf Karsten Knöller ein. »Dort oben ist es nachts sicher ziemlich frisch, und ich habe eine sehr delikate Gesundheit.«

Frau Direktor Schliefsteiner, die mit einigen Dozenten dazugekommen war, um die Teilnehmer zu den einzelnen Kursen abzuholen, versprach erleichtert, ihren Sekretär sofort mit der Organisation des Ausflugs zu betrauen. Sogar Knöllers Bedenken vermochte sie zu zerstreuen. »In Josefas Almhütte gibt es eine Dachkammer mit acht Betten. Viele Wanderer übernachten dort. Sicher wird sie Ihnen eins der Betten zur Verfügung stellen.«

Knöller runzelte die Stirn. »Habe ich den Raum für mich, wenn ich für alle acht Betten zahle? Und gibt es eine Dusche?«

»Wir gehen heute Vormittag auf die Burg und lernen, Objekte so abzubilden, dass die Fotos eine Geschichte erzählen«, erklärte Sarah MacDonald den Kursmitgliedern, die sich um sie geschart hatten.

Pippa stutzte, denn sie wusste von ihren Aufenthalten in Schottland, dass die Fotografin mit ihren Gruppen stets zuerst in die Natur ging, wo sie Tipps zur Motivauswahl gab und erste theoretische Kenntnisse vermittelte. Anhand der geschossenen Bilder wurde das Gelernte im Kursraum später vertieft, und erst danach ging es an unbelebte Objekte. Überhaupt wirkte die schottische Fotografin ziemlich verhalten, obwohl sie am Vorabend nicht mit den anderen bei Poldi Pommer gefeiert hatte. Ein Kater konnte es also nicht sein, der sie so blass erscheinen ließ.

Heribert Achleitner bat seine Kursteilnehmer mit leiser Stimme, ihm zum Dichterkurs zu folgen. Pippa war nicht erstaunt, dass die beiden Kreuzworträtsel-Champions sich ihm anschlossen, genau wie Belinda Schultze und Karin. Diese hakte sich bei dem etwas spröde wirkenden Dozenten ein und verkündete: »Ich habe vorgearbeitet. Wollen Sie mal hören? *In meinem Kopfe tanzen Lichter, und meine Rede ist heut schlichter, dank Poldi Pommers bestem Schilcher – trotzdem versuch ich mich als Dichter!*«

Pippa lachte in sich hinein, da Achleitners Körpersprache als Reaktion auf Karins Dichtkunst schieres Entsetzen ausdrückte.

Ihre eigene kleine Gruppe, die außer aus ihr selbst und Seeger aus Naomi, Knöller sowie dem Ehepaar Lamberti bestand, wanderte durch den Wald bis zur aus groben Steinen gemauerten trutzigen Burganlage zwischen Deutschlandsberg und Plutzerkogel.

»Wir dürfen dank des Kurators ausnahmsweise heute ins

Museum, denn eigentlich ist montags Ruhetag«, sagte Sarah MacDonald. »Für uns ideal. So können wir uns intensiv und ganz in Ruhe mit den Exponaten beschäftigen, ohne andere Besucher zu stören. Wir bekommen sogar Begleiter, die uns Gegenstände aus den Vitrinen holen, damit wir auf unseren Fotos keine Reflexionen von den Glasscheiben haben.«

Durch einen wuchtigen Torbogen betraten sie den Burghof. Die gepflegte Anlage, in der sich auch ein Hotel befand, löste allgemeine Bewunderung aus. Gerade wurde eine elegante ältere Dame von einer Hotelangestellten in Empfang genommen, und Pippa sagte: »So eine Burg ist wahrlich nicht der schlechteste Ort für einen Urlaub.«

Seeger verfolgte die attraktive Erscheinung mit den Augen, bis sie im Hotel verschwunden war, und murmelte geistesabwesend: »Ja, hier ist alles sehr schön. Sehr elegant.«

Prustend boxte Pippa gegen seinen Arm und flüsterte dann wie frisch verliebt in sein Ohr: »Du solltest nicht so begehrlich hinter einer Frau hergucken, die meine Mutter sein könnte. Jedenfalls nicht, wenn wir beobachtet werden. Denk dran, wir sind in den Flitterwochen!«

Der Museumsleiter und zwei seiner Mitarbeiterinnen erwarteten die Gruppe am Eingang des Museums. Der Kurator gab ihnen einen knappen Überblick über die verschiedenen Abteilungen, in denen unter anderem steirisches Glas aus drei Jahrtausenden, Objekte zur Geschichte der Kelten oder historische Foltergeräte ausgestellt waren. Der Exkommissar und Pippa entschieden sich sofort für die keltischen Exponate, während sich der Rest der Truppe von der Folterkammer angezogen fühlte, die mehr Nervenkitzel versprach als Ausstellungsstücke aus Glas.

»Jeder sucht sich Motive aus und fotografiert sie aus möglichst vielen Perspektiven«, sagte Sarah MacDonald. »Ich werde nacheinander zu euch kommen und die optimale

Aufnahmetechnik individuell mit jedem erarbeiten. Beim nächsten Treffen sehen wir uns die Ergebnisse gemeinsam an und diskutieren, wie wir das eine oder andere noch optimieren könnten. Jetzt wünsche ich euch viel Spaß bei eurer Fotosafari durch dieses schöne Museum.«

Diskret verfolgt von der Museumsmitarbeiterin, schlenderten Seeger und Pippa durch die Kelten-Ausstellung und hielten nach dem geheimnisvollen Zeichen aus den Erpresserbriefen Ausschau. Exponate, die als Inspiration dafür gedient haben könnten, ließen sie sich vorlegen und lichteten sie sorgfältig ab. Sie wollte nicht nur die Erpresserbriefe einscannen, sondern auch die Fotos an Morris mailen und dem Experten für keltische Geschichte so eine aussagekräftige Interpretationsgrundlage zur Verfügung stellen.

»Die Kelten scheinen ein Faible für Schnörkel und Kringel gehabt zu haben«, sagte Pippa, nachdem sie etliche Gegenstände wie reichverzierte Gürtel- und Gewandschließen, in seiner Schlichtheit bestechend schönen Goldschmuck sowie gravierte Kannen und flache Öllämpchen fotografiert hatten.

Die Museumsmitarbeiterin warf ihr einen undefinierbaren Blick zu und legte die kostbaren Stücke sorgfältig in die Vitrinen zurück, während Pippa und Seeger ihren Weg durch die Ausstellung fortsetzten.

»Gut, dass wir deinen Morris haben«, sagte Paul-Friedrich, »sein Universitätswissen nutzt uns jetzt. Ich möchte nicht durch übertriebene Wissbegier auffallen und dadurch zum Ziel allgemeiner Neugier werden. Wir sollten alles vermeiden, was unsere Rolle als harmlose Steiermark-Touristen in Gefahr bringt.«

In diesem Moment trat Sarah MacDonald zu ihnen. »Da seid ihr ja. Habt ihr schöne Motive gefunden?«

Pippa reichte ihr die Kamera, und die Fotografin klickte

sich durch die Bildwiedergabe, während sie anerkennend nickte.

»Man merkt, dass du bei mir schon einmal einen Kurs gemacht hast«, sagte sie leise und grinste. Dann wurde sie ernst. »Ich möchte euch etwas zeigen.«

Sie folgten der Fotografin zu einer großen, gut ausgeleuchteten Vitrine.

»Diese Grabbeigabe ist ein wundervolles Motiv – eine besonders aufwendig gearbeitete Totenmaske«, sagte Sarah MacDonald.

Die lediglich angedeuteten Gesichtszüge der flachen, bronzenen Maske wirkten friedlich. Die Stirn war mit einem Muster aus gehämmerten Punkten geschmückt, genau wie die Innenflächen der Hände, die sich rechts und links unterhalb der Maske dem Betrachter entgegenreckten.

»Schau dir das an«, sagte Pippa. »Diese Hände stehen doch eindeutig für eine abwehrende Bewegung. Ich finde, es sieht aus, als wollten sie den Tod zurückweisen.«

Die Fotografin nickte. »So sehe ich das auch. Und ich hoffe inständig, dass es klappt.«

Sie holte einen zusammengefalteten Zettel aus ihrer Fototasche und reichte ihn Pippa. Ihre Hand zitterte dabei.

Pippa schlug den Papierbogen auf und fuhr erschrocken zurück: der nächste Erpresserbrief! Er zeigte eine Zeichnung der Exponate, die sie gerade betrachteten. Unter der Totenmaske standen nur vier kleine Worte: *Ausländer raus aus Sinnengraus!*

🐾 *Kapitel* 9 🐾

Schweigend gingen Pippa und Paul-Friedrich die kurvenreiche Straße nach Deutschlandsberg hinunter, die eine natürliche Grenze zwischen den Rebhängen auf der linken Seite und dem Wald auf der rechten bildete. Sie waren beide zu tief in Gedanken versunken, um einen Blick für die Schönheit der Landschaft zu haben.

»Ausgerechnet die Totenmaske«, sagte Pippa schließlich. »Hätte ich diesen unheimlichen Brief bekommen, würde ich mich nicht mehr aus dem Haus wagen.«

»Du empfindest ihn als besonders bedrohlich, weil du die Bedeutung der Maske kennst«, erwiderte Paul-Friedrich. »Aber du hast trotzdem recht: Der Verfasser sucht nach immer drastischeren Mitteln, um seinen Briefen Nachdruck zu verleihen. Es wirkt, als wollte er die Situation mehr und mehr zuspitzen.«

»Und was steht am Ende dieser Eskalation? Brennt die Akademie? Greift er Menschen an?« Pippa wagte nicht, noch weiter zu denken.

»Wenn wir nur wüssten, ob die Zeichen unter den Briefen aus einem bestimmten Grund ausgesucht wurden«, sagte Paul-Friedrich nachdenklich.

»Du meinst, die Symbole wurden gezielt für den jeweiligen Empfänger individuell ausgewählt und sind ebenfalls Hinweise?«

Paul-Friedrich zuckte mit den Achseln. »Ich halte sie für Botschaften in der Botschaft. Nur – symbolisieren sie den

Empfänger, oder stehen sie für den Absender? Das gilt es herauszufinden.«

»Ebenso wie das Motiv des Erpressers.«

»Ich sehe zwei Möglichkeiten. Entweder, unser Erpresser ist nur ein Neider, handelt aus einer Laune heraus und zieht seine Befriedigung aus der Vorstellung, anderen das Leben schwerzumachen. Ähnlich wie die Leute, die dir einen Virus auf deinen Computer schicken oder ...«

Pippa blieb abrupt stehen. »Viren werden aber völlig ungezielt verschickt. Die Urheber haben keinen persönlichen Vorteil davon. Mit den Erpresserbriefen ist es anders: Alles ist von langer Hand geplant und verfolgt ein Ziel: die Akademie Sinnenschmaus in die Knie zu zwingen. Es muss jemand sein, der davon profitiert.«

Seeger ging langsam weiter. »Damit sind wir bei der zweiten Option. Wie viel, glaubst du, sind die Akademie und das Anwesen wert?«

»Bestimmt mehrere Millionen. Das Grundstück und die Gebäude dürften einen Marktwert haben, der unser gemeinsames Lebenseinkommen übersteigt.«

»Und genau dieser Wert befindet sich gerade im freien Fall. Und das, obwohl im letzten Winter der Wellnessbereich und die Sauna vergrößert und modernisiert wurden.«

»Vergiss nicht das Katzenhaus«, sagte Pippa. »Die Yogakatzen garantieren pure Entschleunigung. Das zieht mit Sicherheit Menschen an, die einmal richtig ausspannen wollen. »

Paul-Friedrich nickte. »All diese Investitionen haben garantiert ein tiefes Loch in die Kasse gerissen. Ab diesem Sommer sollten sie sich amortisieren, tun es aber nicht.«

»Manchmal strampelt man sich ab und kommt doch nicht vom Fleck, oder?« Gedankenverloren beobachtete Pippa eine Gruppe Radfahrer, die ihnen ächzend entgegenkam; den steilen Hügel hinauf blieb kaum einer von ihnen im Sattel sitzen.

Seeger zog ein Stofftaschentuch aus der dicken Manchesterhose und murmelte: »Wird Zeit, dass wir leichtere Kleidung kaufen. Ich stehe kurz vor einem Hitzschlag.« Er wischte sich den Schweiß von der Stirn und fuhr fort: »Die Akademie lief bisher so hervorragend, dass ihre Besitzer für Renovierung und Erweiterung im letzten Jahr viel Geld in die Hand genommen haben. Zum ersten Mal machten sie sogar Schulden und nahmen eine Hypothek auf. Und ausgerechnet zu diesem Zeitpunkt gibt es eine Schmutzkampagne, und die Gäste bleiben aus. Komischer Zufall.«

»Margit hat mir gestanden, dass sie Probleme bekommen, ihre Raten pünktlich zu zahlen, wenn die nächsten Kurse nicht besser laufen. Die momentane Buchungssituation ist katastrophal.«

»Genau das meine ich«, sagte Paul-Friedrich. »Die Akademie steckt in einem Teufelskreis: Den Dozenten wird Angst gemacht, damit sie gehen, durch das immer kleiner werdende Kursangebot gibt es weniger zahlende Teilnehmer – und schon haben die Besitzer Probleme, das Haus zu halten, und sind über kurz oder lang gezwungen, unter Wert zu verkaufen.«

Pippa nickte. »Aber zu jeder klassischen Erpressung gehört der Wunsch nach Gewinn. Meistens jedenfalls. Jemand will sich auf irgendeine Art bereichern.«

»Legen Sie eine Million in gebrauchten, nicht durchnummerierten Scheinen um Mitternacht in den hohlen Baumstumpf auf der großen Lichtung«, verkündete Paul-Friedrich mit Grabesstimme. »Und keine Polizei.«

Sie lachten, dann versuchte Pippa zu erklären, was sie störte: »In unseren Briefen finden sich keine Geldforderungen oder dergleichen. Stattdessen Drohungen mit Konsequenzen für Leib und Leben, die bei Bekanntwerden die Schließung der Akademie bedeuten könnten.«

Sie waren auf die Einfallstraße nach Deutschlandsberg eingebogen, die ins Zentrum des Ortes führte, und passierten das öffentliche Freibad, in dem fröhliches Treiben herrschte. Kinder kreischten um die Wette, auf der Liegewiese wurde Ball gespielt, Radios dudelten. Wehmütig erinnerte sich Pippa daran, dass um sie herum hochsommerliches Urlaubstreiben herrschte. Aber sie zwang sich, beim Thema zu bleiben. »Der Verfasser der Briefe verfolgt meiner Meinung nach einen perfiden Plan. Er will den Ruf der Akademie in der Öffentlichkeit ruinieren, damit ihr Wert sinkt. Wenn sie zum Schleuderpreis zu haben ist, wird er zuschlagen und kann sich obendrein als Retter profilieren.«

»Das wäre doch mal ein unkonventioneller Weg, sein Ziel zu erreichen.« Paul-Friedrich runzelte die Stirn. »Es würde allerdings voraussetzen, dass er genug Kapital hat, ein passendes Angebot zu unterbreiten, sollten die Betreiber die Akademie tatsächlich aufgeben müssen.«

»Dann dürfte er nicht ganz arm sein.«

»Gehen wir erst einmal auf unsere Einkaufstour und schauen dem Volk aufs Maul«, erwiderte Paul-Friedrich. »Danach sehen wir uns nach zahlungskräftigen Kunden im Erpressergewerbe um und versuchen herauszufinden, was die keltischen Zeichen bedeuten. Ich hoffe inständig, dass sie uns etwas über unseren Blutsauger verraten.«

»Wir könnten immer noch den Kurator des Museums befragen oder Eddi Krois, den selbsternannten Heimatforscher. Er hat uns schließlich auf der Alm sogar von seinen keltischen Ausgrabungen erzählt.«

Der Exkommissar schüttelte den Kopf. »Lieber keine schlafenden Hunde wecken. Die beiden sind mir zu nah dran. Noch wissen wir nicht, wer hinter den Briefen steckt.

Hinterher reimen sie sich irgendwas zusammen, und schon wissen Berg und Tal Bescheid, dass wir unsere Nase in Dinge stecken, die nicht zu unserer Tarnung passen. Kein sehr guter Plan.«

»Aber Morris kann auf Bildern nur Äußerlichkeiten erkennen«, insistierte Pippa. »Ich fürchte, allein damit kann er keine Rückschlüsse auf die Zusammenhänge hier am Ort ziehen.«

»Deshalb finde ich, du solltest ihn bitten, herzukommen und uns zu unterstützen.«

»Deinen Nebenbuhler, lieber Gatte?« Pippa stupste ihn lachend an. »Du traust dich was!«

»Nein, ganz im Ernst. Wir sehen nur irgendwelche Zeichen, von denen wir nicht wissen, ob sie zufällig oder mit Bedacht ausgewählt wurden. Morris versteht vielleicht das Muster dahinter. Frag ihn, ob er nicht Lust hat, in Österreich den Ursprüngen der Kultur näherzukommen, mit der er sich schon so lange beschäftigt.«

»Ich weiß nicht recht. Wie soll denn das gehen, wenn mein vermeintlicher Ehemann und mein Geliebter gleichzeitig hier sind?«

Den ich dann auch ganz sicher allein treffen möchte, dachte sie sehnsüchtig.

»Hier geht es auch um Sarah, vergiss das nicht«, sagte Seeger eindringlich. »Sie hat eine der bösesten Drohungen erhalten. Unsere Fotografin ist Schottin, genau wie Morris. Wir geben ihn einfach als ihren Freund aus. Außerdem kann er sich von unserem Herrn Krois die alten Ausgrabungsstätten zeigen lassen und ein wenig fachsimpeln. Wie ich Krois einschätze, wird er reden wie ein Wasserfall.«

»Das ist das Bäumchen-wechsel-dich-Spiel mal unter anderem Aspekt. Hoffentlich verfangen wir uns in diesem Netz aus Lügen und Intrigen nicht selbst – und ersticken daran.«

In der Zwischenzeit hatten sie die beschauliche Haupteinkaufsstraße von Deutschlandsberg erreicht. In pastellfarben getünchten Häusern reihte sich Geschäft an Geschäft. Von Haushaltswaren über Schuhe, Bücher und Bekleidung bis zu den verschiedensten gastronomischen Betrieben war alles vorhanden, sogar einen Fahrradverleih entdeckte Pippa. Wie magisch fühlte sie sich von den einladenden Straßencafés angezogen. Nach dem langen Spaziergang hätte sie nicht nur eine Erfrischung vertragen können – auch ihr Bedürfnis, sofort Morris anzurufen und ihm den Vorschlag des Exkommissars zu unterbreiten, war beinahe übermächtig.

Offenbar hatte Seeger ihren sehnsüchtigen Blick bemerkt, denn er sagte: »Wenn meine liebende Gattin mich nicht beim Einkaufen berät, wird sie demnächst mit einem Zirkusclown an ihrer Seite herumlaufen müssen. Meine Einkaufskompetenz beschränkt sich auf Manchesterhosen und Schuhe mit Stahlkappen. Du kommst mit!«

Sie betraten das Bekleidungsgeschäft Prassl. Die Schaufenster der langen Ladenfront signalisierten, dass man hier alles erstehen konnte, was Damen und Herren von Geschmack für den Sommer benötigten. Im Inneren herrschten zu Pippas Erleichterung angenehme Temperaturen. In jeder der Abteilungen wartete eine Verkäuferin darauf, behilflich sein zu können, oder war damit beschäftigt, Ware zu sortieren. Bei der festlichen Damengarderobe suchten zwei junge Frauen sich etwas für die Hochzeit einer gemeinsamen Freundin aus und unterhielten sich gutgelaunt über das bevorstehende Fest. Eine ältere Frau saß vor der Umkleidekabine und gab mütterlich-strenge Ratschläge. Gerade schüttelte sie den Kopf, als ihr die jüngere ein kurzes, weiß glitzerndes Kleid vorführte, und bat die zweite junge Frau: »Hol deiner Schwester doch mal etwas in Blau oder Türkis, Sonja. Weiß und

Elfenbein passen nicht zu einer Hochzeit. Vergesst nicht: Das sind die Farben der Braut und nicht die der Gäste.«

Ihre Tochter salutierte scherzhaft und ging zum Kleiderständer, wo sie einige farbenfrohe Modelle auswählte und ihrer Schwester in die Kabine brachte.

In einer anderen Abteilung probierte die elegante Dame, die Pippa und Seeger beim Einchecken im Burghotel gesehen hatten, Sommerhüte auf und begutachtete sich kritisch im Spiegel.

»Ich möchte etwas Besonderes für dich«, sagte Pippa laut zu Seeger, »es darf ruhig ausgefallen sein. Aber bitte mit Niveau. Hawaiihemd und Socken in Sandalen kommen nicht in Frage.«

Prompt geschah, was Pippa hatte erreichen wollen: Alle drehten sich nach ihnen um. Von den beiden älteren Damen wurde der Exkommissar besonders eingehend gemustert.

Eine Verkäuferin kam sofort herbeigeeilt und fragte nach Seegers Hemden- und Hosengröße. Während sie sich auf die Suche machte, sah Pippa einen Drehständer mit Freizeithemden durch und unterhielt sich mit Paul-Friedrich über die Akademie Sinnenschmaus und das geheimnisvolle Verschwinden Bernhard Lipps. Geduldig brachte die Verkäuferin Hemden, Hosen und Freizeitjacken, von denen nur wenige Stücke Gnade vor Seegers Augen fanden. Schließlich hing in der Umkleidekabine etliches zur Anprobe, unter anderem ein Freizeitsakko aus rotem Leinen und eine hellbraune Lederjacke. Mit einem Gesichtsausdruck, als würde er zum Schafott geführt, betrat Seeger die Kabine und schloss den Vorhang, während Pippa zur gegenüberliegenden Wand ging und Sommerpullover für Damen begutachtete.

Wie zufällig näherte sich die junge Frau namens Sonja und fragte neugierig: »Sie kennen den Bernhard? Aus Graz?«

Pippa frohlockte innerlich, machte aber, um nicht lügen zu müssen, nur ein undefinierbares Geräusch, das so gut wie alles bedeuten konnte.

»Der Bernhard, das ist ein ganz Netter, das findet sogar meine Mutter«, fuhr die junge Frau fort und zeigte auf die Dame vor der Umkleidekabine, die das andere Mädchen wegen eines allzu gewagten Ausschnitts zurück in die Kabine beorderte. »Und das, obwohl er fast doppelt so alt ist wie ich. Ja, den Bernhard mögen alle; der hätte hier im Ort jede haben können.«

»Aber von euch hat ihn ja leider keine gekriegt«, kommentierte die Mutter, die zwar noch immer vor der Damenumkleide saß, aber aufmerksam die Ohren spitzte. »Ewig schade und geradezu ungerecht.«

»Ist vielleicht gut so«, sagte die Schwester, die gerade in einem Traum aus rosa Tüll aus der Kabine trat, »sonst hätten wir uns noch darüber gestritten, wer ihn haben darf, was, Sonja?«

Durch das große Schaufenster entdeckte sie offenbar eine Bekannte, die gerade die Auslage ansah. Sie lief zur Scheibe und winkte, dann drehte sie sich und ließ den Tüllrock fliegen. Ihre Bekannte draußen verzog das Gesicht und drehte feixend den Daumen nach unten, dann ging sie weiter.

Auf dem Weg zurück zur Kabine sagte sie: »Auch andere Mütter haben schöne Söhne. Selbst Bernhard ist ersetzbar.«

»Ach ja? Durch Tonio von Pauritz vielleicht?« Die junge Dame neben Pippa grinste, als das Gesicht der Schwester passend zum Tüllkleid tiefrot wurde.

Die beiden verschwanden wieder in der Kabine, und Pippa hörte die eine zur andern sagen: »Aber der Bernhard ist *so* nett und aufmerksam und zutraulich!«

Zutraulich?, dachte Pippa verdutzt. Beschreiben die hier einen vierzigjährigen Hundewelpen?

»Wenn du mir den gebracht hättest, wäre ich sofort einverstanden gewesen, Sonja«, mischte die Mutter sich ein. »Der wäre mir jedenfalls lieber als dieser Tonio von Sowieso, der es deiner Schwester so angetan hat. Tonio von Pauritz! Was ist das überhaupt für ein Name? Und seit wann arbeiten Männer als Sekretäre?«

Sieh an, dachte Pippa, der schnieke Akademiesekretär hat auch eine Verehrerin ...

»Tonio ist zwar emanzipiert«, ertönte es aus der linken Umkleide, »aber adlig. Ich dachte, Letzteres rückt Ersteres für dich gerade ...«

Die Frau vor der Umkleide runzelte zwar kurz die Stirn, kommentierte die Bemerkung aber nicht. Sie sagte stattdessen: »Der Bernhard, der ist immer so zuvorkommend und hilfsbereit. Auch uns älteren Semestern gegenüber. Ein Kavalier der alten Schule. Heutzutage eine Seltenheit.«

»Das stimmt«, kam es aus der rechten Kabine, »aber blöderweise bekommt immer diejenige das Dessert, die zur rechten Zeit einen Braten in der Röhre präsentiert.«

»Und das nenne ich unlauteren Wettbewerb!«, murmelte die Mutter pikiert.

»Wie ist das denn gemeint?«, fragte Pippa die Verkäuferin, die ihr weitere Jacken für Seeger zeigte.

»Ich denke, die Dame will damit andeuten, dass Frau Lipp bereits schwanger war, als sie nach Deutschlandsberg zurückkam«, erwiderte die Verkäuferin leise. »Die Lipps haben sich in Graz kennengelernt. Da ist der Hauptsitz der Firma, für die er arbeitet. Deshalb ist er häufig dort.« Sie räusperte sich bedeutungsvoll, wohl um zu signalisieren, dass Bernhard und Renate Lipp in Graz ein Verhältnis hatten.

»Ach, Frau Lipp ist also gar nicht aus Deutschlandsberg?«, fragte Pippa erstaunt.

Die Verkäuferin zuckte mit den Achseln. »Ja und nein.

Ihre Mutter ist zwar eine Schwester unserer Tierpräparatorin, aber schon vor vielen Jahren weggegangen. Nach Graz, der Liebe wegen.«

»Dann hat der Zuzug der Tochter das also wieder ausgeglichen«, sagte Pippa.

»Ausgeglichen?«, rief die Mutter zu Pippa herüber. »Die Männerwelt war nach Renates Rückkehr alles andere als *ausgeglichen.*«

Aus den Kabinen erklang heiteres Lachen, was der Verkäuferin sichtlich unangenehm war. Als der Exkommissar in diesem Moment aus der Umkleidekabine der Männerabteilung trat, reagierte sie deshalb umso enthusiastischer und klatschte Beifall. »Fesch, der Herr. *Sehr* fesch!«

Auch Pippa war angenehm überrascht: Seeger trug eine helle, leichte Freizeithose und darüber ein farblich passendes Baumwollhemd, das er lässig über den Hosenbund hängen ließ. Dazu hatte er die Lederjacke kombiniert. Die Dame bei den Hüten drehte sich um und starrte ihn unverhohlen an.

»Und?«, fragte Seeger.

Pippa nickte anerkennend. »Ich kann unserer netten Verkäuferin nur zustimmen, du siehst klasse aus. Aber ist Leder nicht ein wenig zu warm?«

»Ich kann mich ohnehin nicht entscheiden, welche Jacke ich nehmen soll«, sagte Paul-Friedrich und holte das Leinensakko aus der Kabine. Die Verkäuferin nahm ihm die Lederjacke ab, und er schlüpfte ins Sakko. Dann breitete er die Arme aus und drehte sich einmal um die eigene Achse.

»Wunderbar steht Ihnen das«, sagte die mütterliche Beraterin der Mädchen, die unbemerkt herangekommen war. »Dieses Rot ist so frisch und jugendlich. Das gefällt Ihrer Tochter bestimmt auch.« Sie drehte sich zu Pippa um und blickte sie abwartend an. »Oder?«

Seeger war sichtlich amüsiert, und Pippa sagte: »Wir nehmen die Hose und das Leinensakko. Dazu braucht *mein Mann* allerdings noch mehr Hemden mit kurzen Ärmeln, so wie dieses. Gern auch mit Streifen.«

Die Dame bei den Hüten betrachtete den Exkommissar nachdenklich. Sie lächelte Pippa an, setzte einen naturfarbenen Strohhut mit breiter Krempe auf, deutete darauf und hob fragend die Augenbrauen. Dann griff sie nach einem weißen Hut, ebenfalls aus Stroh, dessen Krempe mit Blumen geschmückt war, und zeigte ihn Pippa.

Viel zu niedlich für die herbe Schönheit der Frau, dachte Pippa und schüttelte zu dem zweiten Vorschlag den Kopf. Sie deutete auf den Naturfarbenen und hob den Daumen. Gleichzeitig vergewisserte sie sich, dass noch ähnliche Modelle im Angebot waren, denn sie wollte umgehend eins erstehen, so gut gefiel er ihr. Hüte konnte sie nie genug haben. Dieses leichte Modell aus Stroh war nicht nur für den Sommer perfekt, sondern passte auch hervorragend in ihre heimische Sammlung.

Währenddessen waren die Schwestern in eleganten Etuikleidern mit farblich passenden Samtboleros wieder vor die Kabinen getreten, aber die Mutter war abgelenkt. Sie blickte kritisch zwischen Pippa und Seeger hin und her. Dann sagte sie, ohne ihre Stimme zu senken: »Die klassische Versorgungsehe ist offenbar immer noch nicht ausgestorben.«

Wie der Blitz verschwand der Exkommissar in der Umkleidekabine.

Pippa grinste und erwiderte: »Sie haben so recht, gnädige Frau. Mein Mann hat mich nur des Geldes wegen geheiratet. Schließlich will er an seinem Lebensabend gut versorgt sein. Ich bin nämlich deutlich günstiger als betreutes Wohnen – und wesentlich unterhaltsamer.«

Die Frau drehte sich demonstrativ weg, aber die Töchter lachten herzlich.

Eine von ihnen, Pippas vorherige Gesprächspartnerin, seufzte. »Mal ehrlich – wollen wir nicht alle einen Mann mit gesicherten Verhältnissen, um uns entfalten zu können? Jedenfalls, wenn wir Kinder möchten? Auch ein Grund, warum Bernhard so beliebt war.«

Bevor Pippa genauer nachfragen konnte, entdeckte ihre Schwester Tonio von Pauritz auf der Straße.

»Da ist Tonio!«, quietschte sie und rannte aus dem Geschäft, ohne im Mindesten darauf zu achten, dass sie ein Kleid trug, das ihr nicht gehörte.

Durch die Scheibe beobachtete Pippa, wie das Mädchen dem Sekretär der Akademie um den Hals fiel und dann vor ihm auf und ab tanzte, damit er das Kleid ausgiebig bewundern konnte. Er nickte beifällig, und die junge Frau drückte ihm einen Kuss auf die Wange.

Die Mutter presste die Lippen zusammen. »Damit ist die Suche nach einem Kleid für deine Schwester wohl abgeschlossen«, sagte sie in leicht säuerlichem Tonfall.

Während die andere nach einem dunkelgrünen Abendkleid aus fließendem Taft griff und wieder in der Umkleide verschwand, stellten Pippa und Seeger sich an der Kasse an.

»Hat gar nicht wehgetan«, sagte Paul-Friedrich strahlend, während die Verkäuferin konzentriert die Preise für seine neue Kleidung und Pippas Hut in die Kasse eintippte, die Ware zusammenlegte und in mehreren Tüten verstaute.

»*Noch* nicht«, erwiderte Pippa. »Wir waren noch nicht in *meinem* natürlichen Habitat: zwischen Büchern. Da kenne ich weder Grenzen noch ein Ende.«

Seeger bezahlte, und sie verließen das Geschäft, nachdem sie sich bei der Verkäuferin für die gute Beratung bedankt und der Dame bei den Hüten noch einmal zugenickt hatten.

»So«, sagte Pippa, als sie auf der Straße standen, »jetzt werden die Rollen getauscht. Ich lasse mich beraten und werde dort vermutlich ähnlich viel Geld ausgeben wie du hier. Und diesmal musst du die Kunden und Verkäufer aushorchen, denn in einem Buchladen bin ich für die wirkliche Welt verloren.«

Die Buchhandlung Leykam war nur ein paar Schritte entfernt. Im Inneren war das Geschäft in freundlichem Hellgelb gestrichen und erstreckte sich in mehreren Abteilungen unter vielen bogenförmigen Durchgängen, wodurch sie wie ein Gewölbekeller wirkte.

Während Pippa eine der Buchhändlerinnen nach der im Literaturzirkel benutzten Ausgabe von Jane Austens *Stolz und Vorurteil* fragte, glaubte sie ihren Ohren nicht zu trauen, als Seeger sich nach der Erotik-Abteilung erkundigte. Mit einem jungen Mann verschwand er hinter einer Säule.

Die Buchhändlerin nahm sie mit zu einem separaten Büchertisch, auf dem die empfohlenen Bücher sämtlicher Kurse der Akademie Sinnenschmaus präsentiert wurden. Pippa stöberte eine Weile und entschied sich dann zusätzlich zu dem gewünschten Roman für ein Anleitungsbuch über Basteln mit Salzteig von Margit Unterweger und eins über den artgerechten Mehrkatzenhaushalt von Karl Heinz. Aus dem Augenwinkel sah sie, dass Paul-Friedrich mit seinem Verkäufer wiederaufgetaucht war.

»Mein Freund Bernhard hat mir neulich auch ein Buch empfohlen«, hörte sie ihn sagen. »Er hatte es hier bestellt. Leider kann ich mich nicht an den Titel erinnern. Es ist ein Krimi, der in Schottland spielt und sehr spannend ist. Den hätte ich gern.«

»Wenn Sie mir den Nachnamen Ihres Freundes geben, kann ich bei den Bestellungen nachsehen«, erwiderte der Angestellte.

»Lipp. Bernhard Lipp.«

Der junge Mann ging zu einem Computerterminal und gab den Namen ein. Dann schüttelte er bedauernd den Kopf. »Ich finde nur drei Bestellungen unter diesem Namen: einen Bildband und einen Reiseführer über Slowenien sowie Jane Austens *Stolz und Vorurteil*. Alle drei Bücher wurden telefonisch bestellt und schon vor einer Woche direkt in seine Firma geliefert. Wahrscheinlich hatten wir den Krimi vorrätig. Unsere Krimiabteilung ist hervorragend sortiert. Wenn er ihn zu einem anderen Zeitpunkt selbst mitgenommen hat, gibt es hier leider keinen Eintrag darüber.«

»Vielleicht hat seine Frau das Buch für Bernhard bestellt. Renate Lipp«, sagte Pippa und stellte sich zu den beiden.

Wieder gab der Buchhändler den Namen ein und schüttelte dann erneut den Kopf. »Nein, die Dame hat noch nie Belletristik bestellt. Sie wollte Sachbücher«, sagte er. »Bücher über Akquise und Managementtechniken. Und über Erbrecht.«

✗ *Kapitel 10* ✗

*F*ür den Rückweg nach Plutzerkogel gönnten sie sich ein Taxi. Pippa nahm auf dem Beifahrersitz Platz, Seeger mitsamt den Einkaufstüten im Fond.

Pippa hielt ihr Gesicht in den Fahrtwind, der durch das offene Fenster hereinwehte. »Das tut gut«, sagte sie. »Bei der Vorstellung, mich in dieser Hitze den Hügel hinaufzuschleppen, hätte ich glatt heulen können.«

»Mutig von dir, das zuzugeben«, erwiderte Paul-Friedrich. »Ich hätte argumentiert, dass wir zu spät zum Essen kommen, wenn wir laufen. Schließlich muss auch Otto vorher noch gefüttert werden. Wenn wir schon die Nachmittagskurse schwänzen, wollen wir doch wenigstens beim Abendessen pünktlich sein.«

»So sieht also deine Langversion von ›Bloß nicht noch mehr anstrengen‹ aus. Werde ich mir merken.« Sie kicherte, wurde aber gleich wieder ernst. »Führungstechniken und Erbrecht. Interessant, oder? Warum hat Ren… hat sie sich Bücher über derartige Themen bestellt? Und waren diese Bücher für sie oder für ihren Mann?«

Sie warf dem Taxifahrer einen Seitenblick zu. Er konzentrierte sich ganz auf die Straße. Aber nach den Informationen, die sie dank der Kundinnen im Bekleidungsgeschäft erhalten hatten, war überall in und um Plutzerkogel erhöhte Vorsicht geboten. Jeder schien jeden zu kennen. Es war besser, keine Namen zu nennen, solange Bernhard Lipps Verschwinden noch nicht allgemein bekannt war.

»Die Bücher über Führungstechniken könnten ein Wunsch ihres Mannes gewesen sein. So etwas kann man in der heutigen Zeit in jeder Branche gebrauchen. Und Erbrecht? Vielleicht möchten die beiden ihr Testament aufsetzen«, sagte Paul-Friedrich, »und dabei nichts falsch machen.«

Pippa drehte sich zu ihm um. »Oder sie erwartet eine Erbschaft und will gewappnet sein, falls sie Probleme bekommt. Dazu muss sie alle Kniffe kennen. Du weißt, worauf ich anspiele: Erbunwürdigkeit.« In Deutschland ist es Mördern unmöglich, ihre Opfer zu beerben, dachte Pippa und erkannte in Seegers Blick, dass er den gleichen Gedanken hatte. »Es sollte kein Problem sein, herauszufinden, ob diese Regel auch in Österreich gilt«, fuhr Pippa fort. »Wenn sie also irgendetwas mit dem Verschwinden ihres Mannes zu tun hat …«

»Noch sollten wir so etwas nicht denken«, fiel Paul-Friedrich ihr ins Wort. »Es kann viele Gründe geben, warum er ein paar Tage fort ist – und bei keinem muss sie die Hand im Spiel haben.«

»Bei einem Unfall hätte die Polizei sich jedenfalls längst bei ihr gemeldet. Und welcher Ehemann und Vater eines kleinen Kindes würde die treusorgende Ehefrau freiwillig so lange über seinen Verbleib im Unklaren lassen?«

»Vielleicht ist sie so entspannt, weil sie weiß, wo ihr Mann ist, und macht sich einen Spaß daraus, es nicht zu sagen? Eine Vermisstenanzeige hat sie jedenfalls noch immer nicht aufgegeben«, gab Paul-Friedrich zu bedenken.

Pippa blickte aus dem Seitenfenster und überdachte noch einmal alle Informationen, die sie während ihrer Einkäufe erhalten hatten. Dann drehte sie sich wieder nach hinten um. »Ich glaube weder, dass sie weiß, wo ihr Mann ist, noch dass er vorhatte wegzugehen. Er hat sich *Stolz und Vorurteil* bestellt. Demnach wollte er am Literaturzirkel teilnehmen, und der beginnt morgen Abend.«

Paul-Friedrich stimmte ihr zu. »Wenn er also morgen nicht erscheint, können wir davon ausgehen, dass ihn etwas Wichtiges von seiner ursprünglichen Planung abhält.«

Das Taxi bog in die steile Serpentinenstraße ein, die zur Burg hinaufführte. Langsam folgte es den engen Kurven und überholte dabei die Dame, die im Kaufhaus den Sonnenhut erstanden hatte.

»Das nenne ich Kondition«, sagte Paul-Friedrich mit deutlich hörbarer Bewunderung. »Oder waren wir wirklich solche Ewigkeiten im Buchladen?«

Pippa verdrehte die Augen und bat den Fahrer anzuhalten. Dann beugte sie sich aus dem Fenster und sagte: »So schnell sieht man sich wieder. Dürfen wir Sie einladen, ein Stück mitzufahren?«

»Da sage ich nicht nein«, erwiderte die Dame erfreut. »Ich bin auf dem Weg zur Akademie Sinnenschmaus – passt das? Und ich muss dringend etwas essen, vielleicht haben Sie eine Empfehlung für mich?«

Seeger öffnete die Autotür für sie und zog hastig die Einkaufstaschen auf seinen Schoß, um Platz zu machen.

»Das passt beides. Sogar hervorragend. Wir haben nicht nur dasselbe Ziel, in einer halben Stunde gibt es zudem Abendessen im dortigen Café Kürbishügel«, sagte er aufgeräumt, während sie in den Wagen stieg. »Und Kürbis wird heute auch das Thema meines Abendessens sein: Kürbiskernsuppe, Gnocchi mit Kürbiskernpesto und zum Abschluss Kürbiskerntorte. Das alles gedenke ich mit einer großen Flasche Wasser hinunterzuspülen und mich dann dem zweiten Gang zu widmen. Nach einer so ausgedehnten Shoppingtour bedarf ich besonderer Stärkung.«

Seeger als Alleinunterhalter, dachte Pippa amüsiert, das ist ja etwas ganz Neues.

Der Exkommissar beugte sich nach vorne und bat den Taxifahrer weiterzufahren, dann wandte er sich wieder seiner Sitznachbarin zu. »Wo sind meine Manieren? Ich habe uns noch gar nicht vorgestellt. Vor Ihnen sitzt Pippa Bolle, ebenfalls Gast und Teilnehmerin der Akademie Sinnenschmaus.« Er deutete eine Verbeugung an, wobei ihn die auf seinem Schoß aufgetürmten Tüten sichtlich behinderten. »Paul-Friedrich Seeger, sehr erfreut. Wir haben zugunsten des Erwerbs leichter Sommerkleidung die Nachmittagskurse geschwänzt.«

Sieh an, dachte Pippa, da vergisst er doch glatt zu erwähnen, dass ich seine Gattin bin …

»Ricarda Lehmann. Ebenfalls erfreut«, erwiderte die Dame fröhlich. »Und *sehr* dankbar, den Berg nicht mehr selbst erklimmen zu müssen.«

Ricarda Lehmann deutete auf die Tüten. »Ich sehe, Sie haben das rote Sakko gewählt. Mir persönlich hat die Lederjacke ausgesprochen gut an Ihnen gefallen. Sehr flott haben Sie damit ausgesehen.«

Pippa drehte sich um. »Von mir aus hätte er ruhig beide nehmen können«, sagte sie und sah erst dann, dass Seeger knallrot geworden war.

Pippa blendete sich aus, während sich die beiden hinten im Auto lebhaft unterhielten. In den höchsten Tönen schwärmte der Exkommissar von der Landschaft, dem Schilcher und Josefas Alm. Als das Taxi kurze Zeit später vor dem Eingang der Akademie hielt, war Seeger so in das Gespräch vertieft, dass er wie selbstverständlich zusammen mit Ricarda Lehmann ausstieg.

»Willst du doch nicht mehr zuerst nach Hause? Otto füttern?«, fragte Pippa und grinste.

Paul-Friedrich machte ein zerknirschtes Gesicht. »Ach, das hatte ich völlig vergessen. Ich muss völlig unterzuckert sein. Möchtest du, dass ich …«

Pippa winkte ab. »Alles bestens, ich erledige das allein. Geht ruhig schon vor, ich komme nach.« Gar nicht Paul-Friedrichs Art, eine Aufgabe zu vergessen, dachte Pippa. Entweder, sein Hunger ist wirklich kaum noch auszuhalten, oder er hat auf ganz etwas anderes Appetit.

Als Pippa die Tür zum Lenzbauer-Haus aufschloss, hielt sie irritiert inne. Hatte sie am Morgen tatsächlich vergessen, die Tür abzuschließen und sie nur hinter sich ins Schloss gezogen? Das durfte nicht wieder passieren.

»Das ist der Beweis: So früh am Morgen bin ich nicht voll leistungsfähig«, sagte sie, während sie die Tüten auf der Eckbank in der Küche ablud. »Morgenstund hat Gold im Mund? Mir sind Brötchen mit Honig und Tee mit Milch allemal lieber. Eines steht fest: Morgen schlafe ich aus und gehe gleich zum gemeinsamen Frühstück in die Akademie, dann kann mir so eine Schusseligkeit nicht wieder passieren.«

Sie füllte Ottos Napf und stellte ihn auf den Boden. »Otto? Wo ist denn mein kleiner Kater?« Sie lauschte, hörte aber nichts. »Kuhkätzchen, komm, hab doch keine Angst. Möchtest du nicht genauso gern gestreichelt werden, wie ich dein Schnurren hören möchte?«

Vorsichtig, um ihn nicht zusätzlich zu verschrecken, ging sie von Zimmer zu Zimmer und sah unter Schränke, Sofas und Betten, ohne eine Spur des Katers zu entdecken. Plötzlich polterte es im Bad.

»Da bist du also«, murmelte sie. Leise schlich sie sich an und schob die Tür auf – kein Kater, aber ein offenes Badezimmerfenster.

»Oh, nein! Paul-Friedrich, verdammt!«

Da Seeger auf dem Land lebte, waren für ihn alle Katzen selbstverständlich Freigänger. Deshalb musste er vergessen haben, das Fenster zu schließen.

In der Hoffnung, den flüchtigen Kater noch zu sehen, rannte sie hinüber und blickte suchend hinaus. Nichts. Otto war klein, aber flink.

Unschlüssig stand sie im Bad. Sollte sie das Fenster geöffnet lassen, falls er auf demselben Weg wieder ins Haus zurückkehren wollte? Dann entschied sie sich, es nicht zu tun, um keine unwiderstehliche Einladung für potentielle Einbrecher aussprechen.

In der Küche füllte sie die kleine Gießkanne und ging durchs Haus, um die wenigen Pflanzen zu gießen, die Lenzbauer besaß: drei kümmerliche Kräutertöpfe auf der Küchenfensterbank und auf die Zimmer verteilt ein paar robuste Yuccapalmen, denen man die Vernachlässigung ansah. Bezeichnend war, dass sie nicht auf der Liste der zu erledigenden Dinge gestanden hatten. Ohnehin war die Liste sehr kurz gewesen: Otto versorgen, das Katzenklo reinigen, den Briefkasten leeren. Der Rasen hinter dem Haus war bei ihrer Ankunft frisch gemäht gewesen und erst in ein paar Tagen wieder dran. Ansonsten war der Garten pflegeleicht, denn es gab nur Büsche und Hecken. Entweder, Lenzbauer hatte keinen grünen Daumen, oder Pflanzen waren ihm schlicht egal.

Pippa war entschlossen, den Topfpflanzen zumindest während ihres Aufenthalts viel Pflege und Zuwendung angedeihen zu lassen.

Ihr Magenknurren zeigte ihr überdeutlich, dass es Zeit fürs Abendessen wurde. Auf dem Weg nach draußen nahm sie Ottos Napf mit und stellte ihn neben die Haustür. Falls er hungrig von seinem Ausflug zurückkehrte, konnte er immerhin etwas fressen. Katzen waren freiheitsliebende Geschöpfe, aber sie wollte Lenzbauer und seiner Tochter nicht erklären müssen, dass Otto ausgebüxt war. Wenn sie Glück hatte, lockte ihn das Futter zurück nach Hause.

Das Café war noch leer, als sie ankam, auch draußen unter der Markise waren nur drei Tische besetzt. Die Kursteilnehmer saßen offenbar noch in den Seminarräumen, waren bei Einzelstunden, suchten im Wald nach Material für die Werkstatt oder entspannten sich bei den Yogakatzen.

An einem Tisch am Ende der Terrasse mit Blick zum Waldrand ließ sich der Akkordeonspieler Jovan Glantschnig einen deftigen Eintopf schmecken. Würziger Knoblauchduft wehte um Pippas Nase und brachte ihren Magen erneut zum Knurren.

Seeger und Ricarda Lehmann hatten sich an einen größeren Tisch gesetzt, an dem noch weitere Personen Platz hatten. Sie wirkten sehr vertraut, wie sie dort die Köpfe zusammensteckten, zusätzlich abgeschirmt durch Ricarda Lehmanns ausladende Hutkrempe, die Paul-Friedrichs Gesicht verdeckte. Die beiden hatten Pippas Eintreffen noch nicht registriert und schienen auch nicht gerade ungeduldig auf sie zu warten.

Der einzige weitere Gast war Falko Schumacher. An einem Tisch am äußersten Rand der Terrasse starrte er konzentriert auf den Bildschirm seines Laptops.

So viel zum hehren Plan, hier den Stress der Arbeitswelt hinter sich zu lassen, dachte Pippa. Das scheint für einige ja nicht so einfach zu sein.

In diesem Moment trat Beppo Sonnbichler aus dem Café und zu Falko Schumacher an den Tisch. »Sie haben es bestimmt noch nicht gesehen«, sagte er und deutete auf ein entsprechendes Schild an der Hauswand, »aber in meinem Lokal ist die Benutzung von Handys, Computern und dergleichen nicht erwünscht.« Er lächelte entwaffnend und übergab Schumacher die Speisekarte. »Für Ihr starkes Bedürfnis nach Verbindung mit der ganzen Welt biete ich als Gegenmittel internationale Küche. Lehnen Sie sich einfach zurück und genießen meine hervorragende Arbeit. Ihre darf Pause machen.«

Schumacher wirkte einen Moment unschlüssig, aber dann erwiderte er das Lächeln des Wirtes, klappte seinen Laptop zusammen, packte ihn in eine lederne Hülle und widmete sich der Speisekarte. Kurz war Pippa versucht, sich zu ihm zu setzen, ging dann aber zu Jovan Glantschnig.

»Ich möchte mich bei Ihnen für die gute Unterhaltung in der Buschenschank gestern bedanken«, sagte sie. »Das Lied *Fürstenfeld* geht mir nicht mehr aus dem Kopf.«

»Vielen Dank! Es war mir eine Freude. Mögen Sie mir Gesellschaft leisten?« Glantschnig bat sie mit einer Handbewegung, Platz zu nehmen.

Pippa setzte sich zu ihm und blätterte durch die Speisekarte, konnte sich aber nicht entscheiden.

Glantschnig deutete auf sein Essen. »Wenn ich eine Empfehlung aussprechen darf? Das ist Jota, ein traditioneller Eintopf aus meiner Heimat.« Er lachte dröhnend und fuhr fort: »Allerdings heißt es auch, dass es in Slowenien über tausend Nationalgerichte gibt. Beppo hat dort früher in einem der Thermenhotels gearbeitet und kocht unsere Küche wie ein Einheimischer.«

»Die Suppe duftet einladend. Woraus besteht sie?«

»Aus Kartoffeln, Sauerkraut, Kidneybohnen und Knoblauch. Und luftgetrocknetem Schinken. Bei Beppo können Sie sicher sein, dass er original slowenischen Karstschinken nimmt, sechzehn Monate im Borawind gereift.« Mit genießerisch geschlossenen Augen küsste er seine Fingerspitzen. »Eine Delikatesse.«

Glantschnigs Begeisterung für seine heimische Küche rührte Pippa. Obwohl der Eintopf ihr für die hochsommerlichen Temperaturen zu mächtig schien, brachte sie es nicht übers Herz, etwas anderes zu bestellen.

Beppo Sonnbichler kam an den Tisch. »Wer sich zum Jovan setzt, den brauche ich nicht zu fragen, was er bestellen will. Darf ich dann zum Jota auch noch slowenischen Wein bringen?« Er zwinkerte Pippa verschwörerisch zu. »An dem verdient Jovan nämlich ebenso wie an der Krainer Wurst, dem Sauerkraut, dem Karstschinken, den Käferbohnen und den Steckrüben, die ich in meiner Küche verwende. Jovan ist sozusagen mein privater Importeur.«

Lachend stimmte Pippa dem Menüvorschlag des Wirts zu, der sich mit einem »Kommt sofort!« verabschiedete und ins Café eilte.

»Kennen Sie beide sich aus Slowenien?«, fragte Pippa. »Wo kommen Sie her?«

Jovan lachte leise. »Oh, ich bin auch aus Landsberg. Allerdings aus Windisch-Landsberg, keine hundertfünfzig Kilometer von hier. Für Vögel noch kürzer.«

Als Sprachwissenschaftlerin kannte Pippa den Begriff. »*Windisch* ist die alte deutsche Bezeichnung für die slowenische Sprache, richtig? Eine sehr schöne, melodische Sprache, leider verstehe ich kein Wort.«

»Ein Wort haben Sie hier bestimmt schon gelernt«, sagte er. Auf Pippas fragenden Blick hin fuhr er fort: »Haben Sie schon Bekanntschaft mit den Klapotetzen geschlossen? Das Wort kommt aus dem Slowenischen: *Klopótec* ist eine Klapper.«

»Und wie heißt Ihr Heimatort in der Landessprache?«

Jovan Glantschnig grinste. »Podčetrtek.«

Vergeblich bemühte sich Pippa, das Wort korrekt nachzusprechen, und gab nach zwei Versuchen auf. »Dann doch lieber *Landsberg*. Dafür muss ich nicht ganz so lange üben.«

»Das ist der Grund, warum ich nach Deutschlandsberg gezogen bin. Man fühlt sich nicht so fremd, wenn schon der Name nach Heimat klingt.«

Pippa nickte. »Ich kann Sie besser verstehen, als Sie denken. Ich bin der Arbeit wegen nach Italien gegangen und der Liebe wegen geblieben – solange die Liebe blieb. Und Sie?«

»Ich bin der Arbeit wegen hergekommen und *trotz* der Liebe geblieben.«

»Ihre Familie wohnt in Slowenien und Sie hier.«

»Genau. Aber im Herbst gehe ich zurück. Für immer. Ich bin nur noch hier, um die Sommersaison mitzunehmen. Bei diesem Wetter spielt sich ja alles draußen ab, da kann ich mir als Straßenmusikant und in den Buschenschänken einiges zu meinem normalen Lohn dazuverdienen. Ganz zu schweigen von den Auftritten zu Geburtstagen, Hochzeiten oder auf der Alm. Ich bin schon so viele Jahre hier, mich kennt jeder. Ich habe gut zu tun, mein Terminkalender ist voll.« Er lachte in sich hinein. »Es gibt sogar Leute, die ihre Feier nach meinen Terminen legen.«

Hochzeiten?, dachte Pippa und fragte: »Haben Sie auch auf der Hochzeit von Renate und Bernhard Lipp gespielt?«

Glantschnig nickte. »Natürlich. Sogar umsonst. Von Bernhard Lipp nehme ich kein Geld. Meine Musik war mein Hochzeitsgeschenk.«

Pippa horchte auf. »Kennen Sie ihn so gut?«

Glantschnig zögerte einen Moment und sagte dann: »So gut, wie man seinen Chef eben kennt.«

»Chef?«, fragte Pippa verblüfft.

»Steirer Biodünger AG, Standort Deutschlandsberg. Zurzeit hundertfünfzig Mitarbeiter. Ab 1. Oktober: null. Die Grazer Großkopferten wollen unser Werk schließen. Die Herren des Aufsichtsrats sind der Meinung, dass sich die Herstellung in Deutschlandsberg nicht mehr rechnet. Wir sind einfach zu klein und zu teuer neben dem Hauptwerk.«

»Und Bernhard Lipp leitet die Produktion hier am Ort? Es muss ihn schwer getroffen haben, den Mitarbeitern zu kündigen.« Sollte sich der Leiter des Düngerwerkes etwas angetan haben, weil er sich für seine Mitarbeiter verantwortlich fühlte und deren Existenz zerstören musste? »Wann wurden Sie denn gekündigt?«, fragte sie nach.

Glantschnig schüttelte den Kopf. »Bisher noch überhaupt nicht. Aber die Gerüchteküche flüstert seit langem, dass unser Werk geschlossen werden soll. Deshalb habe ich Herrn Lipp Anfang letzter Woche mitgeteilt, dass ich bald für immer in meine Heimat zurückkehren möchte, und ihn darum gebeten, mir reinen Wein einzuschenken. Er hat mir bereitwillig von den Veränderungen berichtet, die demnächst verkündet werden sollen. Er riet mir, mich lieber mit den anderen kündigen zu lassen, damit ich eine Abfindung bekomme. Noch ein Grund mehr, den Sommer über hierzubleiben.«

»Sehr fair von Herrn Lipp.«

Glantschnig lächelte. »So ist der Bernhard. Fair zu jedermann. Immer.«

In diesem Moment strömten die anderen Seminarteilnehmer bestens gelaunt auf die Terrasse. Offenbar hatten die Kurse allen Spaß gemacht.

»Schulschluss«, sagte Glantschnig. »Seien Sie bloß froh, dass Sie schon bestellt haben, denn jetzt wird es hier voll.«

Karin kam an den Tisch von Glantschnig und Pippa und summte demonstrativ ein paar Takte von *Fürstenfeld*. Jovan lachte und lud sie ein, sich zu ihnen zu gesellen.

Pippa blickte hinüber zu Seeger und sah, wie Ricarda Lehmann sich zu den eintreffenden Seminarteilnehmern umwandte. Mit einer eleganten, beinahe fließenden Bewegung erhob sie sich und ging auf Tobias Jauck und Livia Riegler zu, die engumschlungen miteinander turtelten. Ricarda Lehmanns auffällige Erscheinung erregte allgemeine Aufmerksamkeit, und man hätte eine Stecknadel fallen hören können.

Mit gelassener Stimme sagte sie: »Hallo, Tobias. Schön, dich endlich zu finden. Ich habe halb Deutschlandsberg nach dir abgesucht. Die Akademie Sinnenschmaus liegt wirklich versteckt.« Dann sah sie Livia Riegler an und fügte sanft hinzu: »Willst du uns nicht vorstellen, mein Lieber?«

Tobias Jauck bekam kein Wort heraus. Wie ein verschrecktes Kaninchen blickte er von einer Frau zur anderen.

Livia Riegler streckte Ricarda Lehmann die Hand hin. »Ich bin Livia. Livia Riegler. Tobias' Freundin.«

Ihr Gegenüber nickte, musterte sie lächelnd von oben bis unten, nahm dann die angebotene Hand und schüttelte sie. »Freut mich, Sie kennenzulernen, schließlich haben wir beide denselben Geschmack. Ich bin Ricarda. Ricarda Lehmann-Jauck. Tobias' Frau.«

Kapitel 11

*A*m nächsten Morgen trieb Pippa die Sorge um den ausgebüxten Kater Otto in aller Frühe um das Haus. Paul-Friedrich schlief noch, als sie die Futterschälchen kontrollierte, die sie als Lockmittel aufgestellt hatte. Kein einziges davon war angerührt. Enttäuscht ging sie ins Haus zurück. Die Tür zu Seegers Schlafzimmer war nur angelehnt und öffnete sich ein Stück, als sie klopfte.

»Bitte, lass mich schlafen«, murmelte Paul-Friedrich. »Ich weiß, du genießt das jetzt, aber ich war die halbe Nacht in unserer Sache unterwegs und brauche Ruhe. Ich gehe auch nicht zum Frühsport, ich habe eine wichtige Verabredung.«

»Tatsächlich? Mit wem?«

»Mit ein paar Exkollegen in Graz.«

»Wissen die, dass du bereits im Ruhestand bist?«

Paul-Friedrich seufzte. »Das wollte ich nicht als Allererstes erwähnen.«

»Mach bitte keinen Unsinn. Wenn du ihnen reinen Wein einschenkst und ihnen sagst, was du hier machst – wer weiß? Vielleicht helfen sie dir freiwillig oder stellen sogar selbst Ermittlungen an.«

Statt einer Antwort kam von Seeger nur ein Knurren, während er sich zur Wand drehte.

Pippa ignorierte seine Bitte um Ruhe beharrlich. »Und was hast du sonst gestern Abend noch erfahren?«

»Nichts.«

»Nichts? Das ist nicht dein Ernst. Eine ganze Nacht in Buschenschänken, und du hast *nichts* herausgefunden?«

»So ist das eben bei echter Ermittlungsarbeit. Manchmal hat man Glück und manchmal eben nicht.«

Pippa gab sich noch immer nicht geschlagen. »Aber du kannst mir von deinem Gespräch mit Ricarda Lehmann-Jauck erzählen. Wie hat sie vom Aufenthaltsort ihres Mannes erfahren und konnte ihm hinterherreisen?«

Zuerst dachte Pippa, Seeger wolle nicht antworten, aber schließlich sagte er: »Anonymer Anruf. Am Sonntagvormittag.«

»Ich tippe auf von Meinrad. War der Anrufer männlich?«

»Keine Ahnung«, murmelte Paul-Friedrich, »ich habe nicht gefragt.«

Pippa war fassungslos. »Du hast nicht gefragt? Aber das könnte mit unserem Fall zusammenhängen! Was, wenn es der Erpresser war? Sie reist an, greift sich ihren Tobias und schwupp: ein Skandal mehr und wieder zwei zahlende Gäste weniger.«

Paul-Friedrich Seeger seufzte und setzte sich im Bett auf. »Sie hat nicht vor, ihn aus der Akademie wegzuholen. Sie will nur mit ihm reden und dann wieder fahren.«

»Das nenne ich mal großzügig.«

»Ricarda vermutet schon lange, dass ihr Mann eine Geliebte hat. Sie war darauf eingestellt, sagt sie. Jetzt will sie nur noch reinen Tisch machen.«

»Ricarda? Ihr seid schon beim Du? Wir zwei haben dafür wesentlich länger gebraucht.«

Da Seeger sich in Schweigen hüllte, fuhr sie fort: »Die Dame machte mir gestern Abend tatsächlich den Eindruck, als wäre sie Herrin der Lage. Wenn ich ehrlich bin, schien sie das Zusammentreffen sogar zu genießen. Ebenso wie Livia. Der Einzige, der nicht wusste, wie ihm geschieht, war das

Objekt der Begierde selbst. Tobias konnte einem fast leid-tun.« Schlagartig begriff sie und fügte hinzu: »Du warst die halbe Nacht mit ihr zusammen, nicht wahr? Deshalb hast du nichts recherchiert. Ihr scheint euch ja wirklich zu mögen.«

Paul-Friedrich musterte sie mit undefinierbarem Gesichts-ausdruck. Dann sagte er: »Und was hast du so gemacht?«

»Ich war beim Kamingespräch. Du darfst dreimal raten, was das vorherrschende Thema war: das Ehepaar Lehmann-Jauck. Danach habe ich mit Morris telefoniert. Spätestens morgen wird er hier sein. Frau Direktor wird ihn zusammen mit Sarah vom Flughafen abholen und auf der Alm einquartieren. Frau Direktor und Josefa werden ihn Herrn Krois als Experten vorstellen, der für die Akademie nicht nur Vorträge über die Kelten halten, sondern während seines Urlaubs auch begeistert Krois' Ausgrabungen beaufsichtigen wird.«

Paul-Friedrich sah höchst zufrieden aus. »Und was hast du für heute geplant?«

»Ich gehe in den Kurs über Düfte und Farben bei Giorgio Gallastroni.«

Der Exkommissar nickte geistesabwesend, griff nach seinem Smartphone und stand aus dem Bett auf. Es war nicht zu übersehen, dass er ihre Antwort weder gehört hatte noch sich dafür interessierte – aber vermutlich sehr erleichtert war, dass sie nicht weiter nach seinem Abend mit Ricarda Lehmann-Jauck fragte.

So leicht kommst du mir nicht davon, Freundchen, dachte Pippa.

»Ich habe außerdem eine Einzelstunde bei unserem smarten Parfümeur gebucht«, sagte sie. »Ich will mir ein gut riechendes, schnell wirkendes Gift mischen lassen, das besonders gut bei Exkommissaren wirkt.«

Paul-Friedrich blickte kaum von seinem Smartphone auf. »Gute Idee. Tu das. Vielleicht hilft es uns weiter.«

Pippa prustete vor Lachen. »Das möchte ich bezweifeln. Aber um irgendein Riechsalz werde ich ihn bitten, das ich dir unter die Nase halten kann, damit du wieder zu dir kommst. Du hast kein Wort von dem gehört, was ich gesagt habe!«

Als Seeger sie irritiert ansah, wiederholt sie ihre Worte. Zu ihrem Amüsement lief der Exkommissar daraufhin rot an und flüchtete samt Smartphone Hals über Kopf ins Bad.

Auf dem Weg zum Frühsport traf Pippa mit Karin zusammen, die fragte: »War das gerade Paul-Friedrich, der wie ein geölter Blitz an mir vorbeigeschossen ist? Wo will denn der heute Morgen schon hin? Ohne Frühsport und, was noch schlimmer ist: ohne Frühstück?«

»Zum Bahnhof von Deutschlandsberg«, erwiderte Pippa, »und dann mit dem Zug nach Graz. Er will dort ehemalige Kollegen treffen, mit denen er während seiner aktiven Zeit einmal einen deutsch-österreichischen Fall gelöst hat.«

Karin nickte. »Quellen anzapfen, sehr gut. Mit dem Zug nach Graz, auch gut.« Sie blieb stehen und zeigte nach Westen. »Zum Bahnhof müsste er aber dort entlang. Seeger läuft, als könne er nicht schnell genug zum Ziel kommen – leider in die völlig falsche Richtung.«

Während des Frühsports und beim anschließenden Frühstück dachte Pippa über Seegers Heimlichkeiten nach, aber das Seminar von Giorgio Gallastroni lenkte sie ab, denn der Italiener erzählte anschaulich und fesselnd über seine Kunst, Düfte zu komponieren. Zu ihrer Überraschung hatten sich alle derzeitigen Gäste der Akademie Sinnenschmaus eingefunden. Tobias Jauck stierte allerdings lediglich vor sich hin, während bei Livia nicht ein Hauch von Verlegenheit zu spüren war.

Giorgio Gallastroni bewies sein Talent, Personen einzuschätzen und ihnen Düfte zuzuordnen, indem er eine Kurzanalyse von Ilsebill Lamberti präsentierte.

»Sie stehen mitten im Leben, gnädige Frau, und dafür liegt Ihnen dieses Leben zu Füßen«, sagte er. »Mit leichter, aber dennoch energischer Hand halten Sie Ihrem Mann den Rücken frei und bewahren ihn durch Ihre geradlinige Art davor, zum Workaholic zu werden, der außer seiner Arbeit nichts zu genießen vermag. Sie haben clevere Strategien entwickelt, damit Ihr Gatte Ihre Ideen als seine eigenen übernimmt. Kurz: Sie sind eine Person, die ihr Licht zwar nicht unter den eigenen Scheffel stellt, aber für den geliebten Menschen zu Ihrer beider Gunsten und Nutzen durchaus einmal unter den des anderen.«

»Hoppla, das gibt mir jetzt aber zu denken!«, kommentierte Jodokus Lamberti aufgeräumt. »Wie lange kennen Sie meine Frau?«

In das Gelächter der Gruppe hinein rief Ilsebill: »Wir passen beide unter *einen* Scheffel? Dann sollten wir auch ein gemeinsames Parfüm für uns entwickeln.«

Ihr Gatte nickte. »Wenn es das Aroma von Riesling oder Schilcher enthält, bin ich dabei.«

Mit einer Handbewegung bat Gallastroni die Gruppe zu einem halbrunden, stufenförmig ansteigenden Holzregal, das auf einem Tisch stand. Darauf reihten sich Hunderte Pipettenfläschchen aneinander. »Das ist eine sogenannte Parfümorgel. Hier sehen Sie alle Essenzen, die ich für meine Kompositionen benötige.«

An der untersten Etage hing ein kleines Schild mit der Aufschrift *Schnuppern erlaubt,* und die Etiketten der Fläschchen trugen klangvolle Namen wie *Soulmate, Paysage d'âme, Zärtlichkeiten, ungenau* oder *Rainspell* und *Chant d'oiseau.*

Gallastroni deutete darauf. »Das sind meine Kreationen.

Aber wir wollen ja für die Lambertis einen individuellen Duft entwerfen.« Er musterte die Fläschchen in den oberen Etagen des filigranen Regals, dann nahm er einige heraus und winkte das Ehepaar zu sich.

Ilsebill schloss die Augen, als sie an der ersten Pipette schnupperte. »Moos ... aber wie aus einem dunklen Eichenwald ... sehr erdig.«

Gallastroni hielt die Pipette unter Jodokus' Nase, und der sagte: »Wenn du das sagst, Ilsebill, riech ich das auch.«

Bei der zweiten Duftprobe kommentierte Ilsebill: »Dies erinnert mich an die Akazie in unserem Garten!«

»Ausgerechnet.« Jodokus verdrehte die Augen. »Was wir jedes Jahr für Handstände machen, um diese Mimose durch den Winter zu bringen, kann sich keiner vorstellen. Aber wir lieben sie nun einmal. Fehlt nicht mehr viel, und wir bauen ein Gewächshaus um sie herum.«

»Für ein einziges Gehölz? Darauf muss man erst einmal kommen«, sagte von Meinrad spöttisch. »So viel finanzieller Aufwand für so wenig Gegenwert.«

Karin Wittig musterte den Journalisten mit gerunzelter Stirn. »Wert, Herr von Meinrad, liegt stets im Auge des Betrachters. Achten Sie darauf, wenn Sie das nächste Mal von jemandem eingehend gemustert werden.«

Pippa unterdrückte ein Grinsen und wandte ihre Aufmerksamkeit wieder Gallastroni zu, der den Lambertis gerade die dritte Duftessenz präsentierte, die er diesmal zuerst Jodokus reichte. »Dieser Duft dürfte ebenfalls zu Ihnen beiden passen.«

Jodokus schnupperte, dann strahlte er über das ganze Gesicht. »Wie nasses Weinlaub. Nach einem Sommerregen.«

Er hielt die Pipette an Ilsebills Nase, die lächelnd nickte. »Es duftet tatsächlich wie guter Wein, immer noch ungeduldig, immer noch bereit, sich zu verändern und weiterzuentwickeln.« Sie zwinkerte ihrem Mann zu. »Wenn dieser Duft dazukommt, habe ich dich jederzeit bei mir. Perfekt.«

»Diese drei Grundsubstanzen werden im Parfüm für unser Ehepaar Lamberti enthalten sein«, referierte Gallastroni. »Aber mehr verrate ich nicht. So wie jeder Mensch sein Geheimnis hat, so sollte auch jedes Duftwasser ein Mysterium enthalten.«

Ich muss unbedingt Morris herbringen, dachte Pippa fasziniert, ich bin gespannt, welche Düfte Gallastroni für ihn aussucht.

Der Italiener wandte sich wieder an die Gruppe. »Ich werde mich jedem Einzelnen von Ihnen mit derselben Sorgfalt widmen, um Sie mit dem passenden Duft zu umhüllen. Ein Parfüm für Sie zu finden, das Sie täglich benutzen möchten, mit dem Sie sich jederzeit wohl fühlen … das ist meine Mission. Aber das ist komplizierter als Kochen, beispielsweise. Wenn wir uns genau an das Rezept halten, bekommen wir immer eine essbare Suppe. Bei Parfüm erreicht man die besten Ergebnisse erst durch langes Experimentieren.« Er machte eine auffordernde Handbewegung. »Das dürfen Sie jetzt selbst ausprobieren. Nehmen Sie sich Zeit, denken Sie sich in einen Duft hinein … komponieren Sie Ihre eigene Duftmusik. Nur zu. Trauen Sie sich.«

Während die anderen sich um die Duftorgel drängten, sah Pippa sich in Gallastronis Reich um, das außer der Parfümerie einen perfekt ausgestatteten Friseursalon beherbergte. Der Blick aus den Fenstern reichte über die Wiesen bis zum Waldrand. Zarte Farben und geschmackvolles Mobiliar beherrschten den lichtdurchfluteten Raum, große Spiegel zierten die Wände – bestens geeignet, um die Ergebnisse von Gallastronis Farbberatung zu begutachten. Sogar einen Tisch für Maniküre und einen kleinen Nebenraum für Kosmetikbehandlungen entdeckte sie. War klassische Schönheitspflege ebenfalls im Angebot? Sie konnte sich nicht erinnern, im Programm der Akademie davon gelesen zu haben.

Ihr Blick fiel auf eine kleine Galerie Vorher-Nachher-Fotos von Kunden, die sich Gallastroni und seinem Können als Haarkünstler anvertraut hatten. Zu gern würde sie sich einmal in seine Hände begeben und ihre rote Löwenmähne von ihm bändigen lassen. Vielleicht war es sogar Zeit für eine radikale Veränderung, und sie sollte sich von ihren langen Locken trennen?

Giorgio Gallastroni trat zu ihr und fragte: »Keine Lust auf Duftgenuss?«

»Oh, ganz im Gegenteil: Ich kann es kaum erwarten«, erwiderte Pippa. »Aber ich beobachte gern erst einmal alles.«

Der Parfümeur nickte. »Ich weiß. Mir ist ja klar, warum Sie in Wirklichkeit hier sind«, sagte er mit gesenkter Stimme. »Wenn ich Ihnen irgendwie helfen kann ... Wissen Sie, ich habe hier jahrelang mit Ninas Mutter Seite an Seite gearbeitet. Sie hat Typberatung gemacht und war unsere Kosmetikerin. Wir haben uns wunderbar ergänzt.«

Sieh an – Lenzbauers Frau, dachte Pippa. Sie hatte das starke Gefühl, dass Gallastroni noch etwas sagen wollte, aber nicht recht wusste, wie.

»Wenn Sie mir helfen wollen, erzählen Sie mir auch die Geschichte hinter der Geschichte«, erwiderte Pippa leise. »Alles hilft, damit ich mir ein besseres Bild machen kann.«

»Es ist genau, wie ich sagte: Jasmin Lenzbauer und ich haben uns wunderbar verstanden. Gute Kollegen, beste Freunde. Das hat ihr Mann leider gar nicht gern gesehen. Martin ist kein ... hm ... kein ganz einfacher Mensch.«

Er schwieg, als hätte er bereits zu viel verraten, und Pippa fragte: »Wenn Sie für Lenzbauer einen Duft kreieren würden, welche seiner Charaktereigenschaften würden Sie zugrunde legen?«

Gallastroni zögerte zunächst, dann erwiderte er: »Organisationstalent, Genauigkeit, eine besondere Leidenschaft für die Menschen und Dinge, die er liebt ...«

Pippa konnte sich des Eindrucks nicht erwehren, dass der Parfümeur positiv formulierte, was er in Wahrheit als negativ empfand: Pedanterie, Eifersucht, Steifheit und Kleinkrämerei. Dass Lenzbauer alles ignoriert, was ihm nicht unmittelbar wichtig ist, dachte sie, kann jeder am Zustand seiner Blumen ablesen.

»Besonders nach der Geburt der kleinen Nina sprach Jasmin häufig davon, dass im Hause Lenzbauer nach strikten Regeln und strengem Zeitplan gelebt wird«, fuhr Gallastroni fort. »Deshalb wollte sie auch die Arbeit in unserem Salon auf keinen Fall aufgeben. Ich hatte nichts dagegen, dass sie die Kleine mitbrachte und hier spielen ließ. Beide brauchten den Tapetenwechsel. Das hat Martin natürlich nicht gepasst. In meinem Beisein hat er mal zu ihr gesagt: ›Du bist gar keine richtige Mutter. Wie kannst du nur diese belanglose Arbeit der Zweisamkeit mit deinem Kind vorziehen?‹« Bei der Erinnerung daran stieß Gallastroni ein empörtes Schnauben aus.

»Sie meinen, Jasmins Leben war etwas ... freudlos?«

Gallastroni wiegte den Kopf, als müsste er die Antwort sorgfältig abwägen. »Sie ist ein fröhlicher Mensch. Wir hatten immer viel Spaß. Besonders wenn sie sich modisch von mir beraten ließ. Allerdings trug sie zu allem stets die gleiche Goldkette mit Anhänger: Eine doppelte, miteinander verwobene Spirale. Irgend so ein keltischer Talisman. Unter uns gesagt, die passte nur in den seltensten Fällen zu ihrer Kleidung. Trotzdem hat sie sich nie davon getrennt.« Er seufzte. »Diese Kette fällt mir immer als Erstes ein, wenn ich an Jasmin denke. Aber wir sprachen über ihren Mann. Ich bin überzeugt, Martin hat es bei aller Kritik immer gut gemeint, aber Abwechslung und Abenteuer sind seine Sache nicht.«

»Aber genau das war es, was Jasmin vermisste.«

Gallastroni nickte. »Deshalb reist sie jetzt auf einem Kreuzfahrtschiff durch die Weltgeschichte, legt die Haare gutbetuchter Damen in Form und spritzt ihnen Botox.«

»Damit hat sie sich bestimmt viele Sympathien bei den Leuten im Ort verscherzt. Einfach wegzugehen ... Kind und Mann zurückzulassen ...«

Gallastroni hob die Hand und entschuldigte sich, um für Amelia Dauber eine Vitrine aufzuschließen, in der Töpfe und Tiegel mit verschiedenen Cremes standen. Dann kam er zu Pippa zurück und sagte sehr ernst: »Sie wollte keine Frau werden, die ihrem Mann nur die Ohren vollheult, weil sie ihr Leben vergeudet, und schließlich depressiv wird. Keine Ahnung, ob sie ihre Entscheidung mittlerweile bereut. Aber eins weiß ich sicher: Sie liebt ihre kleine Tochter abgöttisch. Hätte sie sonst darauf verzichtet, mit Martin um das Sorgerecht zu kämpfen? Sie hat Martin sogar ihr Elternhaus überlassen, damit die Kleine keine zu große Veränderung spürt.« Er atmete tief durch. »Aber ich weiß natürlich, was hier geredet wird: Wer bitte braucht ein Haus – mit einem Kreuzfahrtkapitän als neuer Liebe? Alle halten sie für eine absolute Egoistin, die ihrem armen Mann das Herz gebrochen hat. Ich nicht, ich ...«

Ein Aufschrei von Karin unterbrach ihn. Mit angeekeltem Gesichtsausdruck hielt sie einen Flakon so weit von sich weg wie möglich.

»Das Ergebnis meines Experiments riecht wie ... Jauchegrube!«, keuchte Karin Wittig. »Ich suche mir lieber aus den Schöpfungen des Meisters ein Parfüm, das zu mir passt. Welcher Duft ist Ihr Favorit, Signore Gallastroni? Den möchte ich kennenlernen.«

Gallastroni lächelte und breitete die Arme aus. »Ich liebe alle meine Kreationen, aber ich freue mich immer besonders, wenn mir eine Komposition gelingt, von der ich ahne, dass sie auch vielen anderen Menschen Freude bereitet.«

Er ging zu einer offenen Glasvitrine und griff zu einem besonders schönen Flakon aus Rauchglas. »Speziell für diesen Kurs habe ich einen Duft namens *Mr Darcy* entwickelt. Unser Flirtmeister und Literaturfreund Stefan Kleindienst hat mich darum gebeten.«

Livia Riegler zog einen Schmollmund. »Was habt ihr nur immer mit eurem Mr Darcy?«

»Das können nur Frauen fragen, die ihn schon gefunden haben«, murmelte Amelia Dauber.

»Berühmte männliche Hauptfigur aus einem Roman von Jane Austen«, sagte Oliver Mieglitz. »Fünf Buchstaben.«

Aber Livia Riegler gab nicht auf, bei ihren folgenden Worten schien es Pippa, als stellte die junge Frau Vergleiche zwischen Tobias und den Romanfiguren an: »Ich finde Mr Bingley viel interessanter. Er hat zwar nicht ganz so viel Geld wie sein Freund Darcy, aber er ist charmant und viel leichter beeinflussbar. Formbarer eben.«

»Sie kommen ja heute Abend auch in den Lesezirkel«, fügte Waldemar Schultze hinzu, »dort können wir über unsere Lieblingsfiguren des Buches ausgiebig diskutieren. Aber ich bin sicher: Von Darcy träumen weltweit mehr Frauen als vom aktuellen *Sexiest Man Alive* Hollywoods. Ich würde einen Freudentanz aufführen, ein Manuskript mit einem solchen Protagonisten aufzustöbern und veröffentlichen zu dürfen.«

Von Meinrad verzog das Gesicht. »Bei der *Qualität* Ihrer Heftromane ist das wohl ebenso illusorisch wie für eine der Damen hier, ihren Mr Darcy zu finden.«

Einmal mehr konstatierte Pippa angewidert von Meinrads zweifelhafte Gabe, in einem Satz gleich mehrere Anwesende ausgiebig zu beleidigen.

»Man kann von Mr Darcy so einiges über formvollendetes Verhalten lernen. Ich habe jede Verfilmung mindestens dreimal gesehen. Diese Haltung, diese Nonchalance!«, warf Karsten Knöller ein und stellte sich damit zum ersten Mal gegen seinen ständigen Begleiter.

Karin hob den auffallenden Flakon, den Gallastroni ihr gegeben hatte. »Und ich bin mir sicher, hier drin hat unser Meister all das eingefangen.«

Sie drehte den goldenen Verschluss auf, hielt sich das Fläschchen unter die Nase und atmete tief ein. Während alle gespannt auf ihr Urteil warteten, hustete Karin einmal, verdrehte dann die Augen – und fiel sang- und klanglos in Ohnmacht.

❦ *Kapitel 12* ❦

Während sich alle besorgt um Karin scharten, sah Pippa sich um. Wo war der Flakon geblieben? Jemand musste schneller reagiert haben als sie, denn sie konnte ihn nirgends entdecken. Sie hörte, dass Gallastroni nach einem Krankenwagen telefonierte, dann hob ausgerechnet von Meinrad die bewusstlose Karin auf. Gefolgt von den anderen, trug er sie hinaus auf die Wiese, um sie dort in die stabile Seitenlage zu bringen.

Als er sich hinabbeugte, um an ihr zu schnüffeln, ging Pippa mit zwei schnellen Schritten zu ihm und zog ihn weg. »Danke, jetzt übernehmen wir.«

Sie warf Ilsebill einen bittenden Blick zu, die umgehend ihren Gatten losschickte, ihr Auto zu holen. »Wir folgen dem Krankenwagen. Jemand sollte da sein, wenn Karin aufwacht«, sagte sie zu Pippa.

Pippa nickte und wandte sich wieder der Freundin zu, die sich bisher weder gerührt hatte noch auf Ansprache reagierte.

Als die Sanitäter eintrafen und Karin nach der Erstversorgung auf die Trage legten, wollte Pippa mit in den Krankenwagen steigen. In dieser Situation war es ihr völlig gleichgültig, ob ihre Tarnung aufflog – es ging um ihre beste Freundin. Aber einer der Männer schüttelte den Kopf und zog ihr die Hecktür des Wagens vor der Nase zu.

Hilflos ballte Pippa die Fäuste, aber Ilsebill legte ihr die Hand auf den Arm. »Komm, wir fahren hinterher. Es ist besser, wenn wir unabhängig sind. Falls Karin im Krankenhaus bleiben muss, können wir ihr so später alles Notwendige aus der Pension holen.«

Jodokus schaffte es tatsächlich, mit dem waghalsigen Tempo des Krankenwagens mitzuhalten, der mit heulender Sirene über die Landstraßen raste.

Gallastroni hat recht, dachte Pippa, als sie sich allmählich beruhigte, ein Parfüm für Ilsebill muss nicht nur elegant sein, sondern auch einen Hauch von Besonnenheit, Sicherheit und Zutrauen vermitteln.

»Weißt du, unser Parfümeur hatte in der Tat einen guten Riecher. Alles, was er gesagt hat, stimmt«, sagte Ilsebill und wandte sich zu Pippa um. »Dies ist der erste Urlaub, den mein Mann und ich seit Jahren machen. Jodokus hat erst vor einer Woche aufgehört zu arbeiten, und vor nichts hatte er mehr Angst als vor den ersten Tagen seines Ruhestands.« Sie zwinkerte Pippa zu. »Um sicherzugehen, dass er nicht in ein tiefes Loch fällt, habe ich ihn in die Akademie Sinnenschmaus verfrachtet. Erfahren, wie viel Gutes man sich tun kann, ein Hobby finden, etwas Sinnvolles lernen, ohne dass es gleich wieder nach Arbeit schmeckt – genau das Richtige in seiner Situation.« Sie musterte Pippa einen Moment lang aufmerksam, als wollte sie sehen, wie ihre Worte auf Pippa wirkten, dann fuhr sie fort: »Hältst du mich für vertrauenswürdig, für verschwiegen? Wenn ja, dann sag mir bitte, was an der Akademie wirklich los ist. Falls es nur um Geld geht: Das lässt sich immer beschaffen. Dafür ist mein Mann prädestiniert, um nicht zu sagen, weltbekannt. Er ist ein Bankier vom alten Schlag, mit Ehrenkodex. Wenn es aber um mehr geht, um die ganz großen menschlichen Tragödien: Deren Lösung ist meine Spezialität.«

Pippa und das Ehepaar Lamberti nahmen im Wartebereich Platz, während Karin in ein Behandlungszimmer gebracht wurde. Um sie herum in der Notaufnahme wurde zwar geschäftig, aber doch routiniert und besonnen gearbeitet. Keinen Moment lang entstand der Eindruck von Chaos oder Hektik.

Pippa hätte später nicht mehr sagen können, ob nicht auch die ruhige, vertrauenerweckende Atmosphäre dieses Ortes dazu beigetragen hatte, dass sie dem Ehepaar Lamberti reinen Wein einschenkte, nachdem Ilsebill ihr im Auto so großzügig ihre Hilfe angeboten hatte. Pippa war sich plötzlich sicher, dem Wiesbadener Ehepaar vertrauen zu können. Selbst wenn sich das später als falsch herausstellen sollte, hier und jetzt schien es ihr die richtige Entscheidung zu sein.

Während sie kurz umriss, was sie, Karin und Seeger wirklich nach Plutzerkogel geführt hatte, hörten die beiden aufmerksam zu, ohne sie zu unterbrechen. Gerade als sie fertig war, kam eine Krankenschwester, um sie zu Karin zu bringen.

»Geh allein zu deiner Freundin«, sagte Ilsebill und stellte so einmal mehr ihr Feingefühl unter Beweis, »wir beide würden nur stören. Richte ihr unsere Grüße aus. Wir warten hier auf dich.«

Karin saß im Krankenbett, im Rücken von zwei dicken Kissen gestützt. Zu Pippas Erleichterung wirkte sie hellwach und erstaunlich munter.

»Da bist du endlich«, sagte Karin, »das hat ja gedauert. Ehe du fragst: Es geht mir gut. Für Jammerei haben wir jetzt keine Zeit. Mir ist noch ein wenig übel und auch schwindelig, aber das könnte auch an den sich überschlagenden Ereignissen liegen.«

Pippa wollte etwas sagen, aber Karin stoppte sie mit einer Handbewegung und fuhr fort: »Ich bin sicher, der vergiftete Flakon sollte niemanden von uns umhauen, sondern war für Gallastroni gedacht. Damit hat ja nun wohl so gut wie jeder der Dozenten einen Warnschuss des Erpressers erhalten, oder? Sie sollen allesamt Angst kriegen und die Flucht ergreifen.«

Pippa nutzte eine Atempause Karins aus, um einzuhaken. »Vielleicht sollten wir feststellen, wer noch *keinen* Brief bekommen hat«, meinte sie. »Sind die für den Erpresser einfach uninteressant oder sogar in die ganze Sache involviert?«

»Oh, wenn ich den Kerl erwische.« Karin schob angriffslustig das Kinn vor. »Der wird sich wünschen, nie geboren zu sein. Außer ein bisschen Kopfschmerzen und Übelkeit geht es mir ja gut, aber ich habe zwei Prellungen an Stellen ... ich kann dir sagen. Allein dafür rufe ich offiziell immerwährende Rache aus. Und sobald ich weiß, wer es war, werfe ich den Fehdehandschuh noch hinterher.« Sie bemerkte Pippas Blick und kicherte. »Du wunderst dich, dass ich noch mehr plappere als sonst, oder? Das liegt wahrscheinlich an dem Zeugs, das ich eingeatmet habe. Dem Arzt habe ich einfach gesagt, ich bin das Opfer eines Dummejungenstreichs geworden, damit er die Polizei nicht verständigt. Er vermutet nämlich so was wie Chloroform oder Lachgas oder was weiß ich. So genau kann ich mich nicht erinnern, was er gesagt hat. Ist auch egal. Wichtig ist nur: Ich bin fit.« Sie holte tief Luft. »Weißt du, wenn ich erst mal hier raus bin, dann werden wir ...«

»Stopp«, sagte Pippa rigoros. »Wenn du hier raus bist, hat die österreichische Polizei hoffentlich alles schon in die Hand genommen und ermittelt. Jetzt ist Schluss mit lustig. Ich gehe von hier aus direkt zur ...«

»Ich höre wohl nicht richtig«, fiel Karin ihr ins Wort. »Du

willst irgendwelchen Outsidern *unsere* Ermittlungen überlassen? Kommt überhaupt nicht in Frage. Das schaffen wir
allein. Der fiese Erpresser hockt in seiner Deckung und wartet, bis er sich die Akademie unter den Nagel reißen kann.
Und wenn er das schafft, dann leide nicht nur ich, dann leiden viele. Keine Arbeit, keine Entspannung, keiner da, der
die Katzen streichelt. Dramatisch! Beste Lieblingspippa,
bitte mach mir nicht meine einzige Chance auf ein echtes
Abenteuer zunichte – sonst wechsle ich knallhart ins gegne-
rische Lager.«

Pippa schüttelte den Kopf über sich selbst, denn mit
ihrem Enthusiasmus schaffte Karin es tatsächlich, sie umzu-
stimmen. »Wenn der Duft aus dem Rauchglasflakon so viel
Mut macht, will ich den auch. Aber bitte ohne die Black-out-
Zugabe.« Sie zögerte. »Aber was soll ich den anderen in der
Akademie sagen? Wie verkaufe ich denen deine Ohnmacht?«

Karin zuckte mit den Schultern. »Sag ihnen, ich habe öfter Aussetzer. Oder ich habe auf irgendwas in dem Parfüm
allergisch reagiert. Oder ich war unterzuckert: zu viel Sport
und zu wenig gegessen. Oder …«

»Du bist schwanger«, schlug Pippa grinsend vor.

Karin riss entsetzt die Augen auf. »Alles, nur das nicht!
Dann dürfte ich den Rest unseres Aufenthalts hier keinen
Schilcher mehr trinken. Und das geht gar nicht!«

Zu Pippas Überraschung setzte Ilsebill sich für die Rück-
fahrt zur Akademie hinters Steuer, während Jodokus bei ihr
im Fond Platz nahm. Ohne weiteren Kommentar griff er in
seine Jackentasche, holte den vermissten Rauchglasflakon
heraus und drückte ihn Pippa in die Hand.

Auf Pippas fragenden Blick hin sagte er: »Ich dachte, bei
dir ist er besser aufgehoben als bei jemand anderem. Auf jeden Fall besser als in von Meinrads schmierigen Fingern.«

Ohne den Blick von der Straße zu wenden, kommentierte Ilsebill: »Wenn dieser Mann sich einmischt, ist Stillschweigen nicht möglich, und es gibt keine diskreten Ermittlungen.«

»Jedenfalls nicht von *uns*.« Jodokus rieb sich voller Vorfreude die Hände. »Denn du kannst machen, was du willst: Ab sofort sind wir mit von der Partie.«

Die Lambertis setzten Pippa an Maxi Frühwirts Haus ab, damit sie Karins Gastgeberin informieren und ein paar Toilettenartikel einpacken konnte. Da auf ihr Klingeln niemand öffnete und sie Stimmen aus dem Garten hörte, entschied sich Pippa, ums Haus herumzugehen. Sie hatte Maxi Frühwirt seit der Ankunftsnacht nicht gesehen, aber von Karin begeisterte Berichte über die vielfältigen Talente ihrer Vermieterin gehört. Maxi Frühwirt reparierte nicht nur alles im Haus selbst, sondern war auch in der gesamten Umgegend für ihre Klapotetze so berühmt, dass sie jedermann bei ihr kaufte, statt sich selbst welche zu bauen.

Pippa folgte dem mit Natursteinen gepflasterten Weg. An der Hausmauer reckten sich Malven und Stockrosen empor, während auf der anderen Seite des Pfads üppiger Lavendel blühte. Hinter dem Haus erstreckte sich eine Wildblumenwiese mit zwei knorrigen Apfelbäumen – und Dutzenden Klapotetzen unterschiedlicher Höhe und Größe. Ein Mann, der mit dem Rücken zu Pippa stand, ließ sich von Maxi Frühwirt beraten.

»Ja, selbstverständlich«, sagte die junge Frau gerade, »meine Klapotetze sind der Tradition verpflichtet. Ich verwende Tanne oder Lärche für die Flügel, Buchenholz für die Klöppel, Esche oder Kastanie für den Block und ausschließlich Kirschbaumholz für das Schlagbrett. Als Gegengewichte und Windfahne nehme ich Birkenzweige. Wenn Sie etwas anderes wünschen, kann ich mich nach Ihren Vorgaben richten. Sonderanfertigungen kosten allerdings etwas mehr.« Sie strich sich über die kleidsame Kurzhaarfrisur. Ihre drahtige Figur und das ungeschminkte Gesicht legten Zeugnis davon ab, dass Maxi Frühwirt weder eitel war noch harte Arbeit scheute.

Pippa ging näher und bemerkte erst dann, dass noch weitere Kunden im Garten standen, für die Maxi Frühwirt jetzt mehrere Klappern in Gang setzte.

»Sie müssen sich die Klapotetze anhören, bevor Sie sich entscheiden«, sagte die junge Frau mit erhobener Stimme. »Die Melodie muss Ihnen gefallen, Sie werden sie schließlich jeden Tag hören. Soll es hart, weich oder sphärisch klingen – oder einfach nur laut?«

Erst jetzt fiel Maxi Frühwirts Blick auf Pippa. Die junge Frau runzelte die Stirn und stoppte die Klappern, während sich die Kunden zu Pippa umwandten – unter ihnen Falko Schumacher, der wie ertappt wirkte.

Ehe Pippa einen Gruß aussprechen oder ihr Anliegen vorbringen konnte, verdrehte Maxi Frühwirt die Augen und sagte: »Na toll, schon wieder jemand aus der Akademie. Stimmt doch, oder? Sollten Sie sich über den Krach beschweren wollen, liebe Touristin: Ich darf meine Klapotetze vorführen, auch wenn die Besucher der Akademie Sinnenschmaus sich dadurch gestört fühlen. Die Zeiten sind knapp genug: und zwar täglich von 15 bis 15.30 Uhr außer samstags, sonntags und feiertags. Auf Ihrer Armbanduhr werden Sie erkennen können, dass es jetzt genau 15.15 Uhr ist und ich noch eine weitere Viertelstunde dem Beruf nachgehen kann, der mir mehr Geld einbringt als die spärlichen Buchungen der Akademie in dieser Saison. Wenn Leute wie Sie nicht wären, würde ich sogar noch mehr verdienen, denn dann könnte ich den Gesang meiner Klapotetze länger vorführen. Aber ihr Urlauber habt ja dafür gesorgt, dass mir die Zeit gekürzt wurde ...«

Die vollkommen überrumpelte Pippa fühlte sich viel zu erschöpft, um zu protestieren.

Aber Falko Schumacher kam ihr zu Hilfe. »Ich bin sicher, die Dame möchte sich nicht beschweren. Sie ist vermutlich aus demselben Grunde hier wie ich: um Sie über Karin Wittig zu informieren. Ich wollte nur Ihr Verkaufsgespräch nicht unterbrechen. Frau Wittig benötigt ein paar Toilettenartikel, denn sie wurde ins Krankenhaus eingeliefert.«

Maxi Frühwirt schlug erschrocken die Hand vor den Mund. »Ins Krankenhaus? Sie hat doch nichts Falsches gegessen, oder? Als sie zur Akademie aufbrach, schien sie bei bester Gesundheit.«

Ehe Schumacher antworten konnte, erwiderte Pippa: »Kein Grund zur Besorgnis. Sie wurde ohnmächtig, ist aber wieder wohlauf. Bestimmt nur der Kreislauf und die ungewohnte Hitze hier. Trotzdem will man sie zur Sicherheit weiter beobachten.«

»Ich packe zusammen, was nötig ist, und bringe es ins Spital«, sagte Maxi Frühwirt entschlossen. »Sie ist mein Gast, und ich mag sie. Ich will mich selbst davon überzeugen, dass es ihr gutgeht. Ich muss später ohnehin noch ins Tal. In weniger als einer Stunde hat Frau Wittig alles, was sie benötigt.«

Zuerst wollte Pippa widersprechen, aber plötzlich spürte sie ihre eigene Erschöpfung. Auch etwas zu essen wäre nicht schlecht, dachte sie.

Falko Schumacher wirkte enttäuscht. »Also, mir macht es wirklich nichts aus. Ich gehe gerne in Karins Zimmer und ...«

Maxi Frühwirt winkte ab. »Kommt nicht in Frage. Ich bringe ihr gleich noch einen leckeren Kuchen mit Schlagobers mit. In einem Spital ist die Küche ja nie berühmt, egal, wo man liegt.«

Langsam ging Pippa nach Hause. Sie sehnte sich danach, sich auszuruhen und etwas zu essen, trotzdem lief sie erst noch mehrmals ums Haus, um nach Otto zu rufen und ihn mit frischem Futter zu locken – wieder vergeblich. Die vollen Näpfe bezeugten, dass ein leerer Magen für den kleinen Kater offenbar kein Argument für eine Rückkehr war.

»Ach, Otto«, murmelte Pippa verzagt, »wenn du morgen immer noch auf Trebe bist, muss ich leider deinem Besitzer Bescheid geben. Und mich dafür entschuldigen, dass ich nicht gut genug auf dich aufgepasst habe.«

Nachdem sie ein belegtes Brot gegessen hatte, ging sie unruhig auf und ab. Ihr Körper mochte nach einer Pause verlangen, aber ihr Kopf ließ sich nicht abschalten. Vergeblich kämpfte sie dagegen an, bis ihr einfiel, dass in der Akademie Sinnenschmaus ein Heilmittel auf sie wartete: die Yogakatzen. Für den Fall, dass Sauna und Pool sie locken sollten, packte sie noch Badeanzug und Handtücher ein. Sie wollte quer über die Wiesen zur Akademie gehen und hoffte, dabei niemandem zu begegnen, der sie über Karin ausfragen würde.

Als sie aus dem Haus trat, sah sie Jovan Glantschnig am anderen Ende der Straße an seinem Gartenzaun stehen und ihr zuwinken.

Sonst jederzeit, aber jetzt ist mir nicht nach einem Schwätzchen, dachte sie und winkte nur zurück.

Pippa suchte Zuflucht im schummrigen Inneren des Katzenhauses, anstatt sich in den sonnigen Garten zu legen. Erleichtert, dort niemanden sonst anzutreffen, legte sie sich auf eins der Sofas. Sofort sprang ein schwarzes Prachtexemplar von Kater von einem der Kratzbäume und kam mit geschmeidigen Bewegungen auf sie zu. Er musterte sie aus goldgelben Augen und miaute mit verblüffend zarter Stimme, bevor er aufs Sofa sprang, sich der Länge nach an ihrer Seite ausstreckte und zu schnurren begann. Pippa legte die Hand auf seinen Rücken und genoss die beruhigende Vibration des pelzigen Körpers. Am Halsband des Katers baumelte ein graviertes Namensschild.

»Du heißt Janosch?«, murmelte sie, während sie ihn träge streichelte. »Hallo, Janosch, ich bin Pippa. Ich wünschte, der kleine Otto wäre auch so zutraulich wie du.«

Ich muss Seeger anrufen, dachte sie, er weiß noch nicht, was bei Gallastroni passiert ist.

Um den Kater nicht zu stören, versuchte sie, ihr Handy aus der Jackentasche zu ziehen, ohne ihre Position zu verändern. Das helle Lachen von Naomi Schultze, das durch die offenen Katzenklappen zu ihr hereindrang, ließ sie innehalten.

»Ich dachte, dies ist ein Ort, an dem Menschen mit Katzen schmusen sollen«, sagte Naomi kokett. »In der Broschüre stand nichts über Schmusereien zwischen Männern und Frauen!«

»Das ist auch unser bestgehütetes Geheimnis«, erwiderte eine schmeichelnde Männerstimme.

Tonio von Pauritz, dachte Pippa erstaunt, hatte der nicht gestern noch eine wirklich hübsche steirische Verehrerin?

Der Akademiesekretär stürzte sich in wortreiche Komplimente, auf die Naomi Schultze mit amüsiertem Lachen reagierte und sagte: »Denk dran, Tonio: Mein Vater verlegt Liebesromane. Solche Schwüre und Beteuerungen kenne ich, seit ich lesen kann. Um mich zu beeindrucken, musst du dir wirklich was Originelleres ausdenken.«

Sieh an, dachte Pippa, sie lässt sich nicht so schnell bezirzen, fordert ihn aber auf weiterzumachen – ganz chancenlos ist er also nicht. Ob jemand wie er Mama Schultze gefallen wird, wage ich allerdings zu bezweifeln. Er hat zwar einen Adelstitel, der die Mutter der jungen Dame aus dem Kaufhaus beeindruckt, aber Belinda Schultze will für ihr Töchterlein ganz sicher keinen Sekretär. Stellung schlägt Titel, oder nicht?

»*We seem to be designed for each other*«, deklamierte der junge Mann jetzt.

»Nicht schlecht«, entgegnete Naomi. »Sind wir tatsächlich füreinander geschaffen?«

Derart ermutigt, fuhr von Pauritz fort, sich Anleihen bei Jane Austen zu holen. »*In vain have I struggled. It will not do. My feelings will not be repressed. You must allow me to tell you how ardently I admire and love you.*«

Naomi kicherte geschmeichelt. »Du hast vergeblich gegen deine Gefühle gekämpft? Dann hat der Kampf ja nicht lange gedauert. Wir kennen uns schließlich erst wenige Tage. Aber du hast recht, Tonio: Gefühle lassen sich nicht unterdrücken. Ich erlaube dir deshalb, weiter von Bewunderung und Liebe zu sprechen …«

Immerhin: Gut geklaut, Herr Akademiesekretär, dachte Pippa, erst Mr Collins, dann Mr Darcy. Jane Austens Sätze klingen auch nach zweihundert Jahren noch taufrisch. Aber was machst du, Tonio von Pauritz, wenn deine Angebetete doch noch in den Lesezirkel geht und die entsprechenden Szenen dort diskutiert werden? Dann erfährt sie, dass beide Männer nach diesen Sätzen den Laufpass bekamen. Und wenn du Pech hast, wirst auch du dann in die Wüste geschickt.

Obwohl sie das Geplänkel der beiden amüsierte, fühlte Pippa sich als heimliche Lauscherin nicht wohl. Sie beschloss, ein paar Runden im Pool zu schwimmen und die beiden ungestört weiter turteln zu lassen.

Als sie im Badeanzug aus der Umkleide trat, bemerkte sie Karsten Knöller, der auf einer Liege am Beckenrand leise schnarchte. Neben ihm im Gras lag ein Block, der ihm beim Einschlafen aus den Händen geglitten sein musste, wodurch die Seiten aufgefächert und einige Blätter umgeknickt waren. Leise hob Pippa den Block auf, strich die Seiten glatt und wollte ihn gerade auf den Beistelltisch legen, als ihr Blick auf Zahlenkolonnen fiel, die ihre Neugier weckten. Es handelte sich um eine Kosten-Nutzen-Aufstellung sowie um eine zweifach energisch unterstrichene Summe mit der Anmerkung *Verhandlungsbasis VK Akademie Sinnenschmaus*. Nach einem Blick auf den tief schlafenden Knöller blätterte sie weiter und stieß auf weitere Zahlenreihen, die den aktuellen Wert der Akademie kalkulierten. Sogar eine Liste mit Kaufinteressenten entdeckte sie. Sie bestand aus etlichen ihr unbekannten Namen – und zweien, die ihr vertraut waren: Falko Schumacher und Jodokus Lamberti.

Kapitel 13

Erschrocken starrte Pippa auf die Liste und bemühte sich, klar zu denken. Niemand, der Böses im Schilde führte – erst recht kein Erpresser –, würde mit seinen Unterlagen so fahrlässig umgehen, wie Knöller es gerade tat, versuchte sie sich zu beruhigen. Auch sagten die Kalkulationen erst einmal nichts über unlautere Absichten aus. Was sie schockierte, war vielmehr die Erkenntnis, wie viele der Akademiegäste offenbar an anderem interessiert waren als an Ruhe und Erholung in Plutzerkogel: von Meinrad, Karsten Knöller und natürlich Falko Schumacher, dessen Besuch bei Maxi Frühwirt in Sachen Karin ihr so verdächtig selbstlos vorgekommen war. Die Vorstellung, sich in den Lambertis getäuscht zu haben, konnte und wollte sie nicht zulassen – mit ihnen musste sie sofort sprechen.

An entspanntes Schwimmen war nun nicht mehr zu denken, und Pippa ging zurück in die Umkleidekabine. Als sie beim Anziehen ihr Handy in der Jackentasche fühlte, fiel ihr Seeger wieder ein. Das Auftauchen des flirtenden Paares am Katzenhaus hatte sie derart abgelenkt, dass sie völlig vergessen hatte, ihn über das neueste Geschehen zu informieren. Sie versuchte sofort, den Exkommissar anzurufen, erreichte aber nur seine Mailbox und hinterließ die dringende Bitte, sie zurückzurufen.

Da die Lambertis eine der Ferienwohnungen im obersten Stock der Akademie bewohnten, betrat Pippa das Hauptgebäude. Leise, um die laufenden Kurse nicht zu stören, ging sie durch die Flure und passierte im ersten Stock den Raum, in dem die kleine Nina gespielt hatte, bevor sie aus dem Fenster fiel. Spontan ging Pippa hinein und sah sich um. Durch zwei lange Fensterreihen und helle, freundliche Wandfarbe wirkte das Zimmer einladend und sehr gemütlich. Auf der einen Seite sah man in den Innenhof, auf der anderen ging der Blick zum Café Kürbishügel hinaus und weiter bis zum Wald. Lediglich eines der Fenster befand sich direkt über der Markise. Nicht auszudenken, wenn das Kind auf eine andere Fensterbank geklettert und dort hinausgefallen wäre …

»Warum dieses Fenster und kein anderes?«, murmelte Pippa, während sie im Raum umherging und den Ort des Geschehens aus unterschiedlichen Perspektiven betrachtete. »Vom Flur und von der Tür aus wäre Nina nicht zu sehen gewesen. War es schicksalhafte, glückliche Fügung, dass ausgerechnet dieses Fenster offen stand, oder hat jemand Schicksal gespielt?«

Sie kehrte zum Fenster zurück und blickte hinunter auf die Terrasse, wo Beppo Sonnbichler gerade die Markise einrollte und damit freie Sicht auf die Terrasse seines Cafés ermöglichte. Pippa sah von Meinrad und Karsten Knöller über die Wiese auf das Gebäude zukommen. Ihrer Körpersprache und Mimik nach zu urteilen, war die Stimmung zwischen ihnen alles andere als harmonisch. Von Meinrad gestikulierte wild und entwand Knöller den Block, den sie vorhin am Schwimmbecken durchgesehen hatte. Ohne seinen energischen Schritt zu verlangsamen, schien von Meinrad das Geschriebene intensiv zu studieren, dann riss er die ersten paar Seiten vom Block herunter und legte sie in sein schwarzes Notizbuch.

Ich wette, das sind die Berechnungen über den Wert der

Akademie, dachte Pippa, und die liegen jetzt mit Sicherheit bei vielen anderen Notizen, die zu kennen es sich lohnen würde. Dieses Büchlein ist ganz bestimmt reiner Sprengstoff.

Mit erhobenem Zeigefinger redete der Journalist jetzt auf Knöller ein, dann drückte er ihm den Block in die Hand, drehte sich abrupt um und eilte durch das Tor in den Innenhof, dicht gefolgt von seinem Gesprächspartner.

Pippa rannte zu den Fenstern auf der anderen Seite und sah, wie Knöller versuchte, von Meinrad aufzuhalten, und ihn am Arm packte. Unwirsch schüttelte der Journalist ihn ab und verließ durch das gegenüberliegende Tor den Innenhof. Sichtlich frustriert blieb Knöller zurück und sah ihm nach.

»Krieg im Paradies«, murmelte Pippa. »Wohin man schaut. Wohin man geht.«

Mit diesem Gedanken machte Pippa sich schweren Herzens auf den Weg zu den Lambertis. Sie stieg die breite Treppe hinauf in die zweite Etage, wo sich die exklusiven Ferienwohnungen für betuchte Seminarteilnehmer befanden. Nicht nur das Ehepaar aus Wiesbaden hatte hier Quartier bezogen, sondern auch Familie Schultze sowie Falko Schumacher.

Über die Galerie erreichte sie den vorderen Trakt des Akademiegebäudes. Die auswechselbaren Schilder an den Türen der Appartements waren mit den Namen der aktuellen Mieter versehen. Die linke der beiden zum Tal hin gelegenen Wohnungen bewohnte Schumacher, die rechte war die der Lambertis.

Pippa atmete tief durch und wollte gerade den antiken Türklopfer in Form eines Löwenkopfes betätigen, als die Tür aufging.

»Pippa!« Ilsebill presste die Hand auf die Brust. »Hast du mich erschreckt!«

Pippa musterte ihr Gegenüber. War Ilsebill nur erschrocken oder sah sie nicht doch ein wenig schuldbewusst aus?

»Ich ... wir wollten gerade zum Essen hinuntergehen«, sagte Ilsebill und klang dabei, als würde sie Pippa lieber nicht in ihre Wohnung lassen. Aber die hatte für Ausweichmanöver irgendwelcher Art keine Geduld mehr.

»Könnt ihr damit bitte noch etwas warten?«, fragte Pippa entschlossen. »Ich muss etwas mit euch besprechen.«

Jodokus kam an die Tür, tauschte einen Blick mit seiner Frau und nickte ernst. »Wir auch mit dir. Das Essen kann warten.«

Pippa folgte den beiden in einen hochwertig, aber nicht pompös eingerichteten Raum mit schmiedeeisernem Balkon. Die Balkontüren boten eine atemberaubende Aussicht über die Hügel und den Wald bis hinüber zur Burg. Für einen Moment schob Pippa den Grund ihres Besuchs beiseite und rief: »Das ist ja traumhaft! Was für ein Ausblick! Ihr könnt direkt bis zur Burg hinüberschauen.«

Jodokus Lamberti seufzte. »Schon. Aber was man zu sehen bekommt, ist nicht immer so reizend wie die Aussicht selbst.«

»Genau darüber müssen wir mit dir reden«, fügte Ilsebill hinzu.

Aber ich bin hier, weil ich mit *euch* etwas besprechen muss, dachte Pippa, kam aber nicht zu Wort, da Jodokus ihr ein Fernglas reichte und sagte: »Ich bin ja ständig auf der Suche nach einem Hobby, das mir mein Rentnerdasein versüßt«, sagte er. »Das Fernglas habe ich mir zugelegt, um Vögel zu beobachten. Es hat eine erstaunliche Reichweite. Wenn du mal bitte zum Burghotel hinüberschauen würdest?«

Überrumpelt trat Pippa hinaus auf den Balkon und blickte durch den Feldstecher. Der Innenhof der Burg schien plötzlich zum Greifen nah. Sie stellte ihn noch ein wenig schärfer und richtete ihn auf die Sonnenterrasse des Hotel-restaurants. Das, was sie dort sah, ließ sie endgültig vergessen, warum sie die Lambertis aufgesucht hatte.

»Aber das kann doch wohl nicht wahr sein!«, entfuhr es ihr verblüfft.

»Ja.« Ilsebill hob die Brauen. »Genau das haben wir auch gesagt. Haargenau das.«

Kichernd holte Pippa ihr Handy aus der Tasche, während die Lambertis fragende Blicke wechselten. Pippa drückte die Schnellwahltaste mit Seegers Nummer, und diesmal hatte sie Glück: Der Ruf ging durch, und er hob ab. »Seeger.«

Mit links hielt Pippa das Telefon ans Ohr, mit rechts das Fernglas vor die Augen. »Na, schmeckt's, du Verräter? Vanilleeis mit gerösteten Kürbiskernen? Das lass ich mir gefallen – und dann auch noch in so netter Gesellschaft. Meine Empfehlung an Frau Lehmann-Jauck.«

Seeger runzelte verwirrt die Stirn, ließ die Hand seiner Begleiterin los und sah sich suchend um.

Ricarda schien etwas zu fragen, aber er winkte hektisch ab.

Mit diebischem Vergnügen sagte Pippa: »Wenn du nicht im kleinen schwarzen Notizbuch unseres Journalisten unter der Rubrik *Ehebrecher* landen willst, wählst du beim nächsten Mal besser einen weniger exponierten Ort, um dich mit deiner Liebsten zu treffen.«

»Sag schon, von wo aus beobachtest du mich?«, knurrte Seeger entnervt.

»Euch«, korrigierte Pippa gutgelaunt, »ich beobachte *euch*. Ich weiß wirklich nicht, was ich davon halten soll, dass ihr mit Livia und Tobias gleichzieht.«

»Ich sorge nur vor, damit ich nach der Ankunft deines rassigen Schotten nicht als der dumme und verlassene Ehemann dastehe und von allen bedauert werde«, gab Seeger schlagfertig zurück.

Pippa stieß einen theatralischen Seufzer aus. »Sodom und Gomorrha. Ich frage mich, welche Schlagzeile von Meinrad daraus basteln würde.«

Seeger, der sich wieder gefangen hatte, lachte. »*Akademie Sinnenschmaus wörtlich genommen* würde passen. Jedenfalls in meinem Fall.« Dann wischte er sich mit einer Serviette den Mund ab und fragte: »Wo treffen wir uns? Der Tag war lang, und es gibt einiges zu gestehen.«

Kaum zwanzig Minuten später trafen Seeger und Ricarda bei den Lambertis ein.

Die Zwischenzeit hatte Pippa genutzt, um Ilsebill und Jodokus ihre gelassene Reaktion ob des Rendezvous ihres vermeintlichen Ehemanns zu erklären und sich für die spontane Solidarität und Offenheit der beiden zu bedanken.

Trotzdem verstimmte sie die Tatsache, dass Seeger nicht allein gekommen war. Es ist eine Sache, sich mit Ricarda zum Abendessen zu treffen, dachte sie, aber es ist eine ganz andere, sie ohne Rücksprache mit mir in die Ermittlungen einzubeziehen.

Als ihr Blick dabei auf die Lambertis fiel, gestand sie sich zerknirscht ein, dass sie ebenso gehandelt hatte.

»Irre, diese Verwicklungen«, sagte Jodokus begeistert, als er Seeger und Ricarda hereinbat. »Und ich dachte, mein Ruhestand wird langweilig! Bitte, darf ich mitspielen?«

Er holte eine Flasche Schilchersekt aus dem Kühlschrank und bestellte im Café für alle Brot, Käse und Verhackertes, einen deftigen Brotaufstrich aus gehacktem Speck, Schweinefleisch, Knoblauch und Kräutern.

Alle fünf setzten sich auf den Balkon und ließen es sich schmecken, als Pippa sagte: »Du willst also mitspielen, Jodokus? Das kommt ganz darauf an, wie deine nächste Antwort ausfällt. Ich bin ja auch nicht ohne Grund hergekommen.«

Sie berichtete von Knöllers Liste potentieller Käufer, auf der auch Lamberti stand.

»Ich habe nicht die geringste Ahnung, wie ich auf diese ominöse Liste geraten bin«, sagte Jodokus sichtlich erstaunt. »Wir haben einen Kauf der Akademie Sinnenschmaus bisher nie in Erwägung gezogen.« Er grinste und fügte hinzu: »Wie gesagt: *bisher*. Welche Summe hat Knöller denn veranschlagt? Durchaus möglich, dass ich meine Meinung noch ändere.«

»Könntet ihr denn so ein Objekt tatsächlich kaufen?«, fragte Seeger.

»Können schon, aber er darf nicht«, erwiderte Ilsebill. »Ich würde ihm den Kopf abreißen. Dreißig Jahre lang habe ich darauf gewartet, dass wir endlich mehr Zeit miteinander verbringen. Ich werde ihm keine neue Investition erlauben. Es sei denn, es ist für ein Hobby, etwas, das schnurrt oder bellt, oder ist mit Bahn, Auto oder Flugzeug zu erreichen und hat eine schöne Aussicht aufs Nichtstun.«

»Aber warum stellt Knöller dann derlei Überlegungen an?«, fragte Pippa in die Runde. »Was verspricht er sich davon? Eine Provision im Falle des Verkaufs? Aber die würde er doch nur kriegen, wenn er für euch als Vermittler tätig wäre, also von euch den Auftrag hätte, die Akademie genauer unter die Lupe zu nehmen. Einfach ins Blaue hinein Berechnungen anzustellen ist doch völlig sinnlos. Außerdem wirkt Knöller auf mich nicht wie einer, der sich mit der Taxierung von Immobilien auskennt. Eher wie jemand, der sich zum Ziel gesetzt hat, sich mit nichts als sich selbst auszukennen und dabei möglichst viel Geld auszugeben.«

Seeger nickte. »Damit triffst du den Nagel auf den Kopf.

Karsten Knöller sitzt auf einem Batzen Geld, das er lieber nicht hätte. Er ist von Beruf Erbe – und kann es nicht genießen.«

»Er hat bereits beide Elternteile verloren?«, fragte Ilsebill bestürzt.

»Leider sogar gleichzeitig«, erwiderte Seeger. »Beim Absturz einer kleinen Privatmaschine, als sie zu einem Vertragsabschluss unterwegs waren.«

»Auf diese Art wird niemand gern reich.« Jodokus schüttelte bekümmert den Kopf.

»Karsten Knöller hat die Firma, in der seine Eltern und er selbst tätig waren, sofort veräußert«, sagte Ricarda. »Seither meidet er alles, was auch nur entfernt mit Arbeit zu tun hat oder ihn daran erinnert.«

»Offensichtlich hat er aber sein Arbeitsgen noch nicht ganz ausschalten können«, warf Jodokus ein. »Ist auch nicht einfach. Ich kenne das.«

»Du meinst, er hat die finanziellen Rechenspiele aus alter Gewohnheit gemacht?«, fragte Ilsebill.

Jodokus zuckte mit den Achseln. »Könnte doch sein? Würde mich nicht wundern.«

Pippa war noch nicht überzeugt. »Und woher habt ihr eure Weisheiten, Paul-Friedrich? Von der Grazer Polizei?«

Seeger zeigte sich zerknirscht. »Ich war nicht in Graz. Ich war bei Ricarda im Hotel. Die Informationen stammen von ihr.«

»Ach ja?«, entgegnete Pippa spöttisch. »Und wie seid ihr darangekommen? Habt ihr gemeinsam gegoogelt, die sozialen Netzwerke durchforstet, ein wenig herumtelefoniert?«

Ricarda Lehmann-Jauck lächelte. »Viel einfacher. Ich habe meine Kollegen im Zeitungsarchiv nachsehen lassen. Alles, was auch nur entfernt als *prominent* gelten könnte, hat bei uns eine eigene Akte.«

»Archiv? Akte?«, fragte Pippa. »Sie sind Journalistin? Sie sind tatsächlich eine Kollegin von Axel von Meinrad?«

»Nein«, erwiderte Ricarda gelassen. »Er ist einer unserer festen freien Mitarbeiter. Ich bin seine Chefin, wenn Sie so wollen.«

Pippa konnte es kaum fassen. »Soll er etwa in Ihrem Auftrag die unschönen Vorgänge an der Akademie Sinnenschmaus untersuchen und eine Story daraus machen?«

Ricarda Lehmann-Jauck schüttelte den Kopf. »O nein, er arbeitet ohne Auftrag. Bei allem, was er in die Finger kriegt, versucht er, Skandale zu produzieren, die er dann an uns oder andere verkaufen kann. Knöller, Bernhard Lipp, die Vorgänge an der Akademie ... vollkommen egal. Hauptsache, er gräbt vermeintliche Sensationen aus. Wenn es keine gibt, erfindet er welche. Auf diese Weise will er endlich eine Festanstellung ergattern. Dieser Zweck, glaubt er, heiligt jedes Mittel.« Sie hielt einen Moment lang inne, dann fuhr sie fort: »Er war sicher, dass ich als Chefredakteurin des Blattes alles tun würde, um nicht kompromittiert zu werden, deshalb hat er mir schon vor Monaten Informationen über die außereheliche Aktivitäten meines Mannes zugespielt. Wenn es nach ihm ginge, würde er dadurch am liebsten so etwas wie meine rechte Hand.«

Endlich glaubte Pippa die Zusammenhänge zu erkennen. »Genau so dachte ich mir das! *Er* hat Sie am Sonntagmorgen angerufen und Ihnen mitgeteilt, wo Sie Ihren Mann finden, seine Belohnung eingefordert und ...« Sie stockte und wandte sich an Seeger. »Aber du hast doch gesagt, der Anrufer hätte seinen Namen nicht genannt. Das ergibt doch gar keinen Sinn. Von Meinrad würde es doch darauf anlegen, erkannt zu werden.«

»Der Anruf ist einer der Gründe, warum ich Ricarda in die Ermittlungen einbezogen habe«, sagte Paul-Friedrich grimmig. Mit einem Blick zu ihr bat er um Erlaubnis, weiterreden zu dürfen. Als sie beinahe unmerklich nickte, fuhr er fort: »Der anonyme Anrufer war nicht Axel von Meinrad. Es war der Erpresser.«

🐈 *Kapitel 14* 🐈

Bevor jemand etwas zu dieser Neuigkeit sagen konnte, klingelte es an der Tür.

Ilsebill öffnete und brachte Waldemar Schultze mit herein, der in die Runde sah und sich strahlend die Hände rieb.

»Wunderbar – gleich vier auf einen Schlag«, sagte er, »ihr kommt doch mit? Der Literaturzirkel wird heute zu Karin ins Krankenhaus verlegt; dank Stefan Kleindienst können wir den Bus der Akademie benutzen. Außerdem braucht Karin anständiges Essen. Es kann nicht sein, dass wir bei Beppo schlemmen und sie mit Krankenhauskost vorliebnehmen muss. Also habe ich ihn gebeten, einen Picknickkorb zusammenzustellen.« Er zwinkerte jovial. »Ihr wisst schon: alles, was gut und fettig ist.«

»Ob es denen im Krankenhaus recht ist, wenn wir dort mit einer ganzen Truppe aufkreuzen?«, fragte Pippa.

Schultze winkte ab. »Alles schon geklärt, wir sind angemeldet. Außerdem bringen die Akademie Sinnenschmaus und …«, er verbeugte sich, »meine Wenigkeit als Dankeschön einen Gutschein mit, durch den die Verwaltung das Foyer mit mehr als nur einem hübschen Blumenstrauß schmücken kann.«

Jodokus sah in die Runde. »Ich bin zwar kein großer Leser, aber den Spaß will ich nicht verpassen. Ich bin dabei.«

»Es kommen noch mehr mit, die das Buch nicht gelesen haben«, sagte Schultze. »Außerdem haben wir Jovan und seine Quetschkommode engagiert. Er gibt für die anderen

Kranken ein Konzert im Aufenthaltsraum, damit sich niemand über unseren Radau beschwert. Und natürlich bekommt Karin am Ende ihr *Fürstenfeld* – mit Chorbegleitung!«

»Na dann!« Paul-Friedrich stand auf. »Ab ins Krankenhaus.«

Pippa musterte ihn streng. »*Wir* fahren ins Krankenhaus, du bleibst hier. Heute bist du an der Reihe, Otto zu suchen, mein Lieber. Außerdem sind Blumengießen und Rasensprengen fällig. Strafe muss sein.«

Pippa entging Seegers verstohlener Blick zu Ricarda nicht, die erklärte: »Auch ich muss leider verzichten. Ich habe einen Termin mit meinem Gatten. Wir haben einiges zu besprechen.«

Sie sagte das zwar mit einem Lächeln, sah dabei aber zum ersten Mal weder stark noch erfolgsgewohnt, sondern sehr, sehr traurig aus.

Am Bus der Akademie hatte sich eine bestens gelaunte Gruppe versammelt, und die Neuankömmlinge wurden von Stefan Kleindienst mit ausgebreiteten Armen begrüßt. »Wunderbar, dass wir so viele sind! Ich werde Ihnen später ein wenig darüber erzählen, warum Jane Austen und ihre Romane auch in diesem technologiehörigen Zeitalter noch die Kraft haben, mit hintergründigem Humor, Romantik und Lebensklugheit jedes Leserleben zu durchdringen und nachhaltig zu beeinflussen.«

Heribert Achleitner, der neben ihm stand, nickte. »Und übermorgen Abend wenden wir diesen Aspekt dann auf die Gedichte der deutschen Romantiker an oder ...«

Sigrid Sommerfeld stöhnte. »Wir wollen doch sehr hoffen, dass Frau Wittig bis dahin entlassen ist.«

»Wo ist denn Naomi?« Belinda Schultze sah sich in alle

Richtungen um. »Wir können unmöglich ohne Naomi fahren!«

»Wollten denn alle mitkommen?«, fragte Pippa. »Dann fehlen auch noch unser rasender Reporter und Falko Schumacher.«

Belinda Schultze war sofort interessiert. »Wo ist denn unser Nordlicht?«

Genau, dachte Pippa misstrauisch, wo ist Schumacher eigentlich? Legt sich am Nachmittag aus angeblicher Sorge um Karin schwer ins Zeug und glänzt ausgerechnet jetzt durch Abwesenheit.

Jodokus blickte sinnend hoch zu seinem Balkon. »Also, heute Nachmittag habe ich dort oben gesessen, und da habe ich Schumacher in Richtung Buschenschank gehen sehen. Natürlich mit seinem Laptop unter dem Arm. Und Ihre Naomi, gnädige Frau, saß bereits bei Poldi Pommer im Garten.«

Belindas Schultzes Gesicht hellte sich auf. »Natürlich – ich habe Falko ja selbst den Hinweis gegeben, dass er dort nicht nur kostenfreies WLAN hat, sondern mit seinem Computer auch willkommen ist.«

Sie drehte sich um und bestieg den Bus. Offenbar war sie zufrieden mit den Auskünften, die sie erhalten hatte.

»Aber ich war doch noch gar nicht fertig«, sagte Jodokus zu Ilsebill. »Ich habe noch mehr gesehen: Der Sekretär unserer Frau Direktor hat sich nämlich mit einem großen Tablett voller Leckereien zu Naomi gesetzt. Ich sage dir, meine Liebe, dieses Jausenbrettl sah äußerst verführerisch aus. Erinnere mich bitte daran, dass ich es mir bei unserem nächsten Besuch dort unbedingt bestelle.«

Ilsebill wechselte einen amüsierten Blick mit Pippa. »Jodokus, du sammelst mit diesem Fernglas eindeutig zu viele Informationen, die dich nichts angehen. Deshalb erinnerst du *mich* bitte daran, dass ich es dir wieder abnehme. Dieses Spielzeug wird als zu gefährlich von der Liste gestrichen. Sämtliche Vögel, die du bisher beobachtet hast, haben sich offensichtlich nicht für das gesetzmäßige Paarungsverhalten interessiert.«

Nach und nach hatten alle den Bus bestiegen, nur Pippa fehlte noch. Gerade setzte sie den Fuß auf die Stufe, als Maxi Frühwirt die Straße heraufgerannt kam und schrie: »Nicht losfahren! Ich will mit!«

Außer Atem erreichte sie den Bus, und Pippa ließ ihr den Vortritt. Dann folgte sie der jungen Frau und setzte sich auf den Platz neben ihr.

»Karin hat mich vorhin um Papier und Stift gebeten«, sagte Maxi Frühwirt. »Sie will die Ruhe im Krankenhausbett nutzen, um zu dichten.«

Aus den Reihen hinter ihnen erklang ein gequältes Stöhnen. Der Verursacher war nicht auszumachen, aber Pippa hätte jede Summe gewettet, dass sich diese spontane Reaktion der gepeinigten Dichterseele Heribert Achleitners entrungen hatte.

»Haben Sie heute noch Klapotetze verkauft?«, fragte Pippa die junge Frau neben sich.

Maxi Frühwirt nickte mit sichtlicher Freude. »Einen verkauft und einen Auftrag für eine Sonderanfertigung entgegengenommen. Für den Spielplatz eines Kindergartens, mit bunten Bildchen und Stöckchen. Ich würde bei diesem Projekt gern mit der Akademie zusammenarbeiten; Karl Heinz hat bestimmt nichts dagegen, mal etwas anderes zu bauen als Kratzbäume. Sie verstehen, zur Verbesserung der nachbarschaftlichen Beziehungen.« Sie seufzte. »Wie es scheint, habe ich da einigen Nachholbedarf. Zu Ihnen war ich ja heute auch ziemlich pampig, weil ich dachte, da kommt schon wieder eine Beschwerde. Ich weiß auch nicht, früher sind alle in Plutzerkogel hervorragend miteinander klargekommen. Aber neuerdings ...« Sie sah sich im Bus um und schaute Pippa dann enttäuscht an. »Ich hatte gehofft, Frau Direktor Schliefsteiner hier zu treffen. Dann hätte ich sie gefragt, warum zwischen uns nur noch alles schriftlich geht. Ich wohne ja nicht aus der Welt, da kann man doch einfach mal vorbeikommen und Bescheid sagen. Miteinander reden. Probleme von Angesicht zu Angesicht bereinigen.«

»Aber in geschäftlichen Dingen empfiehlt sich doch der Schriftverkehr, oder? Gerade bei Buchungen.«

»Klar, die kommen auch per Mail; das macht der Tonio schnell und verlässlich. Das Problem sind die Beschwerdebriefe. Immer hochoffiziell auf Geschäftspapier und in einem Ton ...« Sie schüttelte sichtlich betrübt den Kopf. »Plötzlich bieten die Zimmer für den Preis zu wenig Komfort, und die Klapperzeit ist noch immer zu lang ... Jahrelang waren meine Gäste zufrieden, aber neuerdings scheinen sich alle hinter meinem Rücken bei der Frau Direktor zu beschweren! Und gerade kam wieder ein Brief. Ich bin übrigens nicht die Einzige. Auch die anderen Vermieter von Fremdenzimmern und die Pension, in der die Kreuzworträtselgewinner wohnen, haben diese Art von Post bekommen.«

Merkwürdig, dachte Pippa, hat die Frau Direktor momentan nicht genug Sorgen? Warum eröffnet sie diesen unnötigen Nebenkriegsschauplatz?

»Meine Riesenklappern kann ich nicht das ganze Jahr über verkaufen«, fuhr Maxi Frühwirt fort. »Ich brauche den Zusatzverdienst aus den Vermietungen, um über die Runden zu kommen, verstehen Sie?«

Als Freiberuflerin konnte Pippa diese Sorgen nur zu gut verstehen. »Mich stören die Klapotetze in keiner Weise, und nach Karins Beschreibung Ihrer Unterkunft könnte ich mir gut vorstellen, bei meinem nächsten Besuch in der Akademie

Sinnenschmaus bei Ihnen zu wohnen: schöne Aussicht, gepflegte Zimmer, nette Gesellschaft. Was will man mehr? Ich bin gerne bereit, mit der Leitung zu reden. Würden Sie mir dafür einen der Briefe anvertrauen?«

»Das würden Sie für mich tun? Ich habe sogar einen dabei, denn Karin hat mir auch schon ihre Hilfe angeboten. Ich selbst bin leider nicht sehr diplomatisch, eher das Gegenteil. Aber ich würde es sehr begrüßen, wenn die Oberste Heeresleitung wieder mit mir und meinen Diensten zufrieden wäre.«

Sie zog einen Brief aus der Tasche und übergab ihn Pippa, die entsetzt die Anschuldigung Gertrude Schliefsteiners las, die Buchungen in der Akademie würden aufgrund der mangelnden Qualität der Quartiere zurückgehen.

Das ist wirklich starker Tobak, dachte Pippa.

Sie faltete den Brief zusammen und sah Maxi Frühwirt an. »Ich werde tun, was ich kann.«

Karin genoss ihre Rolle sichtlich. Gestützt von dicken Kissen saß sie im Bett und blickte gutgelaunt in die Runde ihrer zahlreichen Besucher, die sich auf herbeigeschleppten Stühlen um sie versammelt hatten. Durch die geschlossene Tür drang leise Jovan Glantschnigs Akkordeonspiel und von Zeit zu Zeit der Applaus seines Publikums.

»Ich komme mir glatt vor wie eine Dame aus der Zeit Jane Austens.« Unter dem Gelächter ihrer Besucher hielt sie mit einer gezierten Geste theatralisch den Handrücken an die Stirn und beklagte ihre zarte Gesundheit. »Ich bin Mrs Bennet, und meine Nerven sind vollkommen zerrüttet, weil ich unentwegt damit beschäftigt bin, meinen fünf Töchtern gutsituierte Ehemänner zu verschaffen.« Sie ließ die Hand auf die Bettdecke fallen und grinste. »Jedenfalls wären *meine* Nerven von so einer Aufgabe vollkommen zerrüttet.«

»Das sehe ich anders«, sagte Belinda Schultze. »Jede Mutter wünscht sich für ihre Tochter doch einen Mann von Rang und Namen – und Wohlstand. Und Mrs Bennet geht in dieser Aufgabe vollkommen auf. Natürlich will sie ihre Töchter gut versorgt wissen, das verstehe ich sehr gut. Mein Mann ist ja mehr für die romantische Liebe. War er schon immer.«

Waldemar Schultze hatte seine Hände über dem Wohlstandsbauch gefaltet und nickte zufrieden. »Viele Menschen sehnen sich nach meiner Version von Liebe und bezahlen dafür – wovon wir nicht schlecht leben, oder? Ich bin der lebende Beweis, dass man mit Romantik auch heute noch Geld verdienen kann.«

Seine Worte lösten eine lebhafte Diskussion aus. Wie zeitgemäß war ein Roman, der eine antiquierte Rollenverteilung zum Thema hatte? Heutzutage waren Frauen in der Lage, ein selbstbestimmtes Leben zu führen und für sich selbst zu sorgen. Sie konnten dasselbe tun wie die Männer, hatten dieselben Chancen, mussten sich längst nicht mehr von Ehemännern aushalten lassen.

Livia Riegler schüttelte den Kopf. »Von wegen. Es ist egal, was wir Frauen machen – es ist immer das Falsche. Wenn wir uns für eine Karriere entscheiden, sind wir machtgeil und keine richtigen Frauen. Wenn wir Kinder wollen, sind wir das verspottete Heimchen am Herd, das die Zeichen der Zeit nicht erkannt hat. Wenn wir gar versuchen, Kinder und Karriere unter einen Hut zu bringen, haben wir zwei Arbeitsstellen und fallen irgendwann im Namen der Emanzipation vor Erschöpfung um, weil die Männer mit unserer Entwicklung nicht mitgehalten haben und uns nicht genug unterstützen.«

»Meinst du, Jane Austen würde heute über diese Problematik schreiben?«, fragte Pippa.

»Allerdings. Und witzig und spritzig noch dazu!«, erwiderte Livia Riegler. »Aber gerade weil ihre Bücher sind, wie sie sind, finde ich sie lesenswert. Sie geben mir den Mut, mich auch heute noch so zu entscheiden wie die Frauen in ihren Büchern. Ich will unbedingt Kinder – also werde ich es machen wie diese junge Frau, die diesen unsäglich nervigen Pfarrer heiratet, um zu bekommen, was ihr schon keiner mehr zugetraut hat: eine finanziell abgesicherte Familie. Mit dem kleinen Unterschied, dass ich Tobias wirklich liebe.«

»Für die Unwissenden unter uns«, warf Stefan Kleindienst ein, »Livia meint Charlotte, die den bizarr-putzigen Mr Collins ehelicht, der kurz zuvor mit seinem Heiratsantrag bei Elisabeth Bennet, der Hauptperson des Buches, abgeblitzt ist.«

»Genau die!«, sagte Livia. »Charlotte als Freundin der Heldin konnte genau einschätzen, was sie sich da einhandelt, und ihr weiterer Lebensweg beweist, dass sie bestens damit umzugehen weiß.«

Pippa grinste innerlich. Genau genommen folgte Livia genau dieser Strategie – auf zeitgemäße Weise.

»Ich jedenfalls«, fuhr Livia Riegler fort, »werde *vor* der Ehe wissen, ob sich mein Auserwählter mich und meine zukünftigen Kinder überhaupt leisten kann.«

Karsten Knöller hatte bisher entweder gedankenverloren aus dem Fenster gesehen oder Notizen und kleine Bildchen auf seinen Block geworfen, aber jetzt horchte er auf. »Ich glaube, auch in Jane Austens Büchern kommen immer wieder die zum Ziel, die frech genug sind, Butter und Aufstrich aufs Brot zu verlangen – ohne selbst etwas für das Brot getan zu haben. Daran hat sich bis heute leider nichts geändert.«

Er spricht von George Wickham, dachte Pippa, einem Mann von zweifelhafter Moral. Und meint in Wirklichkeit Axel von Meinrad, dem er eindeutig noch grollt.

»Querulanten und laute Beschwerdeführer werden zufriedengestellt, um sie mundtot zu machen«, sagte Karin. »Wer nervt und nervt und nervt, der bekommt seinen Willen. Aber wer höflich bittet, gilt als Schwächling und geht leer aus.«

Knöller zuckte resigniert mit den Schultern. »Es sei denn, der Schwächling hat Geld. Dann wird er ausgenutzt und hat viele falsche Freunde.«

Endlich hat er von Meinrad durchschaut, dachte Pippa, aber die Erkenntnis war bitter für den Ärmsten.

»Immer geht es nur um Geld«, fügte Knöller hinzu, »nie um Freundschaft oder Liebe.«

»Eben doch«, wandte Ilsebill ein. »Das ist für mich das Schönste an *Stolz und Vorurteil*, dass zwei Menschen geläutert werden und so zu ihrer Liebe finden. Mr Darcy wirft seine Standesdünkel über Bord – und seine angebetete Elisabeth begräbt ihre Vorurteile. Das ist doch wunderbar.«

»Klar«, erwiderte Knöller, »es ist wunderbar, wenn man jemanden hat, der es wert ist, über sich hinauszuwachsen. Aber was macht man, wenn man solche Leute nicht kennt? Wenn es niemanden gibt, der einen anspornt? Man ist erst dann wirklich einsam, wenn man keinen hat, dem man sein Hab und Gut vererben möchte. Was bleibt dann? Vermacht man alles dem Tierschutzverein? Einem Krankenhaus wie diesem? Der Akademie Sinnenschmaus? Jeder Mensch braucht ein echtes, ein lebendiges soziales Netzwerk – wenn er das nicht hat, ist es wirklich dunkel um ihn.«

Pippa war völlig erledigt, als sie spät am Abend zu Hause eintraf. Ihre Gedanken beschäftigten sich mit Karin, die auf Knöllers traurige Worte hin sofort gehandelt und ihn mit Maxi Frühwirt zusammengespannt hatte: Die beiden sollten gemeinsam einen Klapotetz entwerfen, der beim Drehen nicht nur knattert und rattert, sondern eine echte Melodie spielt. Karin hatte sie für den nächsten Morgen ins Krankenhaus bestellt, um bei den Planungen mitwirken zu können.

Typisch Karin, dachte Pippa liebevoll, ich bin froh, sie zur Freundin zu haben.

Sie selbst hatte sich von Karin das Versprechen abringen lassen, die Familie in Berlin keinesfalls über ihren Krankenhausaufenthalt zu informieren. Sie fühle sich pudelwohl, hatte die Freundin versichert, sie wolle nur noch im Krankenhaus bleiben, weil sie sich selten so gut umsorgt gefühlt habe wie hier.

Nach der Ankunft daheim führte der Durst auf eine Tasse Tee Pippa sofort in die Küche, wo sie zu ihrer Überraschung Seeger mit einem Glas Schilcher am Küchentisch vorfand. Vor ihm türmten sich etliche beschriebene Zettel.

»So verliebt, dass du Tagebuch schreibst?«, fragte Pippa und setzte den Kessel auf den Herd.

Paul-Friedrich lachte. »Nein, ich habe alle bisherigen Vorkommnisse chronologisch notiert und sie den betreffenden Personen zugeordnet. Bist du noch aufnahmefähig? Ich würde dich gerne über den aktuellen Stand der Dinge informieren.«

Pippa goss kochendes Wasser in die Teekanne und sagte: »Danke der Nachfrage: Ja, Karin geht es besser. Keine Übelkeit mehr, kein Schwindel. Wenn alles gutgeht, wird sie übermorgen entlassen.«

Seeger sah sie schuldbewusst an. »Tut mir leid, das hatte ich über meiner Wühlerei hier vollkommen vergessen. Aber immerhin bin ich wegen Otto durch die gesamte Nachbarschaft gegangen. Überall habe ich Bescheid gesagt, dass wir ihn vermissen. Auch an der Pension habe ich mein Sprüchlein aufgesagt. Und stell dir vor: Die glauben, ihn gesehen zu haben, wie er erst in Richtung Wald gelaufen ist und dann in Jovan Glantschnigs Vorgarten gespielt hat. Ich bin gleich dorthin, habe den Kater aber nirgends gefunden. Aber immerhin ist das eine Spur. Das ist doch eine gute Nachricht, oder?«

Pippa nickte, wieder versöhnt. »Morgen werden wir Jovan bitten, Augen und Ohren offenzuhalten. Es wäre zu schön, wenn der kleine Streuner sich irgendwo ein warmes Nest gesucht hätte.« Sie holte den Brief von Maxi Frühwirt aus der Tasche und sagte: »Bevor du mir alles erzählst, solltest du das hier lesen. So sieht aktuell die Kommunikation zwischen der Akademie Sinnenschmaus und den Zimmervermietern aus.«

Paul-Friedrich las aufmerksam. »Na, wenn das nicht passt. Wenn das nicht geradezu eine Bestätigung ist! Damit hätten wir einen offiziellen Hauptverdächtigen.«

»Wer jetzt?«, fragte Pippa verblüfft. »Die Frau Direktor?«

»Nein. Der Sekretär der Frau Direktor.«

Mit einem Knall stellte Pippa die Teekanne ab, aus der sie sich gerade eingeschenkt hatte. »Ist nicht dein Ernst. Tonio von Pauritz?«

»Nicht Tonio von Pauritz, sondern Anton Pauritsch. Er hat ein paar kleine, aber feine Buchstaben zu seinem Namen hinzugedichtet.«

Pippa setzte sich mit ihrer Tasse zu ihm an den Tisch. »Er hat sich einen klingenderen Namen zugelegt? Woher hast du denn diese Weisheit?«

Seegers Gesichtsausdruck wurde schwärmerisch, als er sagte: »Du machst dir keine Vorstellung, was wir alles in Ricardas Zeitungsarchiv gefunden haben. Die haben jeden, über den irgendwann einmal etwas in der Zeitung stand, ständig auf dem Schirm.«

Pippa war sich nicht sicher, ob sie das wissen wollte, schließlich war sie mittlerweile bei fünf Mordermittlungen dabei gewesen – und das ergab einige Zeitungsseiten.

»Allerdings fanden wir keine Silbe über einen Tonio von Pauritz, jedenfalls nicht offiziell«, erzählte Seeger weiter. »Aber dann haben wir ein Foto von einem *Anton Pauritsch* entdeckt, der unserem smarten Tonio aufs Haar glich. Und über diesen Anton gibt es eine Fülle von Informationen, denn er hat sich bereits in vielen, vielen Berufen versucht: Immobilienmakler, Anlageberater, Privatermittler – und jetzt eben Sekretär. Je nachdem, wo er sich die besten Aussichten für seine Hauptaktivitäten erhoffte.« Er machte eine dramatische Pause und fuhr dann fort: »Tonio ist professioneller Hochstapler und Heiratsschwindler. Und wenn ich mir diesen Brief so anschaue: vielleicht sogar Erpresser.«

🐾 Kapitel 15 🐾

*D*as ist ja wohl die Höhe! Die absolute Höhe!«
Stefan Kleindienst, den man erst hörte und dann
sah, kam in den Frühstücksraum gestürmt, die Tageszeitung
über dem Kopf schwenkend. Dann knallte er sie auf den
Tisch, an dem Margit, Karl Heinz, Pippa und Paul-Friedrich
saßen und sich Eier mit Speck schmecken ließen.

»Und uns zieht sie mit rein!«, tobte der erboste Kursleiter
weiter. »Eine Unverschämtheit ist das! Was bildet diese Frau
sich ein? Der reinste Spießrutenlauf war das gerade vor dem
Tor, von allen Seiten Mikrofone! Hätte sie eben besser auf
ihren Mann aufpassen sollen! Ich an Bernhards Stelle wäre
schon lange vorher weggelaufen.«

Pippa verabschiedete sich innerlich von ihrem ursprünglichen Plan, Margit und Karl Heinz um eine gemeinsame
Unterredung mit der Frau Direktor über Tonio von Pauritz
zu bitten. Stattdessen nahm sie die Plutzerkogeler Gazette
zur Hand und starrte sprachlos auf das große Foto auf der
Titelseite: Renate Lipp presste ein Schild an die Brust, auf
dem das Konterfei ihres Mannes zu sehen war. Ihre Miene,
für die sie vermutlich lange vor dem Spiegel geübt hatte, war
eine irritierende Mischung aus Verzweiflung und dem Bemühen, dabei möglichst attraktiv auszusehen. Im Artikel
unter dem Aufmacher *Wo bist du, Bernie?* flehte sie die Be-
völkerung von Plutzerkogel und Umgebung in zu Tränen
rührenden Worten um Hinweise an, wann man ihren geliebten Gatten zuletzt gesehen habe. Alles könne wichtig sein,

wurde sie zitiert, und man möge sich, falls man Angaben dazu machen könne, direkt bei ihr oder im Ladengeschäft der Tierpräparatorin Aloisia Krois melden.

Während Pippa las, ereiferte Kleindienst sich weiter: »Es ist überall! Im Radio, im lokalen Fernsehen, einfach überall! Berg und Tal sprechen über nichts anderes mehr, als dass Bernhard Lipp seit Freitag verschwunden ist. Und der Gipfel ist: Für heute ist eine öffentliche Presseerklärung geplant! Wie hat sie es nur geschafft, in sämtliche Medien zu kommen?«

»Sie wird einen ausgefuchsten Berater haben«, knurrte Paul-Friedrich.

Gleichzeitig sahen Pippa und Margit sich im Frühstücksraum nach Axel von Meinrad um, aber er war nirgends zu sehen.

»Das Schlimmste ist«, fuhr Kleindienst fort, »überall wird betont, dass Bernhard zuletzt in der Akademie Sinnenschmaus gesehen wurde, ehe er spurlos verschwunden ist.« Er sackte auf einen Stuhl, als habe seine Wut alle Energie verbraucht. »Wieso bloß? Wir wussten doch nicht einmal, dass er nicht zu Hause angekommen ist, oder? Die Frau Direktor muss zu den Reportern hinausgehen und ihnen erklären, dass wir nichts, aber auch gar nichts mit Bernhards Verschwinden zu tun haben.«

Karl Heinz stand auf und räusperte sich. »Das übernehme ich. Gertrude ist heute früh mit Sarah MacDonald zum Flughafen nach Graz gefahren. Sie holen einen Dozenten ab, einen Experten für keltische Geschichte. Er will sich die Ausgrabungen auf Josefas Alm ansehen und sie dokumentieren. Ein paar interessante Vorträge für die Akademie sind auch geplant.«

Morris kommt heute!, dachte Pippa erschrocken. Über den Aufregungen des vergangenen Tages hatte sie völlig vergessen, dass ihr schottischer Freund nach Plutzerkogel unterwegs war.

Sie stöhnte und murmelte Margit zu: »Wie sagt Gertrude Schliefsteiner immer so schön: *Ich glaub, ich brauch die Alm.* Ich ahne, das wird bei mir in den nächsten Tagen häufiger der Fall sein.«

Dennoch war niemandem nach Scherzen zumute, denn der reißerische Aufmacher und der Aufruf der Tageszeitung verhießen einen anstrengenden Tag.

Paul-Friedrich neigte sich Pippa zu und flüsterte: »Unser Gespräch mit Frau Direktor und ihrem sauberen Herrn Sekretär muss warten. Die Schadensbegrenzung für die Akademie ist jetzt wichtiger. Auf einen Tag mehr oder weniger kommt es auch nicht mehr an. Tonio wird nicht gerade heute etwas anstellen, auf das wir nicht gefasst sind.«

»Da wäre ich mir gar nicht so sicher.« Unauffällig deutete sie mit dem Kopf zum Fenstertisch, an dem der Sekretär und Naomi Schultze schmachtende Blicke tauschten.

»Das ist wahre Zuneigung, sich so nach dem geliebten Mann zu verzehren«, sagte Tonio gerade in einer Lautstärke, dass sich ihm prompt die allgemeine Aufmerksamkeit zuwandte, »so viel Angst um ihn zu haben, dass man ihn öffentlich bittet zurückzukommen. Das würde ich für meine Angebetete auch tun. Ich würde allerdings nicht tagelang damit warten.« Er drehte sich zu Tobias Jauck am Nebentisch um und fügte hinzu: »Oder wie sehen Sie das?«

Die Blicke aller Anwesenden wandten sich synchron Jauck und Livia Riegler zu. Während er nicht auf die Frage reagierte und nur totenblass dasaß, biss Livia völlig ungerührt und fast schon triumphierend in ihr zweites Brötchen des Tages.

Schweren Herzens ließen Pippa und Seeger die Unterwegers inmitten der aufdringlichen Pressemeute zurück und machten sich auf den Weg nach Deutschlandsberg, um mit Renate Lipp zu reden. So gern sie ihren Freunden zur Seite gestanden hätten – dort konnten sie besser helfen. Pippa bestand darauf, sich vorher noch Jacke und Regenschirm zu holen, denn es war deutlich kühler als in den Tagen zuvor, und ein paar Wolken kündigten einen Schauer an.

Pippa und Paul-Friedrich gingen die Straße entlang und an Maxi Frühwirts Haus vorbei. Der Wind rüttelte an ihren Klapotetzen und hätte die Räder in rasende Bewegung versetzt, wären sie nicht so gut vertäut gewesen.

»Alle zusammen, das gäbe ein Konzert fürs ganze Tal«, sagte Paul-Friedrich.

Pippa lachte. »... und würde die Zugvögel lange vor Ende der Saison zum Aufbruch überreden.«

In Lenzbauers Haus nahm sie ihre Jacke von der Garderobe und schlüpfte hinein. »Verdammt, wo ist denn der Regenschirm?«

»Was murmelst du da?«, rief Paul-Friedrich aus der Küche.

»Ich suche Lenzbauers Regenschirm! Einen roten Stockschirm. Ich würde ihn gern mitnehmen, es sieht nach Regen aus. Gestern stand er noch hier neben der Flurgarderobe. Hast du ihn aus dem Schirmständer genommen?«

Paul-Friedrich kam in den Flur. »Hab ich nicht. Aber wir brauchen auch keinen Schirm. Ich bitte Ricarda einfach, uns mit dem Auto zu fahren.«

Heimlich zog Pippa eine Grimasse. »Von mir aus. Sie soll aber ihren Presseausweis mitbringen, dann gehören wir wenigstens richtig dazu.«

Die ruhige, wenig befahrene Seitenstraße, in der das Doppelhaus der Lipps stand, war vollkommen verstopft. Kreuz und quer parkten Autos. Im Garten, auf dem Bürgersteig, selbst auf der Straße standen Neugierige und Reporter, obwohl die Presseerklärung erst in mehr als einer Stunde abgegeben werden sollte. Auf der etwas erhöht liegenden Terrasse stand ein Bistrotisch, an dem ein riesiges Konterfei Bernhard Lipps lehnte. Da das Haus auf einem Hammergrundstück lag und so von drei Seiten einsehbar war, wollte Renate Lipp sich offenbar von dort aus an die Menge wenden. Während Ricarda und Paul-Friedrich sich unter die Leute mischten, um ein paar Stimmen einzufangen, schob sich Pippa durch die Reihen der Neugierigen. Sie gab die Hoffnung auf, jetzt ein Vieraugengespräch mit Renate Lipp führen zu können, aber vielleicht konnte sie sich, wenn sie weiter vorne stand, wenigstens zu Wort melden und die junge Frau ausbremsen.

Als sie sich durchgekämpft hatte, sah sie auf der anderen Seite des Gartenzauns Axel von Meinrad zwei Männer herumscheuchen, die Kabel für ein Mikrofon verlegten. Der Journalist glühte geradezu vor Eifer.

»Herr von Meinrad!«, rief Pippa auf gut Glück, und tatsächlich eilte er sofort zu ihr.

»Können Sie diesem Irrsinn nicht Einhalt gebieten?«, fragte sie. »Wem soll das nutzen? Dieser ganze Rummel tut doch weder Frau Lipp noch ihrem kleinen Sohn gut.«

Der Journalist hob die Brauen. »Aber nicht doch! Dann würde die Welt einen wirklich bemerkenswerten Auftritt verpassen, und unser Training der letzten Tage wäre ganz umsonst gewesen. Renate ist überaus talentiert. Tränen, Verzweiflung, das gesamte emotionale Programm. Nicht nur die hiesige Presse wird zufrieden sein. Ich werde für republikweites Interesse sorgen, vielleicht bekomme ich die Geschichte sogar in den überregionalen Zeitungen Europas lanciert. Wenn Renate ihre Trümpfe richtig ausspielt, springt sowohl für sie als auch für mich deutlich mehr heraus als ein Urlaub auf Mallorca. Ein Frauenmagazin hat bereits Interesse an einer Coverstory angemeldet.« Mit beiden Händen zeichnete von Meinrad grinsend ein Banner in die Luft. »Die Story über die traurigste aller Ehefrauen und die gefährlichste aller Genussakademien, nach deren Besuch Menschen spurlos verschwinden.«

Plötzlich war Pippa heilfroh, dass von Meinrad beschäftigt war und kein Interesse mehr daran hatte, Karins angeblichen Schwindelanfällen hinterherzuschnüffeln. Nicht auszudenken, was die Leute in der Transvaalstraße 55 sagen würden, wenn die Freundin zum unfreiwilligen Star einer Zeitungsstory avancieren würde.

Obwohl Pippa innerlich kochte, riss sie sich zusammen. »Aber was wird aus Ihrer Sensationsstory, Herr von Meinrad, wenn sich für Lipps Verschwinden eine ganz banale Erklärung findet?«

Von Meinhard zuckte spöttisch mit den Achseln. »Ich bin überzeugt, dass es diese banale Erklärung geben wird, ganz bestimmt sogar. Nur – wie die aussehen und wie darüber in den Zeitungen berichtet wird«, er streifte die an einem Fenster stehende Renate Lipp mit einem abschätzigen Blick, »das wird von mir abhängen. Ich werde entscheiden, was berichtet wird. Und vor allem: wie.«

Pippa begriff, und Renate Lipp tat ihr sofort leid. »Wenn es Ihnen passt oder nutzt, werden Sie sie fallenlassen und der Lächerlichkeit preisgeben, nicht wahr? Renate Lipp ist Ihnen vollkommen gleichgültig. Wer sich Ihnen anvertraut, kann sich auch gleich mit des Teufels Bruder ins Bett legen.«

Von Meinrad lächelte geschmeichelt, als hätte sie ihm ein Kompliment gemacht. Dann musterte er Pippa von oben bis unten. »Wo wir gerade von Bett sprechen: Ich dachte tatsächlich erst, Sie sind Ihrem Gatten untreu.« Er sah hinüber zu Paul-Friedrich und Ricarda. »Aber tatsächlich verhält es sich andersherum. Ich habe die zwei vorgestern gemeinsam ins Burghotel gehen sehen. Auf der Seite, auf der sich der Zimmertrakt befindet. Nach Mitternacht.« Von Meinrad forschte in ihrem Gesicht nach einer Reaktion und fuhr gehässig fort: »Ihr Glück, dass ich mit Frau Lehmann-Jauck in Zukunft noch enger zusammenzuarbeiten gedenke, viel enger. Solange es mir nutzt, ist euer schäbiges kleines Geheimnis bei mir sicher. Sie sind ja alle so tolerant, da werden Sie sich, meine Liebe, wohl demnächst auch ein wenig Amüsement gönnen, schätze ich. Aber mit wem? Tobias Jauck ist ja nicht wirklich Ihr Typ. Viel zu sanft. Keine Herausforderung für eine Frau Ihres Formats.« Er fischte eine Visitenkarte aus der Brusttasche seiner Jacke und übergab sie der sprachlosen Pippa. »Deshalb können Sie *mich* jederzeit anrufen. Ich liebe Rothaarige.«

Renate Lipp kam aus dem Haus, gehüllt in ein Pepita-Kostüm, das vermutlich jeden Zweifel an ihrer Seriosität im Keim ersticken sollte. Sie war perfekt geschminkt und hatte ihr langes blondes Haar zu einem züchtigen Knoten hochgesteckt.

Unglaublich, dachte Pippa, sie müsste beinahe in meinem Alter sein, geht aber, wenn sie es darauf anlegt, locker für zehn Jahre jünger durch.

Renate Lipp stellte sich demonstrativ eng neben den Journalisten und drohte ihm spielerisch mit dem Zeigefinger. »Axel, du wirst mir doch nicht untreu?« Dann musterte sie Pippa und sagte: »Sie habe ich doch schon mal gesehen. Bei Poldi Pommer. Sie wohnen in Lenzbauers Haus, solange er mit Nina auf Kur ist, richtig? Sie sind auch oben in der Akademie. Passen Sie gut auf Ihren Mann auf, sonst kommt er Ihnen auch noch abhanden.«

Lautlos formte Axel von Meinrad die Worte: »Ist er schon, ist er schon.«

Pippa rang um Fassung. Von Meinrad führte sich auf, als wäre alles nur ein Spaß, und Renate Lipp ließ sich von ihm vor den Karren spannen – es war zum Verzweifeln.

Dennoch sagte sie freundlich: »Ich wünsche Ihnen von ganzem Herzen, dass Sie Ihren Mann bald gesund wiederhaben, Frau Lipp. Aber wäre es nicht besser, statt dieses ganzen Aufwandes eine Vermisstenanzeige aufzugeben? Direkt mit der Polizei zu reden?«

Renate Lipp blitzte sie aus zusammengekniffenen Augen an. »Zur Polizei? Die dann was macht? Eine Akte anlegen?« Abrupt wandte sie sich ab und zog von Meinrad mit sich in Richtung Haus.

Pippa hörte hinter sich eine Frau missbilligend sagen: »Gut und schön, diese Öffentlichkeit, aber wenn ich an Bernhards Stelle wäre und mich tatsächlich melden könnte, würde ich mich nach diesem Zirkus nicht mehr trauen. Wie soll sich der arme Mann denn je wieder hier blicken lassen, falls er nur einen ehelichen Ausrutscher hatte?«

Pippa drehte sich zu der Sprecherin um. »Halten Sie es denn für möglich, dass er sich einfach so eine familiäre … *Auszeit* genommen hat? Ist so etwas schon vorgekommen?«

»Bei ihm nicht. Bei ihr allerdings …« Die alte Dame sah sie bedeutungsvoll an. »Ich bin die Nachbarin. Thea Wolfgruber.« Sie deutete auf das Haus. »Ich wohne in der anderen Hälfte. Als Nachbarin sieht und hört man vieles, und manchmal mehr, als man will. Wer so ein und aus geht, zum Beispiel. Das ist nicht immer nur der Ehemann oder die Aloisia Krois, die wieder mal den kleinen Lukas abholt, damit er nicht so einsam ist. Nein, das Haus ist zu einem richtigen Taubenschlag geworden. Ganz anders als zu der Zeit, als der Bernhard noch allein hier wohnte.«

Interessant, dass sie nicht auf ihrer Terrasse sitzt, dachte Pippa, die grenzt doch direkt an die der Lipps und wäre ein Logenplatz. Aber Klatsch und Tratsch hier in der Menge sind natürlich viel prickelnder … und nützlicher für mich.

Da Aloisia Krois und die auskunftsfreudige Dame ihr etwa gleich alt erschienen, fragte Pippa: »Ist Frau Krois eine Freundin von Ihnen?«

Die Nachbarin nickte. »O ja. Oder besser: Das war sie, solange sie noch Zeit hatte, an unserem Kaffeekränzchen teilzunehmen. Wir treffen uns einmal wöchentlich in den Cafés der Umgebung, am liebsten oben in Plutzerkogel beim Beppo. Aber Aloisia betreut ja mittlerweile stets und ständig den kleinen Lukas. Jetzt spreche ich sie praktisch nur noch, wenn sie meinem Mann eines ihrer Kunstwerke vorbeibringt.«

»Kunstwerke?«

»Mein Mann ist Jäger. Da lässt er natürlich das eine oder andere Geweih von unserer Tierpräparatorin herrichten, um es als Flurgarderobe zu verkaufen. Wirklich stabil, diese Geweihe, die halten auch den schwersten Lodenmantel aus. Mein Franz und die Aloisia arbeiten da Hand in Hand. Wenn Sie also auch eine Flurgarderobe für die Ewigkeit haben wollen …«

Ehe Pippa antworten konnte, ertönte ein schriller Pfeifton, das typische Geräusch einer Rückkoppelung. Die Wartenden stöhnten synchron auf, einige hielten sich die Ohren zu. Alle blickten zur Terrasse, wo von Meinrad, ärgerlich über den misslungenen Beginn seines Auftritts, mit der flachen Hand auf das Mikrofon klopfte, das die dumpfen Töne vielfach verstärkte. Auch von Meinrads unflätiger Fluch drang lautstark aus den Lautsprechern, woraufhin der Journalist dunkelrot anlief. Er gewann seine Fassung aber rasch zurück.

»Meine Damen und Herren«, sagte er, »im Namen von Renate Lipp bedanke ich mich für Ihr zahlreiches Erscheinen und Ihr Interesse. Frau Lipp hat mich gebeten, für sie zu sprechen. Für die Kollegen von der Presse liegen Mappen bereit, die ich Ihnen gerne zur Verfügung stelle, sobald wir die Modalitäten geklärt haben. Das gilt auch für Fotos von Frau Lipp. Kein Bild von ihr erscheint ohne meine Genehmigung.«

Die anderen Journalisten protestierten, und von Meinrad hob beschwichtigend die Hände. »Herrschaften, Sie kennen das doch. Das dient nur dem Schutz der Persönlichkeitsrechte der Familie Lipp.«

Ricarda und Paul-Friedrich hatten sich mittlerweile zu Pippa durchgedrängt, und Ricarda sagte: »Ich kann mir keinen rechtschaffenen Kollegen vorstellen, der das *nicht* versteht. Aber ob das noch so ist, nachdem sie mit Axel von Meinrad gesprochen haben, steht auf einem anderen Blatt.«

»Am letzten Freitagmorgen ist Bernhard Lipp wie jeden Tag in aller Frühe zur Arbeit aufgebrochen«, referierte von Meinrad. »Als Prokurist der Steirer Biodünger AG hat er sich zur Gewohnheit gemacht, stets gemeinsam mit seinen Mitarbeitern den Arbeitstag zu beginnen und so mit gutem Beispiel voranzugehen.«

Renate Lipp, die neben ihm stand, nickte bestätigend. Wenn sie nicht gerade die Augen mit einem Taschentuch betupfte, schaukelte sie die Kinderkarre, in der ihr kleiner Sohn lag.

»Rührende Szene«, ätzte Paul-Friedrich. »In welchem Film habe ich die schon mal gesehen?«

»Wie jeden Freitag«, fuhr von Meinhard mit erhobener Stimme fort, »machte Bernhard Lipp um 14 Uhr Feierabend, um an Fortbildungskursen der Akademie Sinnenschmaus in Plutzerkogel teilzunehmen. Wie jeden Freitag wartete seine liebende Gattin ab 18 Uhr mit dem Essen auf ihn.«

Renate Lipp unterdrückte ein Schluchzen und blickte gefasst in die Menge. »Es gab sein Lieblingsessen: Speckknödel mit Pilzen in Rahmsoße.«

Mitfühlend drückte von Meinrad der sichtlich leidenden Frau an seiner Seite die Schulter.

Pippa wusste nicht, ob sie lachen oder sich mit Buhrufen Luft verschaffen sollte, derart verlogen und theatralisch fand sie die Vorstellung. Trotzdem knurrte ihr Magen bei der Erwähnung des köstlichen Essens.

»Ich schätze, das Drehbuch sieht vor, dass jetzt die Tränen reichlicher fließen und er ihr ein frisches Taschentuch reicht«, sagte sie. »Da! Er tut es tatsächlich!«

Von Meinrad gab vor, selbst ergriffen zu sein, und wischte sich über die Augen. »Um 19 Uhr begann Renate Lipp, sich Sorgen zu machen. Sie fragte in der Akademie nach, wo man ihr versicherte, ihr Gatte sei nach dem letzten Kurs nach Hause aufgebrochen. Aber ist er das tatsächlich? Wie auch immer: Bis heute bleibt die Akademie unter ihrer Direktorin Gertrude Schliefsteiner bei dieser Geschichte.« Er blickte suchend in die Menge. »Aber ich frage Sie: Wenn sie sich ihrer Sache so sicher sind, warum ist dann niemand aus dem Vorstand dieser Institution meiner heutigen Einladung gefolgt? Das kann ich Ihnen sagen: Man fürchtet genaueres Nachfragen! Auch und besonders, weil in letzter Zeit die Qualität und die Sicherheit der Kurse zu wünschen übrigließen. Nur zwei Beispiele: der tragische Unfall der kleinen Nina Lenzbauer und das salmonellenverseuchte Gebäck in einem der Backkurse.«

Durch die Menge ging ein Raunen, und einige der anwesenden Reporter machten sich hektisch Notizen.

»Aber das ist noch nicht alles!«, rief von Meinrad. »Die Akademie Sinnenschmaus hat Bernhard Lipps Verschwinden als Bagatelle abgetan und Renate Lipp davon *abgehal-*

ten, nach ihrem Mann zu suchen. Ich selbst bin seit Tagen Gast dieser Akademie und habe niemanden den Namen Bernhard Lipp auch nur erwähnen hören. Meine sehr verehrten Damen und Herren, das Verschwinden eines Menschen wird bewusst totgeschwiegen!«

Bei dem Wort ›tot‹ schluchzte Renate Lipp so laut auf, dass der kleine Lukas wach wurde und zu weinen begann. Sie hob ihn aus der Karre, hielt ihn vor die Linsen der zahlreichen klickenden und surrenden Kameras und flehte mit tränenerstickter Stimme: »Komm zurück, Bernhard! Tu es für unseren Sohn. Lukas braucht dich. Von mir ganz zu schweigen – ich bin ja nichts ohne dich.«

Kapitel 16

I ch muss hier weg«, sagte Pippa mit zusammengebisse-
nen Zähnen, »sonst stürme ich die Bühne und gehe den
beiden an die Gurgel. Das ist ja nicht auszuhalten!«

Gerade nahm Axel von Meinrad der weinenden Frau
das Kind aus dem Arm und wiegte es sanft.

Seeger wandte sich kopfschüttelnd vom Geschehen auf
der Terrasse ab. »Du hast recht, ich habe dieses Theater
auch satt.«

»Satt *wäre* ich gern«, erwiderte Pippa. »Auf zum Mittagessen, ich brauche jetzt ehrliche Kost.« Sie bemerkte, dass
Ricarda zögerte, und fragte sie: »Oder denkst du, dann verpassen wir was bei diesem Almauftrieb der Gefühle?«

Ricarda Lehmann-Jauck schüttelte den Kopf. »Jedenfalls
nichts, was wir nicht schon gesehen und gehört haben. Das
war alles einstudiert und abgekartet. Echte Gefühle sehen
anders aus.«

Paul-Friedrich blickte in den Himmel. »Außerdem wird
es gleich regnen. Dann ist es eh vorbei mit dem Massenauf-
lauf.« Fröstelnd zog er sein Sommersakko enger um sich und
hüstelte verlegen. »Es ist verdammt kühl, wenn man länger
steht. Macht es euch etwas aus, wenn ich rasch ins Kaufhaus gehe und nachfrage, ob die Lederjacke noch da ist?«

»Aber danach sollten wir so schnell wie möglich mehr
über Bernhard Lipp herausfinden«, sagte Ricarda. »Ich
schlage vor, wir unterhalten uns mit seiner Sekretärin, bevor
es andere tun.« Sie zuckte mit den Schultern. »Ich bin und

bleibe Journalistin: Wenn hinter alldem hier eine gute Story steckt, will ich sie für meine Zeitung. Und zwar die Wahrheit, und nicht die Von-Meinrad-Version.«

»Das würde ich mir sehr wünschen«, erwiderte Paul-Friedrich, »denn dann schlagen wir zwei Fliegen mit einer Klappe: Wir erfahren mehr über Bernhard und werden gleichzeitig Axel von Meinrad los. Für immer, hoffe ich.«

Bei seinen letzten Worten konnte Pippa sich ein Grinsen nicht verkneifen. Offenbar plante Paul-Friedrich für die Zukunft: ohne von Meinrad, aber mit Ricarda Lehmann-Jauck.

Sie gingen zu Fuß bis zum Hauptplatz, und Pippa schickte ihre beiden Begleiter ins Geschäft.

»Ich warte hier auf euch«, sagte sie, »und kauft bitte unbedingt noch zwei Regenschirme. Ich fürchte, wir werden sie bald brauchen.«

Endlich allein, versuchte sie sofort, Morris zu erreichen, landete aber nur auf seiner Mailbox.

»Verdammt«, murmelte sie, »entweder, du hast es nach dem Flug noch nicht wieder eingeschaltet, oder du bist schon auf der Alm und hast keinen Empfang mehr. So ein Mist!«

In diesem Moment klingelte ihr Telefon, und auf dem Display erschien Karins Nummer. »He, wie geht es dir heute?«, fragte Pippa.

»Tja, wie soll es mir schon gehen, wenn ihr das Unterhaltungsprogramm live genießen könnt, während ich in der zweiten Reihe sitze?«

»Du hast von Renate Lipps Selbstdarstellungskünsten gehört?«

»Der Lokalsender hat die Presseerklärung übertragen. Erstaunlich talentiert, diese Frau. Ich bin schwer beeindruckt.« Sie kicherte und fuhr fort: »Aber weißt du was? Ab morgen mische ich wieder mit, denn dann darf ich hier raus.

Das Personal feiert schon. Erzähl doch mal, was ich in der Zwischenzeit alles verpasst habe.«

Während Pippa berichtete, hörte Karin aufmerksam zu, dann sagte sie: »Interessieren würde mich allerdings, was zwischen Renate und der immer so korrekten Frau Direktor wirklich gelaufen ist. Ob sie Renate tatsächlich geraten hat, keine Vermisstenanzeige aufzugeben?«

»Renate hat Frau Schliefsteiner wohl am späten Freitagnachmittag angerufen und gefragt, wie lange die Kurse noch dauern. Sie wolle mit ein paar Freundinnen ausgehen und sitze auf heißen Kohlen, weil Bernhard zwar versprochen habe, auf Lukas aufzupassen, aber immer noch nicht aufgekreuzt sei. Gertrude hat daraufhin nachgefragt, aber alle beteiligten Dozenten bestätigten unabhängig voneinander, dass Bernhard sich bereits in bester Laune ins Wochenende verabschiedet hatte. Am nächsten Tag hat Frau Direktor dann telefonisch bei Renate nachgefragt, ob Bernhard noch rechtzeitig eingetroffen sei, wurde aber nur schnippisch eines anderen belehrt. Daraufhin hat Frau Schliefsteiner äußerst besorgt Margit angerufen. Du erinnerst dich vielleicht, wir saßen gerade im Zug nach Graz.«

»Stimmt«, erwiderte Karin. »Aber hat Renate am Abend zuvor tatsächlich brav zu Hause gewartet oder ist sie trotzdem auf Tour gegangen? Vielleicht ist Bernhard ja heimgekommen, hat sie nicht angetroffen und ist daraufhin wutentbrannt weggegangen – wohin auch immer? Einfach, um ein Exempel zu statuieren, weil sie nicht gewartet und den kleinen Lukas mal wieder wie einen Sack Kartoffeln bei irgendwem abgeliefert hat. Könnte doch sein.«

»Wer uns das sagen könnte, weiß ich: Aloisia Krois.«

»Und warum seid ihr nicht schon längst bei ihr gewesen? Ehrlich, Seegers Wahrnehmung und Kombinationsgabe scheinen mir in letzter Zeit etwas eingerostet zu sein.«

»Er ist in der Tat ein wenig abgelenkt«, sagte Pippa und weihte ihre beste Freundin in Paul-Friedrichs amouröse Umtriebe ein.

»Ach, so ist das!« Karin lachte und fuhr fort: »Das gönne ich ihm. Dann nehme ich ihm hiermit allerdings das Ermittlungszepter aus der Hand und gebe die Kommandos. Zuerst geht ihr zur Steirer Biodünger AG und gleich anschließend zur Tierpräparatorin. Ricarda, Paul-Friedrich und du – ihr seid jetzt mal meine *Drei Engel für Karin*.«

»Ja, Charlie«, erwiderte Pippa ganz automatisch.

Paul-Friedrich trug nicht nur zwei Regenschirme unter dem Arm, sondern hatte auch seine neue Lederjacke gleich angezogen, als er mit Ricarda wieder aus dem Geschäft kam.

»Karin hat das Kommando übernommen und gewährt uns nur einen kurzen Mittagssnack im Fast-Food-Land«, sagte Pippa. »Sie ist ebenso wie du, Ricarda, der Meinung, dass wir unbedingt unter den Ersten sein sollten, die auf Bernhards Arbeitsstelle recherchieren. Danach geht es auf direktem Weg zu Aloisia Krois. Keine Zeit für Turtelei.«

Paul-Friedrich und Ricarda wechselten einen amüsierten Blick.

»Wie schade für dich«, antwortete Seeger. »Wir wollten dir gerade vorschlagen, dich nach dem Essen zur Alm zu chauffieren, damit du den Rest des Tages mit Morris verbringen kannst.«

Die Steirer Biodünger AG befand sich etwas außerhalb des Stadtkerns in einem modernen, aber gesichtslosen Gewerbegebiet. Durch das weit offenstehende Werkstor betraten sie den Hof. Linkerhand lag die Produktionsstätte, rechts das Bürogebäude. In der kleinen Pförtnerloge am Eingang saß ein schnauzbärtiger Mann, der gerade einer Plastikbox ein

Butterbrot entnahm. Vor ihm stand ein Schild mit der Aufschrift *Mittagspause.*

»Wir wünschen guten Appetit«, sagte Pippa und lächelte. »Können Sie uns bitte sagen, wo wir die Vertretung von Herrn Lipp finden? Oder seine Sekretärin?«

Der Pförtner deutete auf das Schild und biss einen großen Happen von der Klappstulle. »Mibbaffspauffe, fehn Fie boch«, nuschelte er griesgrämig, wobei er kleine Brotkrumen versprühte.

»Vielen Dank, wir finden uns schon zurecht«, sagte Pippa.

Ehe der Pförtner Einspruch erheben konnte, winkte sie ihre Begleiter eilig hinter sich her ins Foyer.

In der großen Vorhalle zeigten mehrere Vitrinen Werbeplakate der firmeneigenen Produktpalette sowie zahlreiche Auszeichnungen und Urkunden. Überall war Bernhard Lipp präsent, entweder als Name auf den Dokumenten oder auf Fotos: bei einem Betriebsausflug mit dem musizierenden Jovan Glantschnig, im Blaumann vor Produktionsmaschinen oder mit Kollegen an ihren Arbeitsstellen. Stets lächelte er fröhlich in die Kamera.

Sofort fiel Pippa die Kette auf, die Bernhard Lipp zu beinahe jedem Kleidungsstück trug – nur wenn er im Anzug posierte, war das Schmuckstück nicht sichtbar, da er es vermutlich unter Hemd und Krawatte verborgen hatte. Sie erkannte die Doppelspirale: Der Anhänger zeigte eines der keltischen Zeichen, die sie von den Erpresserbriefen kannte. In ihren Betrachtungen wurde sie von Seeger abgelenkt, der nachdenklich sagte: »Normalerweise wirken solche Bilder immer gestellt, geradezu anbiedernd. Vor allem, wenn der Chef sich in Arbeitskluft präsentiert. Aber bei ihm sieht es echt aus. Der Mann hat Freude an seiner Arbeit.«

Ricarda ging von Vitrine zu Vitrine. »Er wirkt authentisch, und ich habe in meinem Leben wahrlich schon viele gestellte Fotos gesehen. Die Hingabe an seinen Beruf und seine Mitarbeiter ist deutlich erkennbar.«

Pippa nickte. »Es muss unglaublich hart für ihn sein, dass all dies dem Ende zugeht. Und wenn du dann daheim niemanden hast, der dir durch diese schwere Zeit hilft …«

Ich kann mir gut vorstellen, dass er sich irgendwo verkrochen hat, dachte sie. Vielleicht auch nur, um Kräfte zu sammeln, weil er bald so viele Menschen in die Arbeitslosigkeit schicken muss. Selbst wenn die vermutlich schon ahnen, was ihnen blüht, und ihm nicht die Schuld geben.

»Aber wer so viele gute Freunde hat wie er«, überlegte sie dann laut, »müsste doch jemanden finden können, dem er sich und seine Sorgen anvertrauen kann.«

»Das Verhältnis zu Margit und Karl Heinz ist ja leider gestört«, sagte Paul-Friedrich.

»Und wenn sie doch etwas wissen und uns nur nicht sagen, weil für sie klar ist, dass es nicht mit den Erpressungen zusammenhängt?«, fragte Ricarda, wofür sie sich prompt strafende Blicke von Pippa und Paul-Friedrich einhandelte. »Schon gut, schon gut. Ich meinte ja nur.« Sie deutete auf eine Anzeigetafel an der Wand neben einer breiten Treppe. »Hier, ich habe entdeckt, wo Lipps Büro ist. Bitte folgen Sie mir unauffällig.«

Lipps Büro war leicht zu finden, da alle Türen des Korridors mit Namensschildern versehen waren. Nach dem Anklopfen traten sie ein und standen in einem kleinen Vorzimmerbüro, in dem eine sehr junge Frau am Schreibtisch saß und ihnen neugierig entgegenblickte.

»Sind wir hier richtig? Wir wollen zur Sekretärin von Herrn Lipp«, sagte Pippa, die sich das Hirn zermarterte, wo sie ihrem Gegenüber schon einmal begegnet war.

»Er nennt mich Assistentin«, korrigierte die junge Dame

lächelnd, »und das muss ich wohl sein, denn er kann mich tagelang alleinlassen, ohne dass etwas anbrennt.«

Als sie die Stimme hörte, fiel es Pippa ein, obwohl Lipps Assistentin statt festlicher Abendgarderobe nun ein strenges Kostüm trug.

»Haben Sie bei Prassl noch ein Kleid gefunden?«, erkundigte sich Pippa. »Als mein Mann und ich gingen, hatte nur Ihre Schwester eine Entscheidung getroffen.«

»Habe ich.« Die junge Frau musterte Seeger ausgiebig. »Und ich hätte schwören können, dass Ihr Mann das rote Leinensakko gekauft hat.«

»Hat er.« Pippa grinste. »Aber zwischenzeitlich hat er seinen Geschmack geändert, und dazu passt diese Jacke besser.«

Paul-Friedrich grummelte Unverständliches, und Pippa fügte hinzu: »Er sagt, er freut sich auch, Sie wiederzusehen, und fragt, ob Sie uns freundlicherweise ein paar Fragen beantworten, Frau ...«

Der Gesichtsausdruck der Assistentin wurde misstrauisch. »Öttinger, Sonja Öttinger. Fragen? Zu Bernhard Lipp? Hat man Ihnen unten an der Pforte nicht gesagt ... Moment, bitte.«

Sie griff zum Telefon und wählte.

Dann sagte sie sanft: »Papa, die Anweisung von vorhin gilt *auch* für deine Mittagspause. Wenn du mit den Leuten während des Essens nicht reden willst, schließe bitte so lange das Werkstor. Wenn ich es recht bedenke«, sie streifte Pippa, Ricarda und Paul-Friedrich mit einem Blick, »habe ich genug Publikumsverkehr für heute. Schließ das Tor auf jeden Fall.« Sie legte auf und wandte sich wieder ihren Besuchern zu. »Bisher haben alle nur angerufen und wollten von mir wissen, wo der Chef ist. Mittlerweile läuft der Anrufbeantworter. Von mir gibt es keine Auskünfte mehr. Vor allem nicht mehr für die Presse. Das dürfen Sie allerdings gern zitieren.«

Pippa hob abwehrend die Hände. »Oh, wir sind nicht von der Presse, Frau Öttinger.« Zumindest nicht alle von uns, dachte sie betreten und lächelte gewinnend. »Wir sind sehr gute Freunde der Unterwegers, die kennen Sie doch bestimmt. Und wo wir uns nun bis zu Ihnen durchgeschlagen haben und praktisch schon miteinander shoppen waren – könnten Sie uns vielleicht doch ein paar Fragen beantworten?«

»Könnte ich«, erwiderte Sonja Öttinger, »aber werde ich nicht. Bernhard ist mein Chef und ein guter noch dazu. Ich will, dass das noch lange so bleibt.«

»Das verstehen wir sehr gut«, sagte Paul-Friedrich, »und jeder Chef kann sich glücklich schätzen, eine so loyale Assistentin wie Sie zu haben. Aber wir machen uns große Sorgen. Nicht nur um ihn, sondern auch um alle in der Akademie Sinnenschmaus. Seine Freunde Margit und Karl Heinz sind außer sich.«

»Die Unterwegers, hm? Bernhard hält wirklich große Stücke auf die beiden. Er hat es sehr bedauert, dass zwischen ihnen und ihm Funkstille herrscht. Nicht einmal seinen neuen Kater konnte er ihnen vorstellen, so rigoros hat Renate für Abstand gesorgt.« Sonja Öttinger geriet sichtlich ins Schwanken. »Aber warum kommen die Herrschaften denn nicht selbst, wenn sie wissen wollen, wie es ihm geht?«

»Die haben gerade genauso viele Anrufer wie Sie«, erwiderte Pippa, »mit einem kleinen Unterschied: Sie müssen auch rangehen.«

Die junge Frau nickte. »Also gut. Ich sage Ihnen dann jetzt mal, was ich bisher jedem gesagt habe, der etwas von meinem Chef wollte. Also jedenfalls, *bevor* das ganze Theater von Renate losgetreten wurde: Er ist am Freitag ganz normal zur Arbeit gekommen, hat aber schon morgens in unserem Hauptwerk angerufen und kurzfristig um vierzehn

Tage Urlaub gebeten. Die hat er auch sofort genehmigt bekommen.« Als sie weitersprach, klang sie beinahe angriffslustig, als müsse sie ihren Chef verteidigen. »Er macht ja sonst nie Urlaub, niemals. Er ist immer hier oder bei Lukas. Nur seinen Freitagnachmittag in der Akademie Sinnenschmaus, den lässt er sich nicht nehmen. Er malt eben gerne – und sehr gut, sagt sein Lehrer, der Herr Achleitner.« Sie deutete auf die gerahmten Zeichnungen an den Wänden, die Deutschlandsberg und Umgebung zeigten. »Sehen Sie? Die sind von ihm. Und den Literaturzirkel liebt er auch. Da verpasst er ebenfalls keinen Abend.«

Pippa ging zu einem Aquarell, das in sparsamen Pinselstrichen das Porträt einer jungen Frau darstellte, die eine keltische Doppelspirale an einer Goldkette trug. Das Gesicht war nicht zu erkennen, da der Künstler es hinter wehendem Haar verborgen hatte.

»Wer ist die Frau auf dem Bild?«, fragte Pippa, weil das keltische Amulett sie fatal an das Signum der Erpresserbriefe erinnerte.

Sonja Öttinger lächelte. »Jasmin Lenzbauer, Bernhards Schwester. Gut getroffen, finde ich.«

Pippa sah erstaunt zu Seeger und Ricarda, dann wieder zur Sekretärin. »Jasmin Lenzbauer und Bernhard Lipp sind Geschwister?«

»Ja, natürlich. Wussten Sie das nicht? Die beiden hatten ein sehr enges Verhältnis. Das änderte sich erst, als sie ihren Mann verließ. Keine Ahnung, ob es mehr an ihrem Mann oder mehr an seiner Frau liegt, auf jeden Fall haben die beiden derzeit nur wenig Kontakt. Aber Bernhard trägt aus geschwisterlicher Verbundenheit noch immer die gleiche Kette wie Jasmin. Eben diese ineinander verwobene Spirale. Mich hat das immer beeindruckt, wohl weil meine Schwester und ich eher …« Sonja Öttinger unterbrach sich und kehrte zu einem professionellen Tonfall zurück. »Wie gesagt, der Urlaub wurde ihm gewährt, und ich erwarte ihn am Montag, den 28. Juli, zurück. Ich bin sicher, er wird pünktlich mit allen anderen um sieben Uhr am Werkstor stehen.«

»Und Sie können uns nicht sagen, wo er sich bis dahin aufhält?«, fragte Pippa. »Hat er keinerlei Andeutungen gemacht, ob er wegfahren will?«

Die Antwort Sonja Öttingers bestand aus einem Achselzucken.

»Könnte jemand anderer in Ihrer Firma etwas wissen?«, hakte Ricarda nach. »Vielleicht Jovan Glantschnig. Er und Herr Lipp verstehen sich ja gut.«

Die junge Assistentin schüttelte den Kopf. »Da haben Sie Pech, der ist bis zum Wochenende in Slowenien. Irgendetwas hinbringen, hat er gesagt. Klang dringend. Aber am Wochenende tritt er oben auf der Josefsalm bei einem Hüttenfest für die Akademie Sinnenschmaus auf. Das weiß ich sicher, weil er mich telefonisch gebeten hat, zusammen mit ihm dort zu singen.«

Pippa machte einen letzten Versuch. »Wissen Sie nicht doch irgendetwas, das uns helfen könnte, Ihren Chef zu finden? Können Sie denn nicht verstehen, dass seine Frau sich Sorgen macht?«

Sonja Öttinger zögerte Pippas Meinung nach eine Zehntelsekunde zu lange, bevor sie fest und entschieden antwortete: »Nein, kann ich nicht.«

Es konnte kein Zweifel daran bestehen, dass die junge Frau jetzt kein weiteres Wort mehr sagen würde. Fester als ihr Mund konnte auch der Firmentresor nicht verschlossen sein.

Derweil Seeger und Ricarda Lehmann-Jauck während der Fahrt zurück in die Innenstadt ausgiebig die Tatsache diskutierten, dass Bernhard Lipp und Jasmin Lenzbauer Geschwister waren und bisher niemand an der Akademie Sinnenschmaus diesen Umstand einer Erwähnung für nötig befunden hatte, blickte Pippa aus dem Autofenster, ohne etwas zu sehen. In Gedanken war sie im schönen Holzhaus auf der Alm. Sie sah buchstäblich vor sich, wie Morris in der gemütlichen Schankstube vor Josefas leckerem Mittagessen saß, neben sich Heimatkundler Krois, der enthusiastisch auf ihn einredete und nicht abwarten konnte, ihm die Ausgrabungsstätte auf der Kälberwiese zu zeigen.

Sie seufzte. »Wie viel friedlicher und ruhiger wäre es jetzt auf 1300 Metern Höhe bei Josefa.«

»Ich hör wohl schlecht«, gab Paul-Friedrich feixend zurück, »erst nicht hinwollen und jetzt meckern? So nicht, junge Dame. Zurück zum Thema, wenn ich bitten darf. Außerdem: Dort oben ist es heute noch kälter als hier unten. Wer will da schon in ein nasses Erdloch klettern? Selbst wenn es den keltischen Forschungen dient?«

Aloisia Krois' Ladenwerkstatt lag nahe einer Passage zwischen dem Hauptplatz und einem öffentlichen Parkplatz. Während Ricarda und Paul-Friedrich sich noch einig werden mussten, ob und wie viel Parkgebühr wohl zu entrichten war, ging Pippa bereits zielstrebig auf das kleine Geschäft der Tierpräparatorin zu. Das Schaufenster erinnerte sie an ein Blumenfenster aus den Sechzigern. Aloisia hatte ein Regal hineingebaut, auf dem sie ihre Kunst präsentierte. Braune und graue Fellfarben in allen erdenklichen Schattierungen dominierten: Von Mardern über Bisamratten bis zu Murmeltieren und Dachsen war alles vorhanden.

Pippa nahm sie allerdings nur schemenhaft wahr, denn sie hatte nur Augen für ein Exponat in der Mitte des Fensters.

Nur langsam und mit wachsendem Entsetzen begriff sie, was dort stand und sie ansah: das schwarzweiße Fell, die spitzen Öhrchen, die grasgrünen Augen, die langen weißen Schnurrhaare ... und es trug ein kleines Glöckchen um den Hals.

»Bitte nicht! Das kann nicht wahr sein!«, schrie sie, als die Erkenntnis sie wie ein Hammerschlag traf.

Als Ricarda und Paul-Friedrich sie außer Atem erreichten, hob sie bebend den Finger und zeigte auf das Tier.

»Otto ...«, japste Pippa, »das ist Kater Otto! Ausgestopft!«

❈ Kapitel 17 ❈

ippa zitterten die Knie, ihr versagten die Worte. Während Seeger an ihr vorbei in den Laden stürmte und dabei die Türglocke rotieren ließ, legte Ricarda den Arm um Pippa.

»Ich weiß nicht, was ich sagen soll«, murmelte sie mitfühlend.

Von draußen sahen sie, wie Paul-Friedrich mit Aloisia Krois sprach, die ihm mit vor der Brust verschränkten Armen zuhörte. Dann nahm die Tierpräparatorin das Exponat aus dem Regal und gab es ihm in die Hand. Pippa fühlte Übelkeit in sich aufsteigen, als Seeger ihnen durch die Scheibe winkte und ihnen mit lebhaften Gesten signalisierte, in den Laden zu kommen.

»Ich schaffe das nicht«, sagte Pippa und schüttelte den Kopf, »das kann er nicht von mir verlangen.«

»Schau doch mal, er lächelt«, erwiderte Ricarda, »so schlimm kann es also nicht sein. Lass uns hineingehen.«

Noch immer widerstrebend ließ Pippa sich mitziehen.

Seeger hielt das ausgestopfte Tier in den Händen. »Zugeben, dieses Kätzchen sieht unserem Ausreißer täuschend ähnlich – aber es ist nicht Otto. Das ist kein Katzenfell.«

»Natürlich nicht!«, fauchte Aloisia Krois. »Was denken Sie denn von mir? Klar, es gibt Taxidermisten, die Haustiere ausstopfen, weil die Besitzer sich nach dem Tode ihrer Lieblinge nicht von ihnen trennen können. Ich persönlich lehne das strikt ab.«

Sie nahm Paul-Friedrich das Exponat wieder ab, ging weiter in den Laden hinein und stellte die Katze auf einen großen Arbeitstisch mit heller Oberfläche. In grün gestrichenen Holzregalen, die sich an zwei Wänden entlangzogen, standen weitere Beispiele für die Kunstfertigkeit des Ehepaars Krois: zahlreiche, überaus lebensecht wirkende Kleintiere, scheinbar mitten in der Bewegung erstarrt. Putzige Kaninchen schauten hinter Grasbüscheln hervor, Biber saßen auf einem Stück Baumstamm, sogar eine Murmeltiermutter mit einem Jungtier war unter den Exponaten. Allerdings fiel es Pippa mehr als schwer, Bewunderung für das virtuos ausgeführte Handwerk aufzubringen, sie hatte sich von dem Schreck noch immer nicht erholt.

Aloisia Krois stellte die Katze behutsam auf den Arbeitstisch, beugte sich vor und stupste mit dem Zeigefinger zart auf das rosa Näschen. »Ich habe mir mit dir so viel Mühe gegeben, mein kleiner Kater, so viel Zeit und Liebe hineingesteckt – und jetzt will dich keiner haben. Ungerecht ist das.«

Sie drehte sich abrupt um und bückte sich, um aus dem untersten Regalbrett hinter sich eine schwarzweiß gescheckte Tierhaut zu ziehen, die sie auf den Präparationstisch knallte. »Bitte sehr: Damit habe ich diese Figur bezogen. Das ist das Fell einer Kuh! Die beziehe ich von unserem Fleischhauer.«

»Das … das ist ein Schlachter, richtig?«, fragte Pippa.

Offenbar hatte sie ihre Gesichtszüge noch nicht wieder unter Kontrolle, denn Aloisia musterte sie mit gerunzelter Stirn und stemmte die Hände in die Hüften. »Typisch Städter. Alle wollt ihr Fleisch essen, na, die meisten von euch jedenfalls. Möglichst sogar noch vom Kalb. Je jünger, desto besser. Klein und fein und zart soll das Fleisch sein. Machen Sie sich bei jedem Kalbsfilet Gedanken, dass dafür ein niedliches Tierkind getötet wurde? Nein, im Gegenteil. Sie regen sich höchstens noch auf, wenn das Kilo mehr kostet, als Sie für gerechtfertigt halten. Und dann schieben Sie ein Stück dieses Tierchens in die Bratröhre und gucken auch noch dabei zu, wie es in der Hitze langsam zusammenschmurgelt, damit es besser in Ihren Mund passt.« Sie schüttelte den Kopf. »Aber über mich regen Sie sich auf? Weil Sie glauben, dass ich ein Katzentier eingefangen, getötet und ausgestopft habe? Ist eine Katze niedlicher oder liebenswerter als ein paar Tage altes Kälbchen? Wer bestimmt das eigentlich? Oder regen Sie sich nur auf, weil Katzen bei uns nicht gegessen werden und deshalb Schonung genießen?«

Pippa holte Luft, aber Aloisia Krois war in Fahrt geraten und nicht zu stoppen.

»Ich weiß *genau*, warum ich keine Kurse in der Akademie Sinnenschmaus halten darf«, ereiferte die Tierpräparatorin sich weiter, »weil man meine Handwerkskunst nicht für respektabel genug hält. Geschmackssache. Ich liebe, was ich tue. Ich habe Respekt vor diesen Geschöpfen, deshalb richte ich sie so lebensecht wie möglich her und erhalte sie dadurch. Verstehen Sie – ich *erhalte* diese Tiere. Viele Museen europaweit wissen das und lassen ihre Exponate von mir restaurieren. Aber Leute wie Sie? Ich habe die Nase gestrichen voll davon, dass meine Kunst widerwärtig sein soll, während man in Ausstellungen und Museen rennt, in denen ägyptische Mumien oder Urzeitmenschen aus dem Ötztal zur Schau gestellt werden. Von diesen Menschenpräparatoren neuerdings will ich gar nicht erst anfangen! Finden Sie diese Plastinate etwa nicht widerlich?«

Pippa, Ricarda und Paul-Friedrich hatten dem leidenschaftlichen Monolog offenen Mundes zugehört.

Pippa musste sich eingestehen, dass Aloisia mit ihrer Tirade ins Schwarze traf, auch was sie selbst anging. Bisher hatte sie in den Präparatoren einen Berufszweig gesehen, der dazu beitrug, dass Großwildjäger ihre illegal geschossene Beute als Trophäen an die Wand hängen und vor den Kamin legen konnten, oder Anglern die Möglichkeit bot, mit ihren auf Holz genagelten Prachtstücken vor ihren Konkurrenten zu protzen. Aber jetzt konnte sie nicht umhin, zuzugeben, dass die Argumentation der Tierpräparatorin überzeugend war.

Pippa ging zum Tisch und sah sich den vermeintlichen Otto aus der Nähe an. »Bitte entschuldigen Sie, Frau Krois. Wir wollten Ihnen nicht zu nahe treten, geschweige denn Sie beleidigen. Ich glaubte allerdings, in Ihrem Exponat den kleinen Kater zu erkennen, auf den ich aufpassen soll und der mir vor ein paar Tagen entlaufen ist. Verstehen Sie bitte mein Entsetzen bei dieser Vorstellung.«

Aloisia Krois runzelte die Stirn. »Sie hüten doch das Haus vom Lenzbauer Martin, richtig? Seit wann hat der denn einen Kater?«

»Seit zwei Wochen«, sagte Paul-Friedrich. »Und er sieht diesem hier wirklich täuschend ähnlich.«

Aloisia Krois war sichtlich erstaunt. »Seit zwei Wochen? Das ist seltsam.«

Und was genau ist daran seltsam?, fragte sich Pippa. »Er hat den kleinen Kerl aus der Mülltonne eines Nachbarn gefischt. Der Kater war ganz verschreckt und lebte praktisch unter Herrn Lenzbauers Sofa; wir haben ihn kaum gesehen. Als dann das Badezimmerfenster offenstand, ist er uns entwischt. Er hat sich wohl nach frischer Luft gesehnt. Bestimmt war er nicht daran gewöhnt, eingesperrt zu sein.«

Aloisia Krois nickte langsam. »Verstehe.« Sie schwieg einen Moment und strich gedankenverloren über das strubbelige Fell ihrer Kreation. »Wie heißt denn der Kater?«

»Otto«, erwiderte Pippa.

Aloisia nickte wieder, dann zog sie sich einen Stuhl heran

und ließ sich schwer darauf sacken. »Kennen Sie sich aus mit Katzen? Glauben Sie daran, dass Katzen so weit weglaufen, dass sie nicht nach Hause zurückfinden?«

»Das passiert leider jeden Tag«, erwiderte Pippa. »Deswegen kann man ja heutzutage die Tiere kennzeichnen und in Datenbanken erfassen lassen, damit der Finder sie dem Besitzer leichter zurückbringen kann.«

»Wenn er das will«, murmelte Aloisia Krois. »Nur, wenn er das wirklich will.«

Ricarda Lehmann-Jauck hatte Aloisia scharf beobachtet. Jetzt nahm sie das Exponat vom Tisch und untersuchte das Glöckchen, das es um den Hals hängen hatte. »Dachte ich's mir doch, eine Gravur«, sagte sie und zeigte den anderen die feinen Buchstaben auf dem Metall. »Seht ihr? Das Glöckchen soll nicht nur die Vögel warnen, dass der Kater auf der Pirsch ist – es verrät uns auch den Besitzer.«

»Ich gehöre Bernhard Lipp«, las Pippa, dann folgte eine Telefonnummer. Verblüfft sah sie Aloisia Krois an. »Bernhard Lipp?«

»Dieses Tier war eine Auftragsarbeit meiner Nichte Renate für ihren Mann.« Aloisia Krois seufzte. »Sie kam vor zwei Wochen und erzählte mir, Bernhards Kater sei entlaufen. Bernhard sei untröstlich, sagte sie, und ich sollte einen Zwilling des Tieres anfertigen, als Erinnerung an seinen kleinen Otto. Ich mag Bernhard sehr, deshalb habe ich mich richtig reingehängt.« Sie deutete auf das Exponat, das Ricarda noch immer in den Händen hielt. »Ich habe mir unendliche Mühe gegeben, die Zeichnung des Fells nach den Fotos naturgetreu hinzubekommen. Aber Bernhard wollte ihn nicht haben. Otto ist mir wohl zu gut gelungen und hat ihn zu sehr an seinen kleinen Schmuser erinnert. Er wollte keinen künstlichen Ersatz. Also habe ich ihn zurückbekommen, und seither steht er in meinem Schaufenster.«

»Hatte der echte Otto auch so ein graviertes Glöckchen?«, fragte Pippa.

Statt einer Antwort ging Aloisia Krois zu einer Kommode und zog eine Schublade auf, der sie einige Fotos entnahm. »Sehen Sie selbst.«

Pippa blätterte die Fotos durch – auf allen trug der echte Otto ein Warnglöckchen.

Paul-Friedrich hatte ihr über die Schulter gesehen. »Lenzbauer dürfte also gewusst haben, wem Otto gehört. Warum hat er ihn nicht zurückgegeben?«

»Zumal ich bezweifle, dass das Glöckchen verlorengegangen ist«, sagte Pippa. »Und die Wahrscheinlichkeit, dass Lenzbauer sich zufällig einen so ungewöhnlichen Namen wie *Otto* für den Kater ausdachte wie Bernhard, ist doch nun wirklich eins zu einer Million. Da gewinnt man ja eher im Lotto.«

»Jetzt mal der Reihe nach.« Paul-Friedrich wandte sich an Aloisia. »Vor zwei Wochen ist Bernhards Kater weggelaufen, und Renate kam zu Ihnen, um Ihnen den Auftrag zu erteilen. Mit Foto und Glöckchen?«

Die Tierpräparatorin nickte.

»Wann war das Duplikat fertig?«, fragte Seeger.

»Am letzten Donnerstag habe ich Renate Bescheid gegeben, und am Freitag hat sie es abgeholt«, antwortete Aloisia Krois. Ihr war sichtlich unbehaglich. »Ich habe mich benutzen lassen, das muss ich mir wohl eingestehen. Ich habe mich benutzen und für dumm verkaufen lassen.«

»Von Bernhard oder von Renate?«, hakte Ricarda nach.

Die Tierpräparatorin schnaubte. »Was glauben Sie denn? Warum habe ich wohl geschwiegen? Weil es um meine Nichte geht, natürlich. Ich dachte, ich könnte helfen, ihre Ehe zu kitten. Die beiden haben sich ja nur noch gestritten.«

Langsam wurde es interessant, fand Pippa. »Wissen Sie, worüber sie gestritten haben?«

»Die Liste, worüber sie sich nicht in den Haaren hatten, wäre deutlich kürzer. Aber in erster Linie ging es wohl darum, welche Position Bernhard in Zukunft bei der Steirer Biodünger AG bekleiden soll. Es gibt mehrere Stellenausschreibungen, die Renate gefallen, Bernhard allerdings nicht, und das hat sie aufgeregt. ›Dieser Mann will einfach nichts aus sich machen‹, hat sie gesagt, ›und jetzt muss ich ihn auch noch von einer Entscheidung abbringen, die grober Unsinn ist.‹«

»Hat sie das näher erklärt?«, fragte Paul-Friedrich.

Aloisia Krois schüttelte den Kopf. »Ich habe auch nicht nachgefragt. Vom ewigen Hickhack zwischen den beiden, ganz gleich zu welchem Thema, habe ich schon lange die Nase voll. Ich sagte also: ›Rauft euch endlich zusammen, schon wegen Lukas. Oder ich nehme den Jungen heute Abend zum letzten Mal. Redet miteinander und findet eine Lösung, sonst ist ein für alle Mal Schluss mit meinem Babysitterservice.‹«

»Und das haben Sie ihr am Freitagnachmittag gesagt, als Sie ihr das Exponat gegeben haben?«, wollte Ricarda wissen. Als Aloisia Krois nickte, fuhr Ricarda fort: »Sie wissen aber, was heute durch alle Medien geht, nicht wahr? Dass Bernhard am Freitag nach der Arbeit beziehungsweise nach seinem Aufenthalt in der Akademie nicht mehr nach Hause gekommen ist.«

Aloisia Krois verzog das Gesicht. »Aber Sie und ich wissen doch beide: Bernhard *muss* zu Hause gewesen sein. Sonst wäre dieses Tier«, sie deutete auf die Nachbildung von Otto, »nicht seit Samstagmorgen wieder hier, richtig?« Sie fuhr sich mit der Hand über das Gesicht. »So aufgebracht war er noch nie, sagt Renate. Er hat das Ding auch zuerst für den echten Otto gehalten.« Aloisia wies auf Pippa. »Genau wie

226

Sie. Bernhard dachte, Renate wollte ihm eins auswischen und hätte seinen geliebten Kater ausstopfen lassen. Als er endlich erkannte, dass es eine Nachbildung war, hat er das Ding nach ihr geworfen, so sauer war er. Daraufhin erklärte sie ihm, sie habe den Kater weggegeben, weil ihm das Tier wichtiger sei als seine Familie. Egal, was er veranstaltete – sie rückte nicht damit raus, wo Otto ist. ›Du bekommst das Vieh nur zurück, wenn du dich nach Graz bewirbst und mich endlich aus der Provinz herausholst‹, hat sie gesagt. Da ist Bernhard durchgedreht, hat sich meinen Kater gegriffen, ist aus dem Haus gestürmt und hat sich die ganze Nacht nicht mehr blicken lassen.«

»All das hat Renate Ihnen so frank und frei erzählt?«, fragte Pippa.

Aloisia Krois nahm den künstlichen Kater und drehte ihn in den Händen. Nach langer Bedenkzeit sagte sie: »Nein, das weiß ich von Bernhard. Und er hat sich unsäglich für sein Benehmen geschämt.«

Pippa schnappte nach Luft. »Bernhard hat den Otto-Nachbau *selbst* zurückgebracht? Er war hier?«

Die Tierpräparatorin seufzte. »Ja, am späten Freitagabend. Ich dachte erst, er wollte Lukas nach Hause holen. Aber stattdessen hat er mich gebeten, in den nächsten Wochen gut auf seinen Sohn aufzupassen. Er sagte wörtlich: ›Ich werde meinen Kleinen sehr vermissen, aber ich muss jetzt einige Zeit allein sein und Entscheidungen treffen. Ich fahre weg und werde nicht erreichbar sein. Und bitte: Behalte auch du meine Pläne für dich.‹«

Sie zog ein weißes Baumwolltaschentuch aus der Tasche ihrer Strickjacke, in das sie sich ausgiebig schnäuzte. Das Versprechen, das sie Lipp gegeben hatte, schien auf ihren Schultern zu lasten. Und jetzt hatte sie es gebrochen und ihn verraten.

»Wissen Sie«, fuhr sie schließlich fort, »den Bernhard hat alles daran erinnert, wie es damals seiner Schwester ergangen ist. ›Sieht so aus, als hätten wir uns beide für den falschen Lebenspartner entschieden‹, hat er gesagt. ›Aber ich werde um meinen Jungen kämpfen. Ich werde nicht so schnell aufgeben wie Jasmin.‹«

Ricarda sah Pippa und Paul-Friedrich an. »Und plötzlich ergibt es wieder einen Sinn, warum ihr zwei ausgerechnet beim Lenzbauer Martin auf den kleinen Otto gestoßen seid«, kommentierte Ricarda. »Er ist Jasmins Exmann, Bernhards Schwager ...«

»Sie sehen, nicht nur Sie sind benutzt worden«, sagte Pippa zu Aloisia Krois. »Wir auch.« Sie wandte sich an Seeger. »Erinnere mich bitte daran, dass ich demnächst Martin Lenzbauer in der Kur anrufe und alles andere als freundlich bin.«

Paul-Friedrich nickte grimmig. »Ich bin jetzt schon gespannt auf seine Reaktion, wenn er hört, dass der Kater *tatsächlich* weg ist.«

Immerhin wissen wir nun, dass Bernhard Lipp am Freitagabend Deutschlandsberg aus freien Stücken verlassen hat und es ihm höchstwahrscheinlich gutgeht, dachte Pippa erleichtert.

»Hat Bernhard gesagt, wohin er will?«, fragte sie Aloisia Krois. »Oder wenigstens, wo er zu erreichen ist?«

Aloisia schüttelte den Kopf. »Er hat nur gesagt, am liebsten würde er mit seiner Schwester über alles reden, sich ihren Rat holen und sie vor allem endlich einmal wiedersehen. Aber das kann auch ein Ablenkungsmanöver gewesen sein. Er vertraut mir nicht hundertprozentig. Ich bin trotz allem noch Renates Tante, verstehen Sie? Ich zähle zum gegnerischen Lager, wenn auch derzeit unfreiwillig.«

»Seine Schwester treffen ...«, sagte Pippa nachdenklich.

»Warum eigentlich nicht, das ist sehr gut möglich. Heutzutage kann man innerhalb eines Tages an so gut wie jedem Ort der Welt sein. Haben Sie irgendeine Ahnung, auf welchem der sieben Weltmeere Jasmin Lenzbauer sich derzeit befindet?«

»Nein, keinen Schimmer«, erwiderte die Tierpräparatorin. »Aber Bernhard wird das am Freitagabend ganz sicher noch erfahren haben.«

Pippa horchte auf. »Ach ja? Von wem?«

»Von hier aus wollte er direkt zu seinem Schwager fahren«, erwiderte Aloisia Krois. »Wenn einer weiß, wo Jasmin gerade ist, dann ist es Martin Lenzbauer.«

»Tatsächlich? Sind Sie sicher?«

Aloisia Krois nickte. »Meines Wissens schreibt Jasmin ihrer Tochter jede Woche eine Mail. Die der Herr Papa dann vorliest. Manchmal enthalten diese Mails Anhänge, die für andere Leute in Plutzerkogel und Umgebung bestimmt sind, die leitet Martin dann weiter. Der Mann dürfte also bestens informiert sein. Wenn nicht, lügt er.«

Kapitel 18

*H*ier seid ihr«, sagte Pippa, »wir haben euch schon gesucht.«

Sie hatten Frau Direktor Schliefsteiner und Margit Unterweger im Café Kürbishügel entdeckt. Auf dem Tisch vor den beiden stand eine Flasche Zirbenschnaps, deren Inhalt bereits verdächtig zur Neige ging.

»Beppo! Noch drei Schnapsgläser, bitte!«, rief Gertrude Schliefsteiner in Richtung Tresen und wedelte unbestimmt mit der Hand, um Pippa, Ricarda und Paul-Friedrich zum Platznehmen aufzufordern.

Margit hielt die Flasche hoch. »Hiervon auch noch eine, Beppo!«

Unauffällig sah Pippa sich um. Im Gastraum hielten sich außer ihnen nur noch Oliver Mieglitz und Amelia Dauber auf. In einer entfernten Nische debattierten sie flüsternd miteinander, zwischen ihnen auf dem Tisch stand ein kleiner Holzkasten.

»Es ist noch nicht 18 Uhr«, sagte Margit, »die Kurse laufen noch. Achleitner vergisst beim Malkurs immer die Zeit, und unser Konditionsinstrukteur ist mit den Schultzes und den Lambertis beim Nordic Walking. So schnell lässt Valentin Baumgartner sie ganz sicher nicht aus seinen Fängen.«

»Trotzdem, viel zu leer hier. Kein einziger Besucher aus Plutzerkogel oder Deutschlandsberg.« Auch die Direktorin hatte Pippas Blick bemerkt. »Und so wird es bleiben. Willkommen in unserer Zukunft.« Sie kippte einen Schnaps hinunter. »Margit und ich haben gerade entschieden, die Akademie zum Ende dieser Woche zu schließen. Trinkt mit mir auf die letzten Tage der Akademie Sinnenschmaus! Dereinst mit Leidenschaft begonnen – nun durch das Leiden-Schaffen anderer ...«, sie stockte und fuhr fort: »Ach, was soll's. Ihr wisst schon, was ich meine.« Sie goss sich nach und trank erneut.

»Schließen?«, fragte Pippa. »Kommt überhaupt nicht in Frage. Das wäre ja wie ein Schuldeingeständnis! Das habt ihr nicht nötig, und ich bin nicht den weiten Weg von Berlin gekommen, um euch beim Aufgeben zuzugucken. Gerade jetzt, wo wir gar nicht so schlechte Neuigkeiten haben.«

Sie ging Beppo Sonnbichler entgegen und nahm ihm mit einem Dank das Tablett mit den Gläsern ab. Dann kehrte sie zum Tisch zurück.

»Gerade jetzt, wo es für mich besonders interessant wird auf dem Kürbishügel! Wo mir endlich die keltische Vergangenheit der Gegend en détail und ganz persönlich erklärt werden wird!« Sie füllte die Schnapsgläser und setzte sich. »Vergesst die Schließung. Dies ist die Akademie Sinnenschmaus. Ich will genießen.«

Frau Direktor Schliefsteiner blinzelte verwirrt, dann fiel der Groschen. »Ah so, ja. Morris Tennant. Unsere schottische Koryphäe abzuholen war in der Tat der einzige Lichtblick heute. Ein äußerst attraktiver Lichtblick sogar. Nur leider sehr laut.«

»O nein, Morris hat doch nicht etwa seinen Dudelsack mitgebracht?«, fragte Pippa.

Gertrude Schliefsteiner nickte. »Auf der Alm könne er viel üben, hat er gesagt, da würde er niemanden stören. Er hat gleich losgelegt.« Sie kicherte. »Josefas Kälber standen bei den ersten Tönen wie erstarrt. Dann verzogen sie sich in den hintersten Winkel der Weide und haben mit weit aufgerissenen Augen nach ihren Müttern gebrüllt.« Sie genehmigte sich einen weiteren Schnaps. »Alle haben den gleichen Ton getroffen. Aber Morris Tennant war lauter.« Ihre Heiterkeit verflog plötzlich. »Ich hätte wirklich nichts dagegen gehabt, wenn der improvisierte Hochlandtanz meiner geliebten Schwester Josefa mit unserem selbsternannten keltischen Lokalmatador Eddi Krois der krönende Abschluss dieses Tages gewesen wäre. Aber dem war ja leider nicht so. Dafür hat dieser Journalist gesorgt – diese Natter, die wir uns ins Haus geholt haben. Und Renate Lipp natürlich. Eure Gesichter sagen mir, dass ihr einiges in petto habt, was ich vermutlich auch nicht wissen möchte.«

»Frau Direktor ...«

Gertrude Schliefsteiner fiel Pippa ins Wort. »Gertrude, bitte. Zirbenschnaps ist hervorragender Verbrüderer und ersetzt den traditionellen Freundschaftskuss.«

»Es ist uns eine Ehre, Gertrude«, sagte Paul-Friedrich mit einem Lächeln und hob sein Glas. »Trinken wir auf die Akademie Sinnenschmaus und ein glückliches Ende dieser unruhigen Zeiten.«

Die Frau Direktor und Margit zweifelten sichtlich an seiner Prophezeiung, sagten aber mit den anderen im Chor: »Auf ein glückliches Ende.«

Alle tranken, dann ergriff Pippa wieder das Wort. »Wir haben eine gute und eine schlechte Nachricht. Die gute zuerst: Wir wissen ziemlich genau, dass Bernhard Lipp freiwillig fortgegangen ist und es ihm gutgeht. Die schlechte: Wir haben keine Ahnung, wo er sich aufhält.«

Sie nickte Paul-Friedrich zu, der in knappen Worten zusammenfasste, was sie von Sonja Öttinger und vor allem von Aloisia Krois erfahren hatten.

Gertrude und Margit wechselten einen erleichterten Blick, aber Pippa verpasste ihnen sofort einen Dämpfer. »Ihr hättet uns sagen sollen, dass Bernhard und Jasmin Geschwister sind. Diese Information hätten wir schon viel früher haben müssen.«

Die Frau Direktor seufzte. »Ehrlich, mir dreht sich der Kopf von all den Ungereimtheiten, ich habe einfach nicht daran gedacht. Und Jasmin ist auch schon so lange weg aus Plutzerkogel ...«

»Trotzdem: Wenn Jasmin und Bernhard ein so enges Verhältnis haben, dass sie als Symbol für ihre Geschwisterliebe sogar das gleiche Amulett tragen, warum ist dann niemand auf die Idee gekommen, sich bei *ihr* nach Bernhard zu erkundigen?«, warf Ricarda ein. »Oder ihr mitzuteilen, dass ihr Bruder vermisst wird?«

»Das wäre ja wohl Renates Sache, oder?«, gab Margit zurück. »Unsere Verbindung zu Jasmin ist abgebrochen, seit sie die Akademie verlassen hat. Und das ist mehr als zwei Jahre her.«

Gertrude Schliefsteiner zögerte, schüttelte aber dann den Kopf. »Das stimmt nicht ganz. Ab und zu bekomme ich eine Mail von Jasmin, in der sie mir Fragen zur Akademie stellt. Und zu Martin Lenzbauer, so merkwürdig das auch klingt. Ich habe den Eindruck, dass es ihr leidtut, weggegangen zu sein. Vermutlich käme sie sofort wieder, wenn er sie zurückhaben wollte.«

»Und? Will er?«, fragte Pippa sofort.

Gertrude zuckte mit den Schultern. »Sicher weiß ich es natürlich nicht, aber ich denke ja. Er hat seitdem keine andere Frau mehr angesehen. Bis auf Renate natürlich, und die zählt nicht, die ist ja seine Schwägerin.«

»Kommen die Mails direkt von Jasmin Lenzbauer oder als weitergeleiteter Anhang über ihren Exmann?«, wollte Paul-Friedrich wissen.

»Direkt von ihr. Wieso?«

Paul-Friedrich wechselte einen Blick mit Pippa und sagte: »Weil Aloisia uns erzählt hat, dass Jasmin ihrer Tochter jede Woche eine Mail schickt, die manchmal Anhänge für andere enthält. Martin Lenzbauer leitet sie dann an die jeweiligen Empfänger weiter.«

Gertrude Schliefsteiner schüttelte den Kopf. »Nicht meine Mails. In einem Anhang, den Martin öffnen und lesen könnte, würde sie sich auch sicher nicht bei mir nach ihm erkundigen.«

»Das kommt mir wirklich ungewöhnlich vor«, sagte Paul-Friedrich. »Jasmin Lenzbauer hat also keinen direkten Kontakt zu ihrem Bruder, ihren Freunden oder alten Kollegen – aber zu ihrer früheren Chefin? Seltsam.«

»Finde ich absolut nicht. Wir sind immer gut miteinander ausgekommen. Ich habe tiefere Einblicke in Martins Leben als andere an der Akademie, weil wir näher zusammenarbeiten«, erwiderte die Direktorin. »Was die Art der Versendung angeht: Sie wird Geld und Nerven sparen wollen. Ich war mal auf einer Kreuzfahrt. Von hoher See Mails zu schicken ist ebenso teuer wie abenteuerlich. Da würde ich auch nach einer günstigeren Lösung suchen. Und die hat sie mit den Anhängen ja auch gefunden.«

Oliver Mieglitz und Amelia Dauber hatten ihre Debatte beendet. Nun war jeder von ihnen mit einem Stift bewaffnet und blickte gespannt auf Beppo Sonnbichler, der mit erhobener Hand neben ihrem Tisch stand.

»Achtung ... fertig ... los! Seite 18!«, kommandierte er und hieb auf den Holzkasten in der Tischmitte, der daraufhin laut zu ticken begann.

Eine Schachuhr, dachte Pippa und beobachtete amüsiert, wie die beiden Rätselkönige die vor ihnen liegenden Hefte aufschlugen, hastig blätterten und sofort die ersten Lösungen eintrugen.

Sonnbichler sah den Rätselrivalen noch einen Moment zu und kam dann mit gezücktem Bestellungsblock zu Pippa und den anderen herüber.

»Belassen es die Herrschaften heute bei kurz und scharf und knallig oder darf da noch ein fettiger Deckel drauf? Nichts wirkt einem zukünftigen Kater so gut entgegen wie die dicke Kartoffelsuppe, die ich angesichts des rasant sinkenden Pegels in Ihrer Flasche«, er lächelte Gertrude und Margit zu, »ganz frisch zubereitet habe.«

Alle nickten, und Gertrude sagte: »Den Zirbenschnaps zum Abschmecken geben wir dann selbst hinzu.«

Die Schnelligkeit, in der Sonnbichler Suppenterrine, Teller und Besteck zum Tisch brachte, ließ keinen Zweifel zu: Alles hatte bereitgestanden, und weder eine Ablehnung noch eine anderslautende Bestellung hätten eine Chance gehabt.

»Und alles aufessen, bitte schön«, befahl der Wirt, während er eindeckte und die Teller füllte, »erst danach lasse ich wieder mit mir über Hochprozentiges reden. Übrigens, Frau Direktor, ich habe noch eine Information für Sie. Ihr Gast Falko Schumacher wird morgen zu Ihnen kommen und einen finanziellen Nachlass verlangen, da ich ihm nicht erlaube, hier auf seinem Computer zu arbeiten und damit die entspannte Stimmung im Café kaputtzumachen. Das würde ihm die Möglichkeit nehmen, seine Vollpension bei uns zur Gänze auszuschöpfen, sagt er.« Sonnbichler klang beleidigt, als er fortfuhr: »Der Herr zieht es vor, sein Mittagessen in Zukunft bei Poldi Pommer einzunehmen.«

Frau Direktor Schliefsteiner hatte ihm mit offenem Mund zugehört. Nun goss sie sich einen weiteren Schnaps ein, kippte ihn energisch weg und sagte dann: »Nachlass? Worauf denn? Der wohnt doch schon umsonst in der besten Wohnung des Hauses. Außer dem Essen zahlt er nichts! Und darauf will er jetzt einen Nachlass? Der hat Nerven!«

Margit ließ den Löffel in die Suppe sinken. »Wie bitte? Davon weiß ich ja gar nichts. Schumacher zahlt weder für die Unterkunft noch für die Kurse? Wieso das denn, bitte schön?«

»Hat Karl Heinz dir das etwa nicht gesagt?« Gertrude Schliefsteiner runzelte die Stirn. »Die Anfrage von Schumacher kam, als du in Berlin warst. Dein Mann war einverstanden, dass wir auf Schumachers Bedingungen eingehen.«

Margit schüttelte nur den Kopf, und Pippa ging in Gedanken durch, wer sich gerade umsonst oder zu Sonderkonditionen in der Akademie tummelte: von Meinrad, die Kreuzworträtselgewinner und jetzt auch noch einer, der für viel Geld mit dem Flugzeug angereist war, aber beim Essen um jeden Cent feilschte.

»Herr Schumacher und seine Brüder sind Besitzer eines großen Familienhotels an der Nordseeküste, in Cuxhaven«, erklärte die Direktorin, »und man denkt über eine Kooperation mit uns nach. Jedenfalls dann, wenn es ihm bei uns gefällt und wir seinen Qualitätsstandards entsprechen.«

Sieh an, dachte Pippa, deshalb ist der Kerl so neugierig. Kein Wunder, dass er unbedingt in Karins Zimmer wollte – und natürlich unter einem Vorwand, damit niemand eigens für seinen Besuch etwas herrichtet und er in Ruhe spionieren kann.

»Die Schumachers haben viele Stammgäste«, erklärte Gertrude angesichts Margits skeptischer Miene, »aber auch ein eingefleischter Nordseeurlauber möchte mal in die Berge. Seine Idee ist, so etwas wie eine Interessengemeinschaft mit gemeinsamer Werbung und gegenseitigem Austausch zu gründen. Damit könnten wir Gäste an unsere Häuser binden und ihnen trotzdem Abwechslung bieten. Deshalb ist er hier.«

Margit schnaubte. »Und wirbt uns nebenbei die Dozenten ab.«

Gleich verliert die Frau Direktor die Fassung, dachte Pippa, als sie Gertrude Schliefsteiners entsetzte Reaktion sah.

»Er hat Gallastroni ein halbes Vermögen geboten, wenn er zu ihm ins Hotel wechselt«, fügte Margit hinzu.

Wohl um sich gegen weitere Hiobsbotschaften zu wappnen, trank die Direktorin einen Doppelten, dann fragte sie: »Was hat Giorgio ihm geantwortet?«

Zur Erleichterung aller grinste Margit. »Wenn Schumacher für den hohen Norden so viel Geld bieten müsse, da dürfte es dort wohl schrecklich sein, hat er gesagt. An reizvolle Orte gehe man ohne Bestechung. Wörtlich: ›Signore, wenn Sie für Ihre Heimat kein besseres Argument haben als Geld, dann bleibe ich lieber hier.‹«

Gertrude Schliefsteiner atmete hörbar aus. »Es schien mir eine so gute Idee, um Neukunden zu akquirieren. Besonders bei unserer derzeitigen Flaute.«

»Unser Stichwort«, sagte Paul-Friedrich. »Die Flaute begann mit den ersten Drohbriefen an Martin Lenzbauer und dem Fenstersturz der kleinen Nina, nicht wahr? Deshalb ist es an der Zeit, dass dieser Unfall endlich aufgeklärt wird.« Er winkte Beppo Sonnbichler an den Tisch. »Meine Frau und ich würden morgen gerne ein kleines Willkommensfest für Karin Wittig arrangieren. Die Frau Direktor ist damit einverstanden, dass wir das Spielzimmer benutzen; es wird ja momentan nicht gebraucht. Dürfen wir um Ihren Fensterschlüssel bitten, damit wir durchlüften und alles vorbereiten können?«

Beppo Sonnbichler wurde blass und rang die Hände. »Frau Direktor, ich fürchte, ich habe etwas zu gestehen. Ich habe meinen Schlüssel an einen Vater verliehen, der dort oben mit zwei Kindern spielen wollte. An dem Tag herrschte schrecklich schwüle Gewitterluft, deshalb bat er mich, die Fenster zu öffnen. Er sollte später wieder abschließen und mir den Schlüssel bringen; ich musste ja zurück ins Café. Er kam damit auch eine gute Stunde später, aber ich hatte gerade alle Hände voll zu tun und konnte ihm nur zurufen, er solle den Schlüssel auf den Tresen legen. Als ich den Schlüssel dann ein paar Minuten später an mein Schlüsselbund machen wollte, war er verschwunden.«

Seeger und Pippa wechselten einen Blick. Sie sah ihm an, dass er dasselbe dachte wie sie: Diese Geschichte passte zu dem ersten Gespräch, das sie mit ihm geführt hatten.

»Warum haben Sie den Schlüssel nicht einfach nachmachen lassen?«, fragte Ricarda den Wirt.

Ehe er antworten konnte, schüttelte Margit den Kopf. »Es sind registrierte Schlüssel, die zu einem Schließsystem gehören, da geht das nicht so einfach. Wenn ein Duplikat angefertigt werden soll, müssen Gertrude oder ich dafür unterschreiben.«

Sonnbichler war sichtlich geknickt. »Ich dachte, dass er einfach runtergefallen ist und ich nur mal richtig suchen müsste. Als ich ihn aber nirgends fand ... ich habe mich nicht getraut, was zu sagen.«

Gertrude Schliefsteiner seufzte. »Wer bin ich? Eine der Hexen aus Macbeth? Kann man mit mir nicht reden und zugeben, dass man einen Fehler gemacht hat?« Sie hielt einen Moment lang inne und fragte dann: »Wann genau haben Sie den Schlüssel aus der Hand gegeben? Und an wen?«

Beppo Sonnbichler druckste ein wenig herum, dann platzte es aus ihm heraus: »Am Tag vor Ninas Fenstersturz ... an Bernhard Lipp.«

Am Tisch herrschte Schweigen.

In diesem Moment haute Oliver Mieglitz auf die Schachuhr und schrie: »Erster! Ich bin fertig! Herr Schiedsrichter – Ihre Kontrolle und Bestätigung, bitte!«

Sonnbichler schaute bittend zu seiner Chefin, aber die bedeutete ihm nur mit einer geistesabwesenden Handbewegung, dass er den Tisch verlassen dürfe. Schnell wie der Blitz eilte der Wirt hinüber zu den Rätselexperten.

Pippa sah ihm hinterher. »Schade, und schon ist wieder alles kaputt. Ich fing gerade an, mich wohlzufühlen.«

»Bernhard Lipp hat also dort oben mit seinem Sohn gespielt«, sagte Paul-Friedrich nachdenklich. »Anschließend hat er das Fenster wieder abgeschlossen und den Schlüssel auf den Tresen gelegt. Von dort kann ihn sich jeder genommen haben.«

Pippa hörte seine Worte nur mit einem halben Ohr, während sie gedanklich rekapitulierte, was Beppo Sonnbichler erzählt hatte. Dann rief sie zum Wirt hinüber: »*Zwei* Kinder, haben Sie gesagt?«

Sonnbichler schaute von den Rätselheften hoch. »Ja – Lukas und Nina. Der Martin musste kurzfristig Vertretung machen, weil Achleitner starke Zahnschmerzen hatte. Also hat Bernhard auch auf Nina aufgepasst. Die Lipps und Lenzbauer machen das ja öfter, gegenseitig die Kinder hüten.«

Am Tisch wurde allgemein gestöhnt, aber Ricarda sagte: »Das muss noch gar nichts heißen. Schließlich war das der Tag *vor* Ninas Unfall. Es sei denn, Bernhard hat vergessen, das Fenster wieder abzuschließen.«

»Unwahrscheinlich«, erwiderte Paul-Friedrich. »Es wäre ihm spätestens eingefallen, als er den Schlüssel hier auf den Tresen gelegt hat, meint ihr nicht?«

»Du hast recht.« Ricarda nickte. »Außerdem: Wenn *meine* Nichte wegen meiner Nachlässigkeit am nächsten Tag aus dem Fenster fiele, gäbe es zwei Möglichkeiten. Entweder, ich würde gestehen und damit einen Familienkrach riskieren. Oder ich würde öffentlich Stein und Bein schwören, dass ich wieder abgeschlossen habe. Aber keinesfalls würde ich wochenlang schweigen. Bernhard Lipp war sich keiner

Schuld bewusst, er hat abgeschlossen und den Schlüssel zurückgegeben. Für ihn war die Sache erledigt.«

»Stimmt«, sagte Margit. »Nina ist die Tochter seiner Schwester. Die liegt ihm am Herzen. Ein Mann wie Bernhard Lipp hätte Verantwortung übernommen.«

»Na, prima.« Pippa blickte jeden in der Runde nacheinander an. »Bleibt nur eins: Beppo muss sich erinnern, wer zu der Zeit, als der Schlüssel auf dem Tresen lag, hier im Café war. Wir bitten ihn, uns eine Liste zu machen, und dann werden wir alle befragen, die daraufstehen.«

Der Wirt hatte in der Zwischenzeit Mieglitz' Sieg bestätigt, erneut die Uhr gestartet und den Kontrahenten mit dem Rätsel auf Seite 3 eine neue Aufgabe gegeben.

Als Paul-Friedrich nach ihm rief, sagte er: »Kleinen Moment!« Er ging hinter den Tresen und kam mit einem Blatt Papier zu ihnen zurück. »Ich habe gehört, was Sie gerade gesagt haben. Hier – diese Liste habe ich gleich am nächsten Tag gemacht, weil ich alle fragen wollte, ob jemand den Schlüssel gesehen oder genommen hat. Niemand konnte sich erinnern, ihn gesehen zu haben. Außerdem: Woher hätten sie auch wissen sollen, in welches Schloss der Schlüssel passte? Sie hätten gar kein Interesse gehabt, den Schlüssel an sich zu nehmen.«

Oder kein Interesse, die Wahrheit zu sagen, dachte Pippa.

In Paul-Friedrichs Miene las sie, dass er ganz ähnliche Gedanken hegte.

Alle studierten die Liste und stellten fest, dass auf ihr nur Kursleiter und der Sekretär standen: Tonio von Pauritz, Valentin Baumgartner und Giorgio Gallastroni, außerdem die beiden streitbaren Flirtkurs-Dozenten sowie Achleitner und Lenzbauer.

»Waren denn keine Kursteilnehmer hier?«, fragte Pippa.

»Die waren alle in ihren Quartieren und haben gepackt«,

erwiderte Sonnbichler. »Es war ein Freitag, das Ende des Gruppenzyklus. Alle wollten packen, sich rasch duschen und umziehen und dann hinter Jovan Glantschnig und seinem Akkordeon her zum Poldi in die Buschenschank ziehen, um Abschied zu feiern. Dort wollten auch noch Eddi Krois und Maxi Frühwirt zu uns stoßen.«

Stirnrunzelnd ging Pippa die Liste noch einmal durch und blieb an einem Namen hängen. »Hieß es nicht gerade, Achleitner sei krank gewesen und Martin Lenzbauer habe ihn vertreten? Er muss aber trotzdem hier gewesen sein, wenn er auf der Liste steht.«

»Er war kurz im Atelier, um sich von seinen Kursteilnehmern zu verabschieden«, berichtete Sonnbichler. »Dann kam er her, weil er einen meiner Gesundheitstees haben wollte. Ich habe ihm einen Salbeitee zubereitet. Den sollte er nicht nur trinken, sondern auch damit gurgeln und die Wange spülen. Die war so dick geschwollen, als hätte er mit einem wuchtigen linken Haken Bekanntschaft geschlossen. Danach hat er sich sofort wieder verabschiedet.«

Margit Unterweger nickte. »Ich erinnere mich, ich habe ihn getroffen. Er sah wirklich elend aus. Ich habe ihm gesagt, er soll zum Zahnarzt gehen. Mit einer solchen Entzündung ist nicht zu spaßen.«

»Das nächste Mal, wenn Sie ein Problem haben, kommen Sie gleich zu mir, sonst trifft Sie wirklich mein Fluch.« Gertrude sah Sonnbichler strafend an, sagte dann aber wesentlich freundlicher: »Und jetzt her mit dem Nachtisch. Weinschaumcreme geht noch.«

Beppo Sonnbichlers erleichtertes Seufzen war nur noch aus der Ferne zu hören, so schnell leistete er der Aufforderung seiner Chefin Folge.

»Rekapitulieren wir«, sagte Paul-Friedrich, als der Wirt außer Hörweite war. »Davon ausgehend, dass die Liste voll-

241

ständig ist, hat sich einer dieser Herrschaften den Schlüssel geschnappt und damit wahrscheinlich am nächsten Tag für Ninas unfreiwilligen Flug gesorgt. Und leider können wir Bernhard nicht einmal ausschließen.« Er schrieb Lipps Namen dazu und fuhr fort: »Er könnte den Schlüssel zwar hingelegt, ihn aber auch wieder an sich genommen haben. Bei dem Trubel, der hier herrschte, ist das durchaus möglich.«

Pippa sah von einem zum nächsten. »Wie ich es sehe, kann so gut wie jeder der Dozenten für den Fenstersturz gesorgt haben. Die Frage ist nur: Warum? Wer von ihnen hatte ein Motiv, dem Kind oder vielleicht auch Lenzbauer zu schaden?«

Margit schlug eine Hand vor den Mund. »Das hört sich ja an wie bei einer Mordermittlung!«

»Es ist ja auch nur mit viel Glück keine geworden«, kommentierte Ricarda mit einem Nicken.

Gertrude Schliefsteiner trank noch einen Schnaps. Dann blickte sie lange ins leere Glas und stellte es resigniert zurück auf den Tisch. »Der reicht nicht mehr. Ich glaub, ich brauch die Alm.«

🐾 *Kapitel 19* 🐾

Gertrude Schliefsteiner benötigte zwei Anläufe, um sich von ihrem Stuhl zu erheben. Leicht schwankend verkündete sie: »Ich lasse es mir da oben gutgehen. Und du kommst mit!«

Mit einer Hand zog sie Pippa zu sich hoch, während sie mit der anderen ihren Autoschlüssel auffordernd klimpern ließ.

Ricarda sprang auf, schnappte sich den Schlüssel und hakte die Direktorin resolut unter. »Dann soll die Erholung auch allumfassend sein. Ich bringe euch hin.« Paul-Friedrich machte Anstalten, sich ihnen anzuschließen, aber sie schüttelte den Kopf. »Mädchenausflug, tut mir leid.«

Als er protestieren wollte, sagte Pippa: »Du könntest dir in der Zwischenzeit von Margit die Personalakten zeigen lassen. Vielleicht entdeckst du Wissenswertes ... besonders beim Herrn Sekretär. Da sind wir ja bisher nicht viel weitergekommen.«

Sofort horchte Margit auf. »Was ist mit ihm?«

»Nicht hier«, murmelte Paul-Friedrich und deutete mit dem Kopf dezent auf den Wirt.

Wie sich herausstellte, hatte Gertrude Schliefsteiner alles Nötige für eine spontane Übernachtung bei ihrer Schwester auf der Alm deponiert. Auf dem Weg dorthin stoppten sie kurz bei Lenzbauers Haus, damit auch Pippa noch einige Dinge einpacken konnte.

Gleich werde ich Morris sehen, und ich bin aufgeregt wie ein Teenager, dachte sie voller Vorfreude, als sie Mütze und Fleecejacke von der Garderobe nahm.

Sie ging ins Bad, um ihre Kulturtasche zu holen, und erstarrte, als sie das weit offenstehende Fenster entdeckte.

»Das kann doch wohl nicht wahr sein!«, murmelte sie, während sie es schloss. »Verliebtheit macht also nicht nur blind, sondern auch vergesslich, lieber Paul-Friedrich.«

Sie wandte sich zum Waschbecken und trat dabei auf einen harten, flachen Gegenstand, der darunterlag.

Ihr entfuhr ein Laut der Verblüffung, als sie sich danach bückte: von Meinrads schwarzes Notizbuch. Sofort wählte sie Paul-Friedrichs Nummer und sagte, kaum dass er abgehoben hatte: »Kommando zurück! Die Personalakten müssen warten. Seid ihr noch im Café? Dann stell dich mit Margit an die Straße, wir sammeln euch auf.«

»Was ist passiert?«, fragte Paul-Friedrich alarmiert.

»Erste Möglichkeit: Du hast vergessen, mir zu erzählen, dass du von Meinrads Notizbuch erbeutet hast – aber dann würde ich nicht verstehen, warum du es unter dem Waschbecken deponieren musstest. Zweite Möglichkeit: Wir hatten heute einen ungebetenen Besucher im Haus.«

Während Gertrude Schliefsteiner – den Kopf an die Seitenscheibe gelehnt und selig schnarchend – auf dem Beifahrersitz saß, teilten sich Pippa, Margit und Paul-Friedrich die hintere Sitzbank.

Seeger blätterte langsam durch das Notizbuch und überflog das Geschriebene. »Auf den ersten Blick deckt sich alles so ziemlich mit unseren Erkenntnissen«, sagte er schließlich. »Auch wenn es mir nicht gefällt: Er und wir sind auf demselben Wissensstand.«

Pippa schlug noch weitere Seiten um und zeigte auf eine

unregelmäßige Abrisskante, wo jemand einige Blätter nachlässig herausgerissen hatte. »Da, seht mal. Ich wüsste zu gern, was dort stand. Auch das Blatt mit Knöllers Berechnungen fehlt.«

Margit sah genauer hin. »Da sind noch ein paar Buchstaben zu erkennen.«

»Falk …«, entzifferte Paul-Friedrich murmelnd ein Wortfragment, »da ging es um Falko Schumacher.« Er grinste. »Oder ist hier jemand an Bord, der glaubt, dass es sich um Stichworte für eine Reportage über eine Falknerei handelt? Oder über ausgestopfte Vögel von Aloisia Krois?«

Ricarda, die das Auto schon wegen ihrer schlafenden Beifahrerin vorsichtig die steile, kurvenreiche Straße hinaufsteuerte, warf einen kurzen Blick in den Rückspiegel. »Pippa, du hast heute frei. Wenn Paul-Friedrich und ich zurück im Ort sind, sehen wir in unserem Zeitungsarchiv nach, was es über Falko Schumacher zu entdecken gibt, um wieder zu von Meinrad aufzuschließen.«

Pippa nickte. »Sehr gute Idee. Macht das aber bitte in Lenzbauers Haus, falls Otto doch zurückkommt. Und achte darauf, Ricarda, dass Paul-Friedrich nicht schon wieder ein Fenster offen lässt. Ich habe keine Lust auf einen weiteren Besuch unseres umtriebigen Journalisten.«

»Du glaubst, ich habe vergessen, das Badezimmerfenster zuzumachen?« Seeger sah Pippa nachdenklich an. »Aber das musst *du* gewesen sein. Du warst nach mir im Bad.«

Im Geiste rekapitulierte Pippa rasch den frühen Morgen, dann sagte sie: »Du hast recht. Und ich weiß ganz genau, dass ich es geschlossen habe, weil mir kalt war.«

Paul Friedrich nickte. »Bleibt die Frage, wie von Meinrad ins Haus gekommen ist. Hast du irgendwo Einbruchspuren entdeckt?«

»Einen Einbruch hat von Meinrad doch gar nicht nötig«,

warf Ricarda ein. »Erinnert euch bitte, wie eng er mit Renate Lipp zu tun hat, und sie ist Lenzbauers Schwägerin. Die Familien passen gegenseitig auf die Kinder auf. Sie hat mit Sicherheit einen Schlüssel für das Haus, und den hat sie ihm gegeben.«

»Dieser Schreiberling musste also nicht einbrechen, er musste *ausbrechen*, richtig?«, fragte Margit. »Er glaubte Pippa und Paul-Friedrich beim Abendessen im Café Kürbishügel, und plötzlich kam jemand zur Haustür herein. Also musste er türmen, und zwar durchs nächstbeste Fenster. Dabei hat er in der Hektik sein Notizbuch verloren – so muss es gewesen sein. Aber glaubt ihr wirklich, dass Renate einem Fremden so einfach den Schlüssel überlassen würde?«

»Bestimmt hatte er einen überzeugenden Grund parat, warum er unbedingt in Lenzbauers Haus musste«, erwiderte Ricarda. »Wie ich von Meinrad kenne, gab er vor, Renates dramatische Geschichte noch öffentlichkeitswirksamer gestalten zu wollen. Dazu gehörte natürlich das Schicksal ihrer kleinen Nichte, inklusive Foto von Ninas Kinderzimmer oder dergleichen ... da ist seine Fantasie grenzenlos, das könnt ihr mir glauben.«

»Dann wird er jetzt aus zwei Gründen unzufrieden mit seinen neuesten Erkenntnissen sein«, sagte Paul-Friedrich. »Erstens, weil er händeringend sein Notizbuch sucht und ahnt, es am unpassenden Ort verloren zu haben – und zweitens«, er grinste, »weil er jetzt weiß, dass Pippa und ich in getrennten Zimmern schlafen und er uns mit unseren außerehelichen Beziehungen nicht gegeneinander ausspielen kann. Ich wette, Ricarda, er wühlt sich bereits durch euer Archiv und hat längst herausgefunden, wer Pippa und ich wirklich sind.« Seine Stimme klang zufrieden. »Mittlerweile dürfte er wissen, dass er gegen uns nicht gewinnen kann. Wenn er schlau ist, gibt er auf.«

Ricarda setzte den Blinker und folgte einem Schild zur Josefsalm. Sie bog in einen ungeteerten Forstweg ab, der tief in den Wald führte. Schlagartig war es nicht nur wegen der aufziehenden Regenwolken, sondern auch wegen der dichtstehenden hohen Bäume so dunkel, dass sie die Scheinwerfer anmachen musste.

Behutsam manövrierte Ricarda den Wagen durch den Wald und sagte, ohne den Blick von der Schotterpiste zu nehmen: »Wo auch immer von Meinrad sich in Zukunft seine Informationen besorgt – jedenfalls nicht mehr in unserem Archiv. Seine Zugangsdaten sind seit heute gesperrt. Er arbeitet nicht mehr für uns. Meine Vertretung hat ihm das in meinem Auftrag mitgeteilt. Deshalb denke ich, dieser Einbruch war ein billiger Versuch, sich an mir zu rächen. In seiner Welt tauscht nämlich kein älterer Herr eine junge, attraktive Frau wie Pippa gegen eine alte Schachtel wie mich ein. Jedenfalls nicht ohne Hintergedanken – und das will von Meinrad für sich ausschlachten. Beziehungsweise gegen mich.« Sie seufzte und fuhr fort: »Ebenso ist es in seinen Augen unmöglich, dass die Ehe zwischen einem jüngeren Mann wie Tobias und einer Frau wie mir länger halten kann, als bis sich der Mann dank seiner Frau eine eigene Existenz aufbauen konnte. Und in meinem Fall stimmt das sogar.«

Der Wald endete und gab den Blick auf eine saftig grüne Wiesen- und Weidelandschaft frei. Hier oben gab es nur noch Stille und das einsame Haus Josefas, das Wanderern Obdach und Verpflegung bot.

Nichts könnte deutlicher den Kontrast zu dem verbitterten, boshaften Erpresser widerspiegeln als die friedliche Ausstrahlung dieses Fleckchens Erde, dachte Pippa.

»Ich kann die Frau Direktor verstehen«, sagte sie, »auf der Josefsalm treten die Sorgen um die Genussakademie in den Hintergrund. Ich würde lieber hier mit Morris und

Krois in der Erde wühlen als unten in Plutzerkogel im Dreck anderer Leute.«

Wie aufs Stichwort erwachte Gertrude Schliefsteiner, als Ricarda den Wagen auf den Lieferantenparkplatz neben der Hütte fuhr und den Motor abstellte. Zunächst blinzelte sie leicht verwirrt, dann erkannte sie, wo sie sich befanden, und ihr Gesicht hellte sich auf. »Hier geht es mir immer sofort besser. Die Luft ist wie Champagner, sie prickelt richtig auf der Haut, so frisch ist sie.«

Pippa stieg aus und atmete tief ein. Insgeheim stimmte sie Gertrude Schliefsteiner zu, obwohl das Prickeln, das sie spürte, eher durch die Vorfreude auf Morris hervorgerufen wurde. Ihr Herz klopfte, während sie sich nach ihm umsah, denn immerhin lag ihr letztes Treffen bereits sechs Wochen zurück. Nie hatte sie eine Fernbeziehung gewollt, aber seit der Trennung von ihrem italienischen Gatten hatte ihr kein Mann so gut gefallen wie Morris. Sie lächelte unwillkürlich, als sie sich an ihre erste Begegnung vor dem Glasgower Flughafen erinnerte, wo er sie und ihren Bruder Freddy bei strahlendem Sonnenschein abgeholt hatte, um sie zur Hochzeit von Margits Tochter Anita und deren Freund Duncan nach Campbeltown zu bringen. Morris Tennants Charisma und sein unwiderstehliches Lächeln hatten sie in Windeseile für den dunkelhaarigen Schotten eingenommen, der nicht im herkömmlichen Sinne attraktiv, dafür aber umso charmanter war. Während der Überfahrt auf der Fähre war er kaum von ihrer Seite gewichen, die Chemie zwischen ihnen hatte sofort gestimmt. Es hatte nur weniger weiterer Treffen bedurft, bis sie ernsthaft ineinander verliebt waren – ungeachtet aller Hindernisse und Stolpersteine, die sie hatten überwinden müssen.

Josefa trat aus dem Haus und wusste Pippas suchenden Blick sofort zu deuten. Sie zeigte zur Kälberwiese. »Eddi und Morris sind da hinten bei den Ausgrabungen.« Sie verzog das Gesicht und fügte hinzu: »Besser gesagt: bei den *Bohrlöchern.* Eddi rechnet mit Regen, und deshalb hat er sich seinen Experten sofort geschnappt, um ihm ein brandneues Erdloch zu zeigen. Er hat es höchstpersönlich ausgehoben, weil er dort eine keltische Grablege vermutet. Er hat Angst, die instabilen Seitenwände könnten durch den Regen nachgeben, bevor Morris alles inspiziert hat. So aufgeregt habe ich unseren Eddi noch nie erlebt. Erst dachte ich, es ist wegen Morris, aber unser Heimatforscher hat wohl wirklich etwas gefunden.« Sie grinste. »Ob irgendjemand unseren Hosenknöpfen in zweitausend Jahren auch mal so viel Aufmerksamkeit schenken wird?« Josefa schien zu spüren, dass Pippa ihr nur noch mit einem halben Ohr zuzuhören vermochte. »Nur los, sie sind leicht zu finden. Gleich neben dem Felsvorsprung dort hinten.«

Pippa wollte sich noch von Ricarda und Paul-Friedrich verabschieden, der sich bereits anschickte, sich auf den Beifahrersitz zu setzen, aber Josefa stemmte die Hände in die Seiten. »Wollt ihr etwa sofort weiter? Kommt nicht in Frage. Ihr werdet doch wohl nicht die leckeren Mehlspeisen verschmähen, die ich extra zur Feier von Morris' Ankunft gemacht habe!«

»Hebt mir unbedingt etwas auf. Für Josefas Kuchen habe ich einen Extramagen«, sagte Pippa und machte sich auf den Weg zur Ausgrabungsstätte. Sie war froh, die Fleecejacke mitgenommen zu haben, denn nach der Hitze der vergangenen Tage war der erste kühle Abend unangenehm frisch. Sie stapfte über die Wiese und ermahnte sich streng, aller Wiedersehensfreude zum Trotz ihre Rolle als Paul-Friedrichs vermeintliche Ehefrau nicht zu vergessen. Schon von weitem rief sie: »Hallo, ihr zwei! Wo kann ich denn gefahrlos zu euch hinabsteigen, ohne etwas zu zerstören?«

Wie bei einer Puppentheaterbühne erschienen gleichzeitig die Köpfe von Eddi Krois und Morris Tennant über dem Rand der Grube. Morris winkte strahlend, während Krois sagte: »Hierher! Hier ist eine Leiter!«

Erst jetzt entdeckte Pippa die Leiter, die ein Stück weit aus der Grube ragte. Vorsichtig kletterte sie in das ausladende Erdloch, das zur Hälfte unter einem riesigen, überhängenden Felsen verborgen lag, dadurch aber gut geschützt war. Morris streckte ihr eine Hand entgegen, um ihr zu helfen. Sie genoss seine heimliche Berührung, als er ihr mit dem Daumen sanft über die Handfläche strich, bevor er sie wieder losließ.

Das Erdloch war so tief, dass sie – im Gegensatz zu den Männern – nicht über den Rand gucken konnte. Sie grinste die beiden an und sagte: »Ich bin wirklich aufgeregt. Das ist ja richtig romantisch hier!«

Da Krois nicht ahnte, dass ihre Worte an Morris gerichtet waren, zeigte er sich entzückt über ihr offenbar tiefes geschichtliches Empfinden. »Nicht wahr? Es könnte sich um ein Fürstengrab handeln. Nein – ich bin sogar sicher. Und ich habe es ganz ohne wissenschaftliche Hilfe gefunden! Aber nun habe ich ja kompetente Unterstützung durch einen echten Experten. Darf ich vorstellen? Mein Kollege Morris Tennant aus Schottland.«

Pippa reichte Morris die Hand. »Pippa Bolle. Und Sie sind Historiker?«

Morris nickte und hielt ihre Hand eine Spur zu lange fest. Dann sagte er: »Sie interessieren sich für keltische Geschichte? Vielleicht haben Sie dann am Wochenende etwas Zeit für mich und Lust, mir hier Gesellschaft zu leisten? Dann kann ich Ihnen alles erklären. Es wäre mir eine große Freude.«

Darauf möchte ich wetten, dachte Pippa und unterdrückte mühsam alle äußeren Anzeichen des großen Vergnügens, das sie wegen des Versteckspiels empfand. »Sie sprechen sehr gut Deutsch. Täusche ich mich, oder höre ich sogar einen steirischen Einschlag?«

»Er bekommt Einzelstunden von Anita Unterweger«, erklärte Eddi Krois in einem Ton, als wäre das sein Verdienst.

»Anita ist Margits und Karl Heinz' Tochter. Sie hat nach Schottland geheiratet, einen Freund von Mr Tennant. Und genau dort forscht mein geschätzter Kollege zurzeit.«

Ehe Pippa sich eine Antwort überlegen musste, rief jemand von oben: »He, ihr Maulwürfe! Seid ihr schon beim Magma angekommen?« Über ihnen erschien Jodokus' Gesicht. »Archäologie. Ein tolles Hobby, bei dem es ausdrücklich erlaubt ist, im Dreck zu wühlen und herumzumatschen. Mein Kindheitstraum.«

»Dann steig doch um: von den zwitschernden Vögeln des Himmels hinab zu den Schätzen der Erde«, meldete sich eine zweite Stimme zu Wort, bevor Waldemar Schultzes fröhliches, rundes Gesicht zu sehen war. »Ich habe mein Hobby bereits gefunden: essen«, fuhr er fort. »Jetzt schleppe ich mich noch bis zu Josefas Hütte, und dort lasse ich mich mit Klößen und Eierschwammerln in Sahnesoße verwöhnen. Valentin Baumgartner hat mir eine doppelte Portion versprochen, wenn ich mit seinem Sturmschritt bis hier oben einigermaßen mithalten kann.«

»Welcher Sturmschritt?«, fragte Jodokus erstaunt.

»Schweig, elender Verräter!«, gab Waldemar Schultze gutgelaunt zurück. »Sonst verlierst du den besten Freund, den du je hättest haben können.«

Die beiden lachten herzlich miteinander, dann erschienen neben ihnen in rascher Folge die Köpfe von Valentin Baumgartner, Belinda und Naomi Schultze, Tonio von Pauritz sowie Ilsebill, die ebenfalls neugierig hinab ins vermeintliche Fürstengrab spähten.

Super, dachte Pippa ergeben, eine Invasion ist genau das Szenario, das ich mir für mein Wiedersehen mit Morris gewünscht habe ...

Als Jodokus Anstalten machte, in die Grube zu klettern, hob Eddi Krois die Hand. »Stopp! Nicht mehr als drei Leute hier unten, ihr reißt mir sonst noch die Wände ein. Die müssen noch abgestützt werden, bevor es regnet.«

»Muss das denn heute noch sein?«, fragte Pippa, die Morris am liebsten mit in die Gaststube genommen hätte. »In einer Stunde wird es dunkel, dann könnt ihr doch ohnehin nichts mehr erkennen.«

»Oh, dafür habe ich als Profi natürlich vorgesorgt«, verkündete Krois mit einem beifallheischenden Seitenblick auf Morris. »Wir haben Tageslichtlampen! Wir können hier unten so lange arbeiten, wie wir wollen. Die halbe Nacht, wenn es sein muss. Jedenfalls, bis es regnet.«

Dann hoffe ich, dass dies bald der Fall sein wird, dachte Pippa und kletterte aus der Grube, um für Jodokus Platz zu machen. Am oberen Ende der Leiter drehte sie sich noch einmal zu Morris um. »Unsere Verabredung zum Ausgraben von Gemeinsamkeiten steht.«

Sie verließ die Ausgrabungsstätte, wo die anderen noch debattierten, wer als Nächster nach Jodokus in die Grube durfte, und betrat den Gastraum der Hütte. Die einladende Gemütlichkeit der Schankstube wirkte durch rotweiß karierte Tischdecken und blankgeschrubbte Dielen noch uriger.

Der verführerische Duft von in Alkohol getränkten Rosinen und selbstgemachter heißer Vanillesoße schlug ihr entgegen. Ricarda, Paul-Friedrich, Margit und die Frau Direktor saßen an einem der rustikalen Holztische, vor sich Teller in Schüsselgröße, gefüllt mit Kaiserschmarrn.

»Himmel!«, sagte Pippa. »Man sollte nicht meinen, dass

wir uns gerade die Bäuche bei Beppo vollgeschlagen haben.«

»Das ist nicht einfach etwas zu essen – das ist Medizin!« Gertrude Schliefsteiner genoss jeden Bissen mit halbgeschlossenen Augen. »Meine Schwester ist besser als jeder Arzt, ihre Rezepte wirken immer.«

Pippa setzte sich auf die Bank gegenüber von Margit, deren Portion unberührt war. »Sieht ganz so aus, als hätte Paul-Friedrich euch bereits alles zu Tonio alias Anton erzählt«, stellte sie mit Blick auf den vollen Teller fest, und Margit nickte grimmig.

So unterschiedlich reagieren Menschen auf Hiobsbotschaften, dachte Pippa, die einen brauchen zum Trost Nervennahrung, den anderen verschlägt es den Appetit.

»Mir blieb nichts anderes übrig«, sagte Seeger. »Für ein schonendes Vorgehen war keine Zeit, denn Familie Schultze samt Tonio kam den Hügel heraufgeschnauft wie ein Dampfschiff mit drei Beibooten. Da ging nur noch die Holzhammermethode. Frau Direktor konnte gleich mit eigenen Augen sehen, dass ihr Herr Sekretär eifrig in Naomi Schultzes Kielwasser schwamm. Und ihre Eltern haben offenkundig nichts dagegen.«

»Wie du siehst, hat es Margit den Spaß am Kaiserschmarrn verdorben«, fügte Ricarda hinzu, »aber Gertrude glaubt uns nicht, was wir über ihren schneidigen Sekretär herausgefunden haben – sie behauptet, auch noch alle unsere Reste zu schaffen.«

Gertrude Schliefsteiner spießte ein Stück Kaiserschmarrn auf die Gabel, tunkte es in die heiße Vanillesoße und steckte es sich in den Mund. Nachdem sie in aller Gemütsruhe gekaut und geschluckt hatte, sagte sie: »Herr Tonio hat die allerbesten Referenzen. Seit mehr als einem Jahr arbeitet er tadellos und hat sich nie etwas zuschulden kommen lassen.

Er hat hervorragende Manieren, ist schnell und effizient – und er nimmt mir vieles ab, um das ich mich nicht mehr selbst kümmern muss.«

»Den Eindruck habe ich auch«, erwiderte Pippa. »Denn ich kann mir nicht vorstellen, dass eine von euch, du oder Margit, einen Brief wie diesen diktiert hätte.«

Sie holte den Brief an Maxi Frühwirt aus der Tasche und schob ihn hinüber zu Margit und Gertrude, die ihn mit steigender Fassungslosigkeit lasen.

Schließlich lehnte Margit sich zurück und stöhnte. »Was ist nur in dich gefahren, Gertrude? Maxi ist doch nun wirklich eine unserer engagiertesten und beliebtesten Gastgeberinnen.«

Die Direktorin nahm den Brief in die Hand und studierte ihn noch einmal sorgfältig, dann legte sie ihn wieder auf den Tisch. »Stimmt, das ist zweifellos meine Unterschrift. Wenn ich viel zu tun habe, unterschreibe ich unsere Briefbögen oft blanko, damit Herr Tonio seine Arbeit nicht ständig unterbrechen muss, um das Gelände nach mir abzusuchen. In der Regel handelt es sich ja immer um dasselbe: Anfragen aus dem In- und Ausland für bestimmte Kurse und deren Verfügbarkeit. Mir wäre nie in den Sinn gekommen ...« Sie blickte hilflos in die Runde.

In diesem Moment ging die Tür auf. Tonio von Pauritz zog an der einen Hand Naomi, an der anderen Belinda Schultze in die Gaststube. Beide Frauen kicherten und fühlten sich in seiner Gegenwart sichtlich wohl.

Atemlos ließ Belinda Schultze sich neben Pippa auf die Bank fallen. »Was für ein Erlebnis, dieser Nordic Walking Trail! Valentin Baumgartner war fast ausschließlich mit Waldemar beschäftigt, weil der nicht hinterherkam. Aber unser reizender Tonio hier«, sie zwinkerte dem strahlenden Sekretär zu, »hat Naomi und mich angefeuert. Ohne ihn hätte ich aufgegeben. Tonio weiß immer ganz genau, was zu tun oder zu sagen ist. Immer höflich, da zeigt sich der alte Adel. Er ist ein wirklich guter Junge mit exzellenten Manieren. Einer, dem man sein einziges Mädchen gerne anvertraut.«

Frau Direktor musterte ihren sichtlich geschmeichelten Sekretär von oben bis unten. »Nicht, wenn ich es verhindern kann«, sagte sie und stieß ihre Gabel wütend in ein großes Stück Kaiserschmarrn.

🐱 *Kapitel 20* 🐱

S chlagartig war die Fröhlichkeit der Neuankömmlinge
wie weggewischt, und es herrschte Stille.

Das bringt deine grauen Zellen auf Touren, dachte Pippa,
während sie den erblassten Akademiesekretär beobachtete.
Er biss sich auf die Unterlippe, während es in seinem Kopf
beinahe hörbar ratterte. So kannte er seine Chefin nicht: za-
ckige Anweisungen – ja, aber eine derart brüske persönliche
Kampfansage? Das klang gefährlich.

Auch die beiden Schultze-Damen waren von der Bemerkung der Direktorin sichtlich schockiert.

Gertrude Schliefsteiner reichte Tonio von Pauritz den
Brief an Maxi Frühwirt, den er zögernd entgegennahm und
las. Sofort entspannte er sich wieder.

Interessant, dachte Pippa, er hat mit etwas anderem gerechnet, und dies ist das kleinere Übel.

»Wann haben Sie denn diesen Brief geschrieben, Frau Direktor?«, fragte der Sekretär überrascht, vermochte allerdings
die Erleichterung in seiner Stimme nicht völlig zu kaschie-
ren.

»Sagen Sie's mir!«, gab Gertrude Schliefsteiner barsch
zurück. »Von mir ist der jedenfalls nicht.«

Pippa warf Josefa einen Blick zu, die umgehend reagierte.

»Naomi, wenn Sie heute die Nacht hier oben verbringen
möchten, zeige ich Ihnen gern unseren Gemeinschaftsschlaf-
raum – Ihnen natürlich auch, Frau Schultze.« Resolut manövrierte sie die beiden Frauen weg vom Tisch. »Es gibt auch

eine winzige Kammer für eine Person. Die ist normalerweise für meine Schwester Gertrude reserviert, aber sie lässt bestimmt mit sich ...« Ihre weiteren Worte wurden vom Knarren der Holztreppe übertönt, die zum Giebel hinaufführte.

Tonio von Pauritz atmete auf. Von seiner zornigen Arbeitgeberin vor den Augen seiner Angebeteten und deren Mutter mit Verfehlungen konfrontiert zu werden war ihm offenkundig mehr als unangenehm.

»Ich habe diese Briefe noch nie gesehen, geschweige denn geschrieben«, sagte er. »Wenn Sie es auch nicht waren, Frau Direktor, muss sich jemand unserer blanko unterzeichneten Briefbögen bemächtigt haben. Ich habe keine andere Erklärung.«

»Aber wir lassen diese Briefbögen doch nicht einfach offen herumliegen!« Gertrude Schliefsteiner rieb sich die Schläfen. »Sie befinden sich alle in der obersten Schublade meines Schreibtisches.«

»Wer außer Tonio hat denn Zugang?«, fragte Pippa.

»Die Dozenten und die Putzfrau, unsere Frau Krois«, erwiderte der Sekretär.

Paul-Friedrich verdrehte die Augen. »Na, prima. Also so gut wie jeder vom Akademiepersonal. Schließen Sie den Schreibtisch denn nie ab?«

Gertrude Schliefsteiner schüttelte den Kopf. »Wenn Herr Tonio einen Briefbogen benötigt, bedient er sich.«

»Sieht ganz so aus«, murmelte Paul-Friedrich.

»Ich möchte an dieser Stelle erklären, dass ich selbst diese Verfahrensweise weder angeregt habe noch gutheiße«, sagte Tonio von Pauritz mit wohldosierter Empörung in der Stimme. »Meiner Ansicht nach gehört es zu den Aufgaben eines guten Sekretärs, die Korrespondenz so zu terminieren, dass die Vorgesetzten vor Ort sind und sie gegenlesen sowie unterzeichnen können. Nur so ist gewährleistet, dass kein offizieller Briefbogen zweckentfremdet wird.« Selbstbewusst straffte er die Schultern. »Ich weiß nicht, was ich zu diesem ungeheuren Vorfall noch sagen soll. Wer mich kennt, weiß sofort, dass dieser Brief schon rein stilistisch nicht von mir sein kann. Ich pflege meine Anschreiben sorgfältig und mit Bedacht zu formulieren. Bei mir sitzt jedes Wort. Hier allerdings ...«

Er brach ab, da in diesem Moment Waldemar Schultze zur Tür hereingestürmt kam und sich vor dem Tisch aufbaute.

Pippa sah, dass Seeger wegen dieser unwillkommenen Unterbrechung die Stirn runzelte, und auch der Sekretär wirkte wenig erbaut vom überraschenden Auftauchen seines Schwiegervaters in spe.

Gertrude Schliefsteiner räusperte sich. »Herr Schultze, dürfte ich Sie höflich bitten, Ihr Anliegen später vorzutragen? Wir besprechen hier gerade ein paar Interna ...«

Waldemar Schultze nickte. »Ja, das vermutete meine Tochter. Sie hat nach mir gerufen, und hier bin ich: als Beistand für Herrn von Pauritz. Schließlich sollte niemand ohne moralische Unterstützung vor einem Tribunal stehen, nicht wahr? Tonio kann sich besser verteidigen, wenn ich ihm den Rücken stärke.«

»Sie wollen Herrn Tonio beistehen?«, fragte Margit. »Glauben Sie, dass Sie dafür die geeignete Person sind?«

»Weil der junge Mann der Schwarm meiner beiden Frauen ist?« Waldemar Schultze faltete die Hände über dem Bauch. »Gerade deshalb.«

»Mir wird unterstellt, ich hätte im Namen der Frau Direktorin einen Drohbrief an Maxi Frühwirt geschrieben«, verkündete Tonio von Pauritz. »Das ist selbstverständlich völlig absurd. Ich hätte doch gar nichts davon.«

»Es sei denn, Sie peilen ein höheres Ziel an, und dieser Brief ist nur einer von vielen«, warf Paul-Friedrich ein.

Tonio von Pauritz starrte den Exkommissar zunächst verständnislos an, dann dämmerte es ihm. »Sie halten mich für den *Erpresser*? Das ist eine ungeheure Frechheit! Ich bin noch niemals mit dem Gesetz in Konflikt geraten!«

»Das mag sogar stimmen.« Paul-Friedrich zog einen Zettel aus der Tasche. »Das lag dann aber nicht an Ihnen.« Er faltete das Schriftstück auseinander. »Wir haben uns mit diversen Damen über Sie ausgetauscht, wissen Sie? Unter anderem in Wien und in Graz. Die Namen habe ich hier. Möchten Sie sie hören?«

Kraftlos hob der junge Mann die Hand, um ihn zu stoppen, aber Paul-Friedrich fuhr fort: »Diese Damen haben von einer Anzeige abgesehen, um sich selbst zu schützen. Aber eine Journalistin von Ricardas Kaliber hat sie allesamt zum Reden gebracht.«

Pippa fragte sich, ob das stimmte, oder ob der Exkommissar lediglich pokerte, um den Sekretär unter Druck zu setzen. In jedem Fall zeigten die Worte Wirkung: Auf der Stirn des jungen Mannes waren Schweißperlen erschienen.

»Ich mochte jede dieser Damen sehr gerne, das beschwöre ich«, beteuerte er, »ich habe nur keine geheiratet. So ist das Leben! Man denkt, diesmal ist es die Richtige, und dann ist sie es doch nicht. Ich habe eben immer rechtzeitig erkannt, dass Entscheidendes fehlte.«

Paul-Friedrich nickte. »Genau. Geld auf ihrem Konto.«

»Zugegeben: Ich bin gegangen, wenn die Damen mir keine Geschenke mehr machen konnten. Darauf bin ich nicht stolz, aber es ist auch nicht strafbar.« Er sah Schultze beschwörend an. »Der Mensch kann sich ändern! Bei Naomi ist alles anders!«

»Stimmt«, erwiderte Paul-Friedrich, »diese junge Frau hat genug Geld auf dem Konto.«

Während Tonio von Pauritz verzweifelt die Hände rang,

ging Waldemar Schultze zum großen Herd. Seelenruhig nahm er einen Deckel nach dem anderen hoch und inspizierte den Inhalt der Töpfe.

Dann drehte er sich zum Tisch um und fragte: »Was meinen Sie, Frau Direktor, darf ich mich schon bedienen? Die anderen sind noch mit dem Erdloch beschäftigt, aber mir zittern bereits die Knie vor Schwäche. Und ich kann wesentlich besser denken, wenn ich genug Kalorien intus habe.«

Die Frau Direktor nickte geistesabwesend, und Waldemar Schultze nahm sich einen Teller aus dem Regal über dem Herd. Topfdeckel klapperten, während er sich großzügig auftat. Mit einer riesigen Portion Knödel und Pilzen in Rahmsoße kam er zurück an den Tisch, setzte sich und machte sich mit einem wohligen Seufzen über sein Essen her.

Hut ab, dachte Pippa, ich wäre nicht so entspannt, wenn es um meine Tochter ginge.

»Herr Schultze, bitte«, sagte Tonio von Pauritz eindringlich, »ich bin nicht der beste Mann, den eine Frau sich wünschen kann. Ich bin kein Mr Darcy. Aber ich bin auch kein Erpresser! Ich habe diese Briefe nicht geschrieben, das schwöre ich. Warum sollte ich der Akademie Sinnenschmaus schaden wollen? Das ergibt doch keinen Sinn!«

»Also, auf mich wirkt er überzeugend«, sagte Ricarda und sah in die Runde.

»Und genau das ist die hohe Kunst von Hochstaplern und Heiratsschwindlern: glaubwürdig zu wirken«, warf Paul-Friedrich ungerührt ein. »Deshalb sind sie so erfolgreich.«

»Ausgerechnet jetzt! Jetzt, wo ich mich zum ersten Mal wirklich verliebt habe!«, rief Tonio von Pauritz. »Jetzt, wo ich allen anderen Frauen abgeschworen habe!«

»Aus welchem Roman zitieren Sie?«, fragte Pippa trocken. »Oder ist das aus einem Film?«

Tonio von Pauritz rang um Fassung. Dann zischte er Pippa

und Paul-Friedrich an: »Ich hasse Leute, die sich für redlich halten, während sie im Leben anderer herumschnüffeln.«

Paul-Friedrich zuckte mit den Schultern. »Damit dürften Sie sich ja bestens auskennen, schließlich müssen Sie das jedes Mal tun, um das nächste lohnenswerte Objekt Ihrer Begierde zu finden, Herr Anton Pauritsch alias Tonio von Pauritz.«

Der Akademiesekretär biss sich auf die Lippen, wandte sich dann aber sofort wieder an Waldemar Schultze. »Ich meine es ehrlich mit Naomi, wirklich! Glauben Sie diesem Mann nicht!«

Schultze lächelte. »Dafür ist es zu spät, mein Junge, ich glaube ihm. Und genau deshalb bin ich an deine Seite geeilt.«

Alle starrten ihn verblüfft an, und Tonio von Pauritz ließ sich fassungslos auf einen Schemel sinken.

Vollkommen unbeeindruckt widmete Schultze sich weiterhin Josefas hausgemachten Knödeln. Mit sichtlichem Genuss kaute er Bissen um Bissen, dann sagte er: »Ich verlege Liebesromane, ich handele mit Liebe. Happy Ends sind meine Passion. Irgendwann in ferner Zukunft wünsche ich mir auch eines für meine Tochter – wie könnte ich nicht? Aber bis dahin soll sie möglichst viel erleben und später auf Erinnerungen zurückblicken können, von denen noch ihren Enkeln die Spucke wegbleibt. Ich wäre enttäuscht, wenn sie mir bereits jetzt, so jung wie sie ist, einen Schwiegersohn präsentieren würde, ohne dass es vorher ein so herrliches Verwirrspiel wie in *Stolz und Vorurteil* gegeben hätte.« Er blickte gelassen in die Runde und verspeiste einen weiteren Knödel, bevor er fortfuhr: »Hat sich nicht sogar Elisabeth Bennet ein paar Seiten lang zum attraktiven Tunichtgut George Wickham hingezogen gefühlt? Hätte sie das nicht getan, wäre ihr der wahre Wert Mr Darcys vielleicht nie aufgefallen! Dann hätte sie ihr ganzes Leben in dem Glauben verbringen müssen, etwas verpasst zu haben.«

»Wie bitte? Sie wussten die ganze Zeit, wer unser Herr Sekretär in Wirklichkeit ist?«, fragte Pippa.

»Wissen Sie, seit Naomi volljährig ist, sucht meine Frau nach einem passenden Partner für sie«, erwiderte Schultze. »Das führte sogar zu einer zeitweisen Entfremdung zwischen Belinda und mir, da ich unsere Kleine – ganz Vater – gern so lange wie möglich in meiner Nähe hätte. Tatsächlich ist das einer der Gründe, warum wir diesen gemeinsamen Urlaub machen: Wir wollen wieder zueinanderfinden.« Er räusperte sich verlegen. »Sie erinnern sich: Die Eltern der wunderbaren Elisabeth in Janes Austens unvergänglich schönem Roman sind, gelinde gesagt, in ihrer Erziehung an vielen Stellen tadelnswert nachlässig. Damit Belinda und ich nicht dieselben Fehler machen, haben wir – übrigens in Absprache mit Naomi – einer sehr renommierten Detektei eine Art Dauerauftrag erteilt. Alle Personen, die sich meiner Tochter nähern und ihr gefährlich werden könnten, werden überprüft. Das erhält uns den häuslichen Frieden. Sehen Sie, eine junge Frau mit so viel Geld lockt nicht nur hübsche Heiratsschwindler wie unseren Tonio an. Es gibt auch Leute, die auf ganz andere Art und Weise Kapital aus ihr zu schlagen versuchen.«

»Sie reden von Erpressung und Kindesentführung«, sagte Ricarda.

Schultze nickte und legte die Gabel aus der Hand. »Allerdings. Als Naomi gerade in die Pubertät kam, gab es einen Entführungsversuch, der Gott sei Dank scheiterte. Danach haben wir diese Vorsichtsmaßnahme ergriffen, um sowohl ihr als auch uns ein halbwegs unbeschwertes Leben zu garantieren. Mir wäre es anders auch lieber, das dürfen Sie mir glauben. Aber so leben wir sicherer. *Alles* lassen wir durchchecken, auch unsere Urlaubsziele und wen wir dort antreffen werden. Deshalb weiß ich, wer Sie beide sind«, er grinste Pippa und Paul-Friedrich an, »und auch, dass es an dieser Akademie mehr als nur ein Problem gibt. Da keines davon uns betrifft, halte ich die Akademie Sinnenschmaus für den idealen Ort, um in der Sonne zu sitzen, ein Glas Schilcher zu trinken und von einer bequemen Liege aus das Drama vor meinen Augen einmal nicht zu lesen, sondern live zu erleben.«

Pippa musste lachen. »Stille Wasser sind tief. In Ihnen steckt wahrlich mehr, als man zunächst vermuten könnte.«

»Das betrachte ich als Kompliment einer Gleichgesinnten.« Schultze lächelte geschmeichelt. Dann schob er den Teller ein Stück von sich weg und sah Tonio von Pauritz an. »Wir machen es dir jetzt mal leicht, Tonio: Du sagst uns die Wahrheit und nichts als die Wahrheit. Im Gegenzug versprechen wir dir, dich in Ruhe zu lassen, wenn es sich wirklich als Wahrheit erweist.«

Der junge Mann zögerte, und Ricarda warf ein: »Seien Sie jetzt klug. So eine Chance bekommen Sie kein zweites Mal.«

Tonio von Pauritz atmete tief ein, dann sagte er: »Sie wissen ja bereits, dass ich mich in einigen Berufen versucht habe. Eine Ausbildung zum Bürokaufmann habe ich aber tatsächlich gemacht. Mehr als einmal durfte ich dabei zusehen, wie eine meiner knusprigen, hübschen Kolleginnen sich ihren Chef schnappte und dann mit ihm, mit Pelzen und Juwelen behängt, in den Sonnenuntergang entschwand. Da dachte ich mir: Warum sollte mir das nicht auch gelingen? Jung und hübsch bin ich auch.«

Gertrude Schliefsteiner entfuhr ein entsetzter Laut, und sie griff haltsuchend nach Margits Hand.

»Dummerweise geriet ich nie an weibliche Vorgesetzte, die meinem Charme zu erliegen drohten und mir durch Heirat das erträumte *Dolce Vita* ermöglichen wollten«, fuhr er fort. »Frau Direktor ist für alles außer fehlerfreien Briefen oder E-Mails unempfänglich – es sei denn, es duftet oder schmeckt oder sieht aus wie die Alm.« Er versuchte ein klägliches Lächeln, was ihm gründlich misslang. »Dabei habe ich mich eigens für sie in einen Adeligen verwandelt. Ich hatte gehofft, das zieht.«

»Oh, bei meinen beiden Damen hat das durchaus Begehrlichkeiten geweckt.« Schultze grinste spitzbübisch. »Allerdings hat das zusätzliche t in unserem langweiligen Familiennamen letztlich ja nun doch mehr Bestand als dein ›von‹.«

»Als Anton Pauritsch hätte ich kaum Eindruck schinden können«, sagte der Sekretär kleinlaut. »Schließlich sind wir in Österreich, und ich dachte, so ein schickes ›von‹ und dazu die italienische Version meines Vornamens – das müsste doch irgendeine gutbetuchte Matrone mittleren Alters beeindrucken.«

»Matrone?« Gertrude Schliefsteiner war anzusehen, dass sie von Pauritz am liebsten an die Gurgel gegangen wäre. Sie fuhr hoch, wurde aber von Margit zurückgehalten und setzte sich wieder.

Der Sekretär war bei der impulsiven Reaktion der Direktorin zurückgezuckt, fuhr aber fort: »Als ich merkte, dass ich bei Ihnen nicht landen kann, Frau Direktor, habe ich mich bei den Mädels in Deutschlandsberg umgesehen. Und unter den alleinstehenden Damen unserer Kurse.« Mit gesenktem Blick spielte er am Häkelrand der rotweiß karierten Tischdecke. »Aber jetzt ist es anders gekommen, als ich dachte. Jetzt habe ich mich wirklich verliebt.«

Schultze hatte ihm zunächst wohlwollend zugehört, aber bei den letzten Sätzen die Stirn gerunzelt. »Mein Junge, du bist nicht in meine Naomi verliebt, sondern in die rosige Zukunft, die eine naive Millionenerbin, die noch nie einen Verehrer hatte, dir bietet. Du hast sie für leichte Beute gehalten. Aber lass dir eines gesagt sein: Naomi ist zwar weit entfernt davon, auszusehen wie ein Model, aber sie ist deswegen noch lange nicht grün hinter den Ohren. Sie hat dich durchschaut und genießt deine Avancen trotzdem. Deshalb sitze ich hier. Du bist ihr persönlicher Genuss- und Kuss-Kurs, Tonio, und das darf bis zum Ende unseres Aufenthaltes in der Akademie auch gerne so bleiben.«

Allen hatte es die Sprache verschlagen. Pippa fragte sich, wer es faustdicker hinter den Ohren hatte: der Akademiesekretär oder der Liebesroman-Verleger.

Sie sprang erleichtert auf, als Morris müde und abgekämpft hereinkam und ein wenig Ablenkung bot. »Habt ihr was gefunden?«, fragte sie.

Morris nickte und zeigte ihr drei kleine Gegenstände, die vollkommen mit Erde und Lehm bedeckt waren. »Zwei Tonscherben und ein Amulett. Ich will sie rasch säubern. Und dann endlich etwas essen.«

»Ich helfe d… Ihnen«, sagte Pippa und begleitete ihn zur Spüle.

Morris betupfte die Fundstücke mit einem feinen Tuch und befreite sie dann über dem Becken mit einem Pinsel von den Anhaftungen.

»Und die sind aus Eddis Grube?«, fragte Pippa. »Wo habt ihr sie entdeckt?«

»In zwei Metern Tiefe«, erwiderte Morris, »beim Abstützen der Seitenwand.«

Er drehte sich von der Spüle weg und hielt den Anhänger gegen das Licht, gespannt beobachtet von der Runde am Tisch.

Morris untersuchte das Amulett aufmerksam, dann schüttelte er den Kopf. »Dachte ich's doch. Das ist eine Nachbildung. Durchaus hochwertig, aber eben nur echten keltischen

Schmuckstücken nachempfunden. So etwas bekommt man in Schottland an jeder Ecke. Und überall auf der Welt in den Shops der Museen, die sich mit keltischer Geschichte befassen.«

Margit hatte sich vom Tisch erhoben und streckte die Hand nach dem Anhänger aus. »Darf ich?« Morris nickte und legte ihn ihr in die Hand. Sie nahm den Schmuck in Augenschein, drehte und wendete ihn und schluckte schwer, bevor sie leise sagte: »Stimmt, diese Anhänger gibt es auch in unserem Museum auf der Burg und im Hallstadtmuseum von Groß-Klein. Da hat Bernhard Lipp seinen gekauft. Aber weil es so viele davon gibt, hat er seinen markiert. Mit einem L auf der Rückseite.« Sie blickte zum Tisch und fuhr mit brüchiger Stimme fort: »Dieser hat ein L. Kein Zweifel: Dieses Amulett gehört Bernhard. Aber wie kommt der Anhänger in die Erde der Kälberwiese? Bernhard legt die Kette niemals ab. Niemals.« Sie atmete tief ein und sehr langsam wieder aus. »Deshalb gibt es nur eine Erklärung: Wo der Anhänger lag, muss auch Bernhard sein.«

Das allgemeine Entsetzen im Raum war beinahe körperlich spürbar.

Seeger ging zu Margit, nahm ihr das Amulett ab und inspizierte es sorgfältig. Dann sagte er ruhig: »Ich werde jetzt alle aus der Grube holen, damit dort nicht noch mehr herumgetrampelt wird. Und dann holen wir die Polizei. Dies wird eine lange Nacht.«

Kapitel 21

Der Regen kam zeitgleich mit der Polizei. Er fiel stark und unablässig und machte den Akteuren auf der Kälberwiese das Leben schwer.

Pippa lag unter dem Dach des Hauses auf der großen Holzpritsche des Gemeinschaftsschlafraumes und versuchte zu begreifen, dass aus der friedlichen Alm ein Ort für polizeiliche Ermittlungen geworden war. Seit einer gefühlten Ewigkeit drangen Stimmen durch das kleine Giebelfenster; sie erteilten Anweisungen und unterbrachen damit nicht nur immer wieder das monotone Rauschen des Regens, sondern auch ihre Grübeleien. Das polizeiliche Einsatzteam agierte äußerst professionell, nachdem sie in der Grube nach kurzem Graben tatsächlich eine Leiche gefunden hatten. Wie die Rädchen eines guten Uhrwerks griffen alle Aktionen schnell, effektiv und routiniert ineinander. Trotzdem rief die Arbeit der Ermittler bei all jenen in der Almhütte, die Derartiges noch nicht erlebt hatten, Aufregung und Hektik hervor und sorgte für aufgewühlte Stimmung. Pippa hatte ein wenig Abstand gesucht und sich auf der Suche nach Ruhe in die Dachkammer geflüchtet. Aber selbst hier oben sorgte das Licht der Scheinwerfer, die den Fundort der Leiche taghell erleuchteten, für unangenehme Helligkeit.

Genau wie Pippa hatte auch Valentin Baumgartner sich in den Schlafraum unter dem Dach der Hütte zurückgezogen. Sie redeten nicht, und Pippa fragte sich, ob der Trainer schlief. Da das große Matratzenlager eine der Seitenwände gänzlich einnahm und acht Personen Platz bot, lag er ein gutes Stück von ihr entfernt.

Sie fühlte sich gleichzeitig erschöpft und aufgedreht, denn sie hatte Fragen beantwortet, Kaffee gekocht, wieder Fragen beantwortet und hundertmal dasselbe erzählt. Vor allem aber hatte sie die aufgelöste Margit zu trösten versucht, bis die Polizei endlich gestattete, dass Ricarda erst Margit und die Lambertis und danach die Schultzes zurück nach Plutzerkogel chauffierte. Tonio von Pauritz war geblieben, um zu helfen, falls das gewünscht würde. Beinahe war Pippa gerührt vom demonstrativen Bemühen des jungen Mannes, Beweise für seine Läuterung zu erbringen.

Seeger hatte sie schon lange nicht mehr gesehen; er war am Ort des Geschehens und bemüht, den örtlichen Ermittlern zu helfen. Sie hatten über dem Grabungsfeld ein großes weißes Zelt errichtet, um weitere Spuren sichern zu können.

Einmal Kommissar, immer Kommissar, er kann nicht raus aus seiner Haut, dachte Pippa und musste unwillkürlich lächeln.

Leise, um Baumgartner nicht zu wecken, krabbelte sie von der Pritsche herunter, ging auf bloßen Füßen zum Fenster und sah zum Felsen über der Ausgrabungsstätte hinüber. Die grell angestrahlte Szenerie mit ihren Akteuren erschien ihr seltsam unwirklich, wie der Drehort für einen Krimi. Pippa schauderte, als sie sich in Erinnerung rief, dass all dies keinem Drehbuch folgte, sondern bittere Realität war.

Mit nicht nachlassender Stärke strömte der Regen fast senkrecht vom Himmel. Schutzzelt oder nicht: Niemand, der an oder in der Grube beschäftigt war, konnte noch einen trockenen Faden am Leib haben.

Ein Mann in Zivil zog Eddi Krois am Arm vom Fundort der Leiche weg unter den überstehenden Giebel der Hütte, der provisorischen Schutz vor der allgegenwärtigen Nässe bot. Da dieser Mann eine Stunde zuvor mit ihr gesprochen hatte, wusste Pippa, dass es sich um Chefinspektor Fuchshofer handelte, den leitenden Ermittler. Die Männer standen nun direkt unter ihrem Fenster, und Pippa zog vorsichtig ihren Kopf zurück, um keine Aufmerksamkeit zu erregen.

»Mit Publicity, Scheinwerfern und Kameras habe ich ja gerechnet, allerdings erst dann, wenn der Körper öffentlich ausgestellt wird!«, sagte Krois. »Dass mir die Polizei beim Ausgraben hilft, hatte ich nicht erwartet. Da hätte ich mir die ganze Bettelei um helfende Hände für das kommende Wochenende sparen können.«

»Sie glauben tatsächlich, eine Grabstätte aus der Hallstattzeit gefunden zu haben?«, fragte Fuchshofer ungläubig.

»Hallstattzeit, da sagen Sie was! Vielen Dank für das Stichwort«, gab Krois zurück. »Das ist doch das große Dilemma unserer Gegend: Hallstadt, immer nur Hallstadt. Weltweit wissen die Leute über die Ausgrabungen dort Bescheid. Haben Sie eine Ahnung, wie viele Wissenschaftler und Touristen es in die Museen und in die Gegend um Hallstadt zieht? Und wir? Wir gucken in die Röhre, obwohl bei uns mindestens so viele Siedlungen gewesen sein müssen wie bei der Konkurrenz im Salzkammergut.«

Fuchshofer wollte etwas entgegnen, aber Krois stoppte ihn, indem er den Kommissar am Arm packte. »*Wir* haben die Fürstengräber, *wir* haben das Freilichtmuseum auf dem Burgstallkogel, *wir* haben das anschauliche Museum in Groß-Klein. Aber wo fahren die Leute hin? Nach Hallstadt, als ob es da auch nur annähernd so Spektakuläres zu sehen gäbe wie bei uns!«

Erneut machte der Ermittler einen vergeblichen Versuch, etwas zu sagen.

Gib auf, dachte Pippa amüsiert und wagte sich wieder ein wenig aus der Deckung, bei seinem Lieblingsthema wird

Eddi Krois zu einer Naturgewalt, die über jeden Zuhörer hinwegbrandet.

»In Hallstatt haben sie im Jahre 1846 gegraben«, ereiferte sich Krois weiter, »aber in Klein-Klein und Umgebung bereits 1844. Dummerweise haben sie ihre Funde nicht ordentlich dokumentiert, diese Trottel! Das taten erst die Leute, die ab 1856 Ausgrabungen durchführten. Sie verstehen, was ich Ihnen sagen will? *Wir* waren die Ersten! Wir! Aber nein, es fehlen ein paar lächerliche Aufzeichnungen. Und schon sind uns die in Hallstadt um eine Nasenlänge voraus.« Er seufzte vernehmlich und fuhr fort: »Klein-Klein-Zeitalter! So müsste es heißen und nicht anders!«

Ein erneutes Seufzen des Keltenforschers nutzte der Kommissar, um endlich zu Wort zu kommen. »Und nur deshalb haben Sie hier gegraben? Um den Leuten aus dem Salzkammergut etwas zu beweisen?«

»Nur? Nur? Es geht darum, einen kapitalen historischen Irrtum geradezurücken. Unser Gebiet, von Groß-Klein über Klein-Klein und Deutschlandsberg bis hier nach Plutzerkogel, gehört auf die weltgeschichtliche Landkarte! Stellen Sie sich doch mal vor, welchen Stellenwert die Entdecker von Lucy in Äthiopien heute haben! Oder die Leute, die den Ötzi gefunden haben! Ich will lediglich als ernsthafter Forscher anerkannt werden – für ein Gebiet, das für die Erkenntnisse über die keltische Besiedlung Österreichs nicht wichtiger sein könnte. Ist das zu viel verlangt? Ich glaube nicht!«

»Aber warum haben Sie ausgerechnet hier gegraben? Warum nicht an irgendeiner anderen Stelle?«

Eddi Krois stöhnte. »Das habe ich jetzt schon jedem einzelnen Ihrer Kollegen erzählt! Weil ich glaubte, dass der Felsvorsprung einen natürlichen Schutz bietet und die keltischen Siedler blöd gewesen wären, wenn sie diesen Vorteil nicht für sich genutzt hätten! Würden Sie nicht an einer halbwegs warmen Stelle ersten Unterschlupf suchen? Die Kelten hatten zwar noch keine technischen Errungenschaften in unserem Sinne, aber sie waren erfinderisch. Und sie hatten Augen im Kopf.«

»Ach, und die Damen und Herren Wissenschaftler aus Graz dachten nicht so logisch wie die ersten Siedler und haben deshalb auf dem falschen Teil der Kälberwiese gebuddelt?«, fragte Fuchshofer mit deutlich hörbarer Ironie in der Stimme.

Krois zuckte mit den Schultern. »Die Kollegen waren einfach betriebsblind. Gibt es in jedem Beruf. Sie kriegen ja auch nicht jeden Täter.«

Pippa konnte ein Kichern nicht unterdrücken, das sie prompt verriet. Die beiden Männer sahen nach oben, und der Kommissar zerrte Krois hastig um die Hausecke und außer Hörweite.

Da ihr ohnehin kalt wurde, schloss Pippa das Fenster und drehte sich um. Jetzt konnte sie erkennen, dass Valentin Baumgartner nicht schlief, sondern in den hölzernen Giebel über sich starrte.

Sie ging zu ihm hinüber und setzte sich auf den Bettrand. Sein unverkennbares Parfüm stieg ihr in die Nase, und sie schnupperte. Was erzählte dieser Duft über den Fitnesstrainer? Tatkraft, interpretierte sie, Mut und Loyalität – aber zu ihrer Überraschung waren da auch Spuren von Ylang-Ylang. Es galt als femininster Duft überhaupt und wurde aus den Blüten eines in Südostasien beheimateten Baums gewonnen. Da dieser Duft sie beim Parfümkurs besonders fasziniert hatte, fiel er ihr sofort auf.

Ylang-Ylang stehe für Sexualität, Sinnlichkeit und pure Weiblichkeit, hatte Giorgio Gallastroni referiert, ihm werde eine stark aphrodisierende Wirkung zugeschrieben. In der

Aromatherapie setze man ihn ein, um Wut, Eifersucht oder Hass zu dämpfen und die Liebe zu feiern. Obendrein solle er Blutdruck senken und antiseptisch wirken. Sie erinnerte sich, dass Ylang-Ylang in Chanel No. 5, dem weltweit wohl berühmtesten Parfüm, einer der wichtigsten Bestandteile war.

An Baumgartner wirkte die Duftkomponente allerdings alles andere als weiblich. In dem speziell für den Trainer komponierten Duft drückte sich aus, was Gallastroni die Mystik des Geruchs nannte: Er wirkte geheimnisvoll und nicht zu durchschauen, dabei ganz und gar männlich.

Sie fragte sich, welches Geheimnis Gallastroni in diesem offenen und freundlichen jungen Mann gesehen haben könnte, dass er bei der für ihn bestimmten Komposition mit dem passenden Namen ›Spitzenreiter‹ ausgerechnet zu Ylang-Ylang gegriffen hatte.

Als Baumgartner sich durch die Haare fuhr, bemerkte Pippa, dass er am ganzen Körper zitterte. Bestimmt steht er unter Schock, dachte sie.

»Es fühlt sich surreal an, nicht wahr? Das da draußen, meine ich«, sagte sie leise. »So als fände das zwar alles statt, aber seltsam entfernt, nicht ganz zu verstehen. Ich glaube, sich zurückzuziehen, bis das Begreifen einsetzt, ist purer Selbstschutz. Mir geht es genauso.«

Baumgartner schluckte und fragte: »Kommt Frau Lehmann-Jauck noch einmal zurück und holt auch uns ab? Ich muss doch morgen pünktlich zum Frühsport in der Akademie sein.« Er blickte auf seine Armbanduhr und runzelte die Stirn. »Es ist schon mitten in der Nacht, beinahe zwei Uhr.«

»Sie kommt auf jeden Fall wieder; sie hat versprochen, die Frau Direktor, Paul-Friedrich und mich zurückzufahren. Aber ich trete meinen Platz gern an dich ab.« Sie lächelte. »Mir ist alles recht, um mich vor dem Frühsport zu drücken.«

Baumgartner nickte müde und murmelte: »Vielen Dank.«

Sollte sie die Gelegenheit nutzen, um den jungen Mann zu seiner Sicht auf die Probleme seiner Arbeitgeber zu befragen? Pippa musterte ihn, dann sagte sie kurzentschlossen: »Dir ist bestimmt nicht entgangen, welche Stimmung gerade bei Frau Direktor und den anderen Besitzern der Akademie Sinnenschmaus herrscht. Und wieso die Kurse unterbelegt sind.«

Baumgartner schwieg zunächst, und Pippa hätte sich dafür ohrfeigen können, ihn so unsensibel bedrängt zu haben.

Aber plötzlich erwiderte er: »Daran hat nur der dämliche Lenzbauer schuld. Wenn der auf seine Tochter aufpassen würde, wie es sich gehört, wären wir nie ins Gerede gekommen. Der Mann verdient wirklich genug. Er kann sich doch ein Au-pair-Mädchen für Nina leisten oder zumindest eine ordentliche Tagesbetreuung. Aber nein, er muss natürlich der ganzen Welt zeigen, dass er seine Tochter ganz allein großziehen kann. Ohne fremde Hilfe. Zum Kotzen ist das. Und jetzt haben wir den Salat. Wir alle müssen ausbaden, was er uns eingebrockt hat.«

Pippa blieb buchstäblich die Spucke weg, wie vehement der sonst stets freundlich und ausgeglichen wirkende Trainer über Lenzbauer wetterte.

»Dieser Mann merkt nicht einmal, dass er uns reinreitet!«, fuhr Baumgartner fort. »Aber der hat ja noch nie was gemerkt, sonst wäre ihm seine Frau ja auch nicht weggelaufen. Manchmal kommt es mir so vor, als ob er das alles sogar richtig genießt. Schließlich wird er von sämtlichen Frauen bemitleidet und bemuttert! Jedes Mal, wenn er eine Vertretung benötigt, wirft er die Sorge um seine kleine Tochter in die Waagschale, damit wir Mitleid kriegen. Und schon regeln wir alles in seinem Sinne.« Er setzte sich auf und sah Pippa an. »Denkt mal irgendjemand darüber nach, wie viel

Aufwand es für uns bedeutet, Woche für Woche seine Arbeit zu übernehmen? Nein. Und wenn man zu protestieren versucht, zieht er seine Trumpfkarte: Er ist der arme, alleinerziehende Vater, während wir nur für uns selbst sorgen müssen und keine weitere Verantwortung zu tragen haben.« Müde winkte er ab. »Aber was rege ich mich auf. Lohnt sich ja alles nicht. Nicht *mehr*, jedenfalls.«

»Wie meinst du das?«, fragte Pippa.

»Wie ich das meine? Wolltest du nicht meine Meinung zur Akademie Sinnenschmaus wissen? Bitte sehr: Sie geht den Bach runter, und wir alle müssen uns nach einem neuen Job umsehen. Vielleicht besser so. Schließlich gibt es hier nicht nur schöne Erinnerungen …«

»Du meinst die Drohbriefe?«, hakte Pippa ein, als er stockte.

Baumgartner nickte. »Hier traut doch keiner mehr dem anderen. Diese Briefe enthalten so viel Insiderwissen, dass sie nur einer von uns geschrieben haben kann. Auf jeden Fall jemand aus dem näheren Umfeld, sonst könnte der Erpresser uns nicht auf so widerliche Weise persönlich bedrängen.«

Pippa rief sich die Briefe ins Gedächtnis. Sie hatte zwischenzeitlich den Eindruck gewonnen, dass auch ein guter Beobachter sie geschrieben haben könnte.

Es sei denn …

»Du hast auch einen Brief bekommen – und der war sehr persönlicher Natur«, sagte sie.

Baumgartner ließ den Kopf sinken, was ihr signalisierte, dass sie mit ihrer Vermutung ins Schwarze getroffen hatte. »Früher, da haben wir alle gut zusammengearbeitet. Und als Kollegen zusammengehalten. Vielleicht nicht immer als allerbeste Freunde. Mit einem Heribert Achleitner ist das auch schwierig, der trägt das Leiden der Welt ja schon im Namen mit sich herum …«

»Ach«, gab Pippa zurück.

»Genau.« Baumgartner grinste schief. »Aber wir waren ein gutes Team. Wir sind füreinander eingestanden, nicht nur nach außen, auch in der Akademie selbst. Aber jetzt? Jetzt ist alles anders. Jetzt misstrauen wir einander und machen uns gegenseitig Vorwürfe. Jeder verdächtigt jeden, und keiner gönnt dem anderen mehr die Butter aufs Brot.«

»Alle ohne Ausnahme?«, fragte Pippa.

»Alle. Keine Ausnahme, leider. Es fehlt eben die ausgleichende Hand. Margit hat ja eine Engelsgeduld und schlichtet immer wieder, aber sie kann nicht einmal unsere Flirtweltmeister zur Harmonie zwingen. Geschweige denn uns andere zu dauerhaftem Frieden untereinander.« Er machte eine lange Pause, dann fuhr er leise fort: »Früher, als Jasmin noch bei uns war, wäre so etwas undenkbar gewesen. Sie hat immer gepredigt: Wenn ihr euch in den Haaren liegt, wird es Zeit, in unseren Salon zu kommen. Giorgio und ich können von Berufs wegen nicht nur gut zuhören, sondern auch alles Krause wieder glätten.« Baumgartner seufzte. »Wir haben es geradezu genossen, mit unseren Problemen zu den beiden zu gehen und uns den Kopf waschen zu lassen. Giorgio und Jasmin, die wussten immer Rat. Ja, als Jasmin wegging … das war der Anfang vom Ende.«

Pippa wartete, ob er noch mehr erzählen würde, aber der Trainer schwieg. Schließlich sagte sie: »Falls du auch so einen Brief bekommen hast, dann sollte auch der jetzt auf den Tisch – gerade in Anbetracht dessen, was da unten am Felsen passiert. Nicht unbedingt bei uns, aber bei jemandem, dem du wirklich vertraust und der dir raten kann, was zu tun ist.«

Ehe Baumgartner reagieren konnte, signalisierte das Knarren der schmalen Treppe, dass jemand zur Schlafkammer heraufstieg. Baumgartner zog sich sofort in sein Schneckenhaus zurück und drehte sich wortlos zur Seite. Sekunden später erschien Morris in der Tür, nassgeregnet und sehr müde aussehend, dicht gefolgt von Eddi Krois, den die ganze Aufregung eher zu beleben als zu erschöpfen schien.

»Was soll das denn jetzt alles?«, fragte er Morris, der ein Handtuch von seinem Schlafplatz nahm und sich damit die Haare trockenrubbelte. »Ich kapiere es nicht. Warum wollen sie den Körper in die Pathologie bringen? Ist das üblich? Wen interessiert denn, was wir gefunden haben – außer uns?«

»Die Mordkommission«, sagte Paul-Friedrich, der jetzt ebenfalls den Schlafraum betrat. »Es sollte doch nun wirklich mittlerweile jeder kapiert haben, was los ist. Glauben Sie tatsächlich, dieser Rummel da draußen findet wegen eines zweitausend Jahre alten Gerippes statt?«

Aber Eddi Krois' Hoffnung, einen bedeutenden geschichtlichen Fund gemacht zu haben, blockierte ihn für die tragische Realität, wie seine nächste Frage bewies: »Warum kann Morris die Leiche nicht selbst datieren, herausputzen und dann gemeinsam mit uns einen schönen Namen für sie suchen?«

Paul-Friedrich sah ihn ernst an. »Etwas in der Richtung haben die Kollegen da unten jetzt tatsächlich vor. Das *Herausputzen* nennt sich obduzieren. Und dabei wird auch datiert, wie lange die Leiche schon unter dem Felsen versteckt liegt. Und wenn sie das herausgefunden haben, finden die Kollegen hoffentlich auch den passenden Namen.«

»Den hoffentlich keiner von uns jemals in seinem Leben gehört hat«, fügte Pippa düster hinzu.

Sie stockte, denn auch Gertrude Schliefsteiner war die Stiege heraufgekommen. Ohne den Anwesenden Beachtung zu schenken, ging sie in die winzige Einzelkammer und schlug die Tür hinter sich zu. Ihre Schwester Josefa eilte ihr besorgt nach, und man hörte aus dem Raum leises Schluchzen.

Pippa warf Paul-Friedrich einen fragenden Blick zu, denn die Frau Direktorin hatte um Jahre gealtert ausgesehen, und das konnte nichts Gutes bedeuten.

Paul-Friedrich nickte und sagte dann: »Frau Schliefsteiner braucht jetzt unbedingt Ruhe. Der Kommissar hat ihr gerade mitgeteilt, dass die gefundene Leiche vom Gerichtsmediziner auf etwa 35 Jahre geschätzt wird.« Seeger machte eine Pause und fuhr dann leiser fort: »Wir alle wissen, was das bedeutet. Zumindest in der Gegend um Deutschlandsberg wird in dieser Altersklasse nur eine einzige Person vermisst, und das ist Bernhard Lipp.«

🐈 Kapitel 22 🐈

Der Regen hatte aufgehört, als Pippa und Gertrude Schliefsteiner sich am nächsten Morgen auf den Weg zurück zur Akademie Sinnenschmaus machten. Morris hatte angeboten, sie durch den Wald bis zur Wallfahrtskirche zu begleiten, was ihnen ein Gefühl von Sicherheit gab. Da die Direktorin Bescheid wusste, genoss es Pippa, mit Morris Hand in Hand zu gehen.

»Ich fühle mich wie gerädert«, sagte sie und sog die frische Morgenluft tief in die Lungen ein. »Der Fußmarsch wird uns helfen, wieder einen klaren Kopf zu bekommen.«

»Ich wäre liebend gern noch auf der Alm geblieben ... aber da hätte ich mich feige und schäbig gefühlt. Schließlich sind alle anderen bereits unten in Plutzerkogel. Sie werden erwarten – und das zu Recht –, dass ich den Stier bei den Hörnern packe und Ordnung ins Chaos bringe.« Gertrude Schliefsteiner seufzte. »Immerhin hatte ich heute Nacht noch eine kleine Galgenfrist, nachdem Frau Lehmann-Jauck auf ihrer letzten Tour nicht nur Paul-Friedrich, sondern auch Tonio und Baumgartner mit ins Tal genommen hat. Trotzdem meldet sich bereits das schlechte Gewissen, weil ...«

»Das brauchst du nicht zu haben«, wandte Pippa ein. »Paul-Friedrich hat versprochen, Margit in jeder Hinsicht zu unterstützen, bis wir eintreffen. Und was er verspricht, hält er.«

Schweigend schritten sie weiter durch den Wald, der den Geruch wasserdurchtränkter Erde und nassen Laubs verströmte. Von der Klamm her wehte ein leichter Wind, und von Zeit zu Zeit unterbrach ein leises Knarren von Holz oder der Ruf eines Vogels die Stille.

Als sie die Wallfahrtskirche erreichten, sagte die Direktorin: »Ich möchte einen Moment hineingehen. Allein. Ich brauche höheren Beistand. Innere Einkehr hat mir noch immer geholfen, meine Gedanken zu sortieren.«

Pippa nickte und setzte sich mit Morris auf die Bank vor der Kirche, wo sie nach dem Sonntagsfrühstück mit Livia auf die anderen gewartet hatte.

Kaum zu glauben, dachte Pippa, dass dies alles erst vier Tage her ist. Morris legte den Arm um ihre Schultern, aber Pippa schüttelte den Kopf. »Lieber nicht. Da kommt jemand.«

Morris sah sie erstaunt an. »Ich höre nichts.«

»Aber ich rieche etwas.«

Sie lächelte, denn der Wind kündigte Baumgartner an, bevor sie ihn sahen: Ein Hauch von ›Spitzenreiter‹ war ihr in die Nase gestiegen. Sie wandte den Kopf und sah den Trainer den Weg zur Kirche heraufjoggen.

Morris verzog das Gesicht und nahm den Arm von ihrer Schulter. »Das wäre ja auch zu schön gewesen ...«

Pippa lachte und gab ihm einen scherzhaften Klaps auf die Hand. Baumgartner hatte die Bank erreicht, grüßte knapp und machte ein paar Dehnübungen, wobei er sie in eine schwere Wolke seines Parfüms hüllte.

Du hast heute Morgen aber dick aufgetragen, dachte Pippa, brauchst du einen Schutzmantel? Warum nimmt ausgerechnet dich das Drama um Bernhard Lipp so sehr mit?

Morris stand auf. »Ich muss zurück zur Alm. Ich habe Josefa versprochen, ihr zu helfen. Sie hatte seit gestern keine Minute Pause. Grüß die Frau Direktor noch mal von mir, ja, Pippa?« Er lächelte Baumgartner an und fuhr fort: »Ihr habt jetzt ja einen anderen Bewacher.« Mit einem Winken machte er sich auf den Weg.

Darauf schien der Trainer nur gewartet zu haben, denn er setzte sich sofort zu Pippa. »Die Frau Direktor ist in der Kirche? Seid ihr auf dem Weg zur Akademie?«

Pippa nickte. »Ja, sie wollte nur einen Moment ...«

»Ich habe mir durch den Kopf gehen lassen, was du gestern Nacht gesagt hast«, fiel Baumgartner ihr ins Wort, als habe er ihre Antwort kaum wahrgenommen. »Du hast völlig recht. Ich muss der Direktorin reinen Wein einschenken. Deshalb will ich sie unbedingt noch vor dem Frühsport erwischen. Besser, sie erfährt alles von mir als von Giorgio.«

Er fuhr sich durchs Haar. Die Bewegung verstärkte die Wirkung seines Parfüms, so dass Pippa sich kurz abwenden musste, um frische Luft zu schnappen.

»Also gut«, sagte Baumgartner laut, als wollte er sich selbst Mut machen, »ich werde jetzt zu ihr gehen und alles gestehen.«

»Sie wollen mir etwas gestehen, Valentin?« Die Direktorin hatte die Kirche verlassen und seinen letzten Satz gehört.

Sie setzte sich auf seine andere Seite und fügte hinzu: »Wissen Sie, es tröstet mich beinahe, dass auch Sie etwas zu gestehen haben. Gut zu wissen, dass auch andere mit sich unzufrieden sind. Ich fühle mich nämlich, als hätte meine mangelnde Aufmerksamkeit meinen Mitarbeitern und Gästen gegenüber das ganze Chaos in der Akademie Sinnenschmaus verschuldet. Kein Gefühl, mit dem ich gelassen in die Zukunft sehen kann.«

Valentin Baumgartner nickte. »Ich weiß genau, wie es Ihnen gerade geht. Man hat keine Ahnung, was man falsch gemacht haben soll, fühlt sich aber trotzdem schuldig.«

»Dann ist es das Beste, offen darüber zu sprechen«, sagte

Pippa. »Oft ändert sich schon dadurch die Perspektive. Und es erleichtert.«

Sie machte Anstalten, sich von der Bank zu erheben, um diskret außer Hörweite zu gehen.

»Nein, bleib doch«, bat Gertrude Schliefsteiner, während Baumgartner gleichzeitig stammelte: »Ich … das klingt jetzt seltsam, aber … ich hätte gerne eine Pufferzone zwischen mir und … Könntest du dich zwischen uns setzen, Pippa?«

Die Direktorin stöhnte und verdrehte die Augen. »Kann es noch eine Steigerung geben? Was bin ich denn für euch? Alle drei Hexen aus Macbeth in Personalunion?« Sie wechselte den Platz, dann beugte sie sich vor und sah an Pippa vorbei Baumgartner an. »Besser so? Warum haben Sie derartige Angst vor mir? Glauben Sie etwa, ich hätte Bernhard da oben auf der Alm verbuddelt? Wenn Sie das denken, sollten Sie sich allerdings tatsächlich vor mir in Acht nehmen.«

Als Baumgartner den Kopf schüttelte und nach Worten rang, sprang Pippa ein. »Wenn mich nicht alles täuscht, will er nicht über Bernhard Lipp reden, sondern über die Erpresserbriefe.«

Baumgartner erhob sich halb und holte ein gefaltetes Blatt Papier aus der Hosentasche seines Trainingsanzugs, das er kommentarlos an Pippa übergab. Die reichte es an Gertrude Schliefsteiner weiter.

Die Direktorin entfaltete das Blatt und stieß ein leises Japsen aus, als sie das Zeichen erkannte, mit dem der Brief signiert war: wieder dasselbe, das die Geschwister Lipp an ihren Halsketten trugen und mit dem einige der Droh- und Erpresserbriefe signiert waren.

Ihre Augen füllten sich mit Tränen. »Ich … ich habe meine Lesebrille nicht dabei. Das muss mir einer von euch …« Sie räusperte sich krampfhaft.

Pippa sah Baumgartner an, der ihr auffordernd zunickte.

Sie nahm den Brief und las vor: »*Baumgartner, Du Ehebrecher, gib Nina Lenzbauer die Mutter zurück. Wenn nicht, kriege ich Dich – und Dein ganzes Hab und Gut.*«

»Meine Briefe tragen alle dieses keltische Zeichen. Dasselbe wie Bernhards Amulett. Deshalb dachte ich immer, sie sind von ihm«, sagte Baumgartner, »aber jetzt, wo er tot ist ...« Er holte tief Luft. »Jetzt habe ich Angst, die Polizei könnte schlussfolgern, ich wäre ihm auf die Schliche gekommen und hätte ihn wegen dieser Briefe umgebracht.«

»Briefe? Mehrzahl?«, rief die Direktorin entgeistert. »Mal ganz langsam, damit ich es richtig verstehe: Das hier ist nicht der einzige Erpresserbrief, den Sie bekommen haben?«

»Es sind drei, um ehrlich zu sein«, erwiderte Baumgartner zögernd.

»Immer der gleiche Tenor?«, fragte Pippa.

Der Fitnesstrainer seufzte. »Im Großen und Ganzen ja, aber in den ersten beiden Briefen standen Aufgaben, die ich erledigen sollte. Dafür wollte der Erpresser für sich behalten, dass Jasmin und ich ... ich wollte nicht, dass alle davon erfahren. Deshalb habe ich gemacht, was er verlangte. Aber dieses Mal werde ich konkret bedroht. Und wenn es wirklich Bernhard war ... verstehen Sie jetzt? Das macht mich doch verdächtig! Das ist doch ein Motiv! Aber ich war das nicht, ehrlich! Ich habe mit seinem Tod nichts zu tun!«

»Was hat der Erpresser denn von dir verlangt?«, fragte Pippa.

Die Direktorin beugte sich vor und sah Baumgartner mit zornig gerunzelter Stirn an. »Wir hören. Raus damit. Keine Ausflüchte.«

Der Trainer zuckte sichtlich zurück. Dann murmelte er: »Ich sollte Margit schaden. Ich sollte die Fenster unserer Küche besprühen.«

»*Salmonellenbäcker*«, sagte Pippa.

»Genau. Dafür schäme ich mich unendlich, das müssen Sie mir glauben, Frau Schliefsteiner. Aber ich dachte, damit bin ich raus aus der Nummer. Ich hatte wirklich gehofft, er lässt mich danach in Ruhe.«

Die Direktorin schnaubte, und Pippa entgegnete: »Aber das war ein Irrtum, richtig? Ein weiterer Brief, eine weitere Aufgabe.«

Baumgartner nickte. »Ich sollte vier Düfte bei Giorgio Gallastroni klauen. Seine neueste Kreation musste dabei sein.«

Gertrude Schliefsteiner rang mühsam um Fassung. Dann bellte sie: »*Mr Darcy*!«

Baumgartner fuhr zusammen und sah zu Boden. »Aber das konnte ich einfach nicht. Ich wollte ihn nicht bestehlen. Ich habe einfach mein eigenes genommen und die anderen bei ihm gekauft. Ehrlich gekauft.«

Mag sein, dachte Pippa, aber der Erpresser hat sie nicht für ehrliche Zwecke an sich genommen. Er hat den einen Flakon so präpariert, dass der Erste, der ihn öffnet und daran schnuppert, im Krankenhaus landet.

»Wo solltest du die vier Düfte deponieren?«, fragte sie. »Der Erpresser ist ja bestimmt nicht zu dir nach Hause gekommen, um sie abzuholen.«

»Natürlich nicht. Unten in der Klamm, direkt unter der Brücke, hatte er mit ein paar Steinen so etwas wie ein Versteck gebaut. Gerade groß genug für die vier Fläschchen. Aber bevor ich sie weitergab, habe ich natürlich meine Fingerabdrücke abgewischt. Schließlich wollte ich mich nicht selbst ans Messer liefern.«

»Dachten Sie ernsthaft, der Erpresser lässt Sie in Ruhe, wenn Sie alles tun, was er verlangt?«, fragte Gertrude Schliefsteiner spöttisch.

»Ich war sogar noch dümmer. Ich dachte, wenn ich genau aufpasse, kann ich ihn entlarven.« Baumgartner senkte den Kopf. »Und vielleicht sogar stellen.«

Die Direktorin schüttelte den Kopf. »Na klar. Ich wünschte, meine Mitarbeiter wären auch so leichtgläubig und fügsam, wenn ich mal etwas von ihnen will.«

»Ich frage mich, was der Erpresser wohl mit den anderen Parfüms vorhat«, warf Pippa ein. »Immerhin hat er den ersten Duft mit durchschlagender Wirkung eingesetzt. Wir sollten uns in Acht nehmen.«

»Valentin wird nach dem Frühsport höchstpersönlich zu Gallastroni gehen und an jeder Flasche seiner Duftorgel riechen«, zischte die Direktorin. »Das dürfte ihm das Bedürfnis, allein herumzuschnüffeln, im wahrsten Sinne des Wortes austreiben.«

Baumgartner starrte sie erschrocken an, nickte aber.

Gertrude Schliefsteiner studierte den Brief konzentriert, dann sagte sie ruhig zu Baumgartner: »Ich gehe davon aus, dass hier die Wahrheit steht – Sie hatten ein Verhältnis mit Jasmin Lenzbauer. Und Sie bedeutet Ihnen nach wie vor so viel, dass Sie jegliche Lästereien über sie verhindern wollten. Niemand sollte davon erfahren.«

»Jasmin ist eine wunderbare Frau. Welcher Mann würde sich nicht in sie verlieben? Ich hörte ihr Lachen und war ihr rettungslos verfallen.« Der Trainer sah erst Pippa, dann seine Chefin an. »Wir waren sechs Monate zusammen, aber Jasmin hatte unglaubliche Gewissensbisse. Sie wollte zwar weg von Martin, aber da gab es ja Nina. Trotzdem schafften wir es einfach nie, einen endgültigen Schlussstrich zu ziehen. Als sie dann eines Tages fort war, wurde mir klar: Das war ihre Art, unsere Liebe zu beenden. Und das habe ich akzeptiert – auch wenn ich mich noch lange schuldig fühlte.«

Die Direktorin starrte schweigend in die Landschaft, dann wandte sie sich Baumgartner zu. »Hat sie Ihnen denn nie geschrieben? Haben Sie mich deshalb so häufig gefragt, ob ich etwas von ihr gehört habe? Sollte ich sie deshalb so oft grüßen?«

»Ich wollte eben wissen, ob es ihr gutgeht.« Er errötete. »Natürlich war ich auch neugierig, ob sie nach mir ... Aber mich danach zu erkundigen habe ich mich nicht getraut.«

Pippa blickte die Direktorin fragend an. »Und? Hat sie?«

»Jasmin fragt in jeder Mail nach allem und jedem, auch nach unserem Konditionsinstrukteur«, erwiderte Gertrude Schliefsteiner, »und ich antworte ausführlich. Ich glaube, dass sie Heimweh hat. Ich hoffe, es so lindern zu können.« Sie überlegte einen Moment lang und fuhr fort: »Der Einzige, nach dem sie in der letzten Zeit immer seltener fragte, ist Martin. Von ihm und Nina schreibe ich aber auch ohne ihr Nachfragen.«

Pippa zögerte, dann fragte sie: »Ich habe gehört, sie hat einen neuen Freund? Einen Kapitän?«

Zu ihrer Überraschung und Erleichterung reagierte Baumgartner darauf gelassen. »Ich hoffe, sie ist endlich glücklich. Ich war ihr Sprungbrett in die Freiheit. Das ist doch auch schon etwas: Durch mich wurde ihr klar, dass ihr Leben so nicht weitergehen konnte. Giorgio und ich – wir waren ihre Freunde. Wir versuchten ihr das Selbstvertrauen wiederzugeben, wenn Martin mal wieder mächtig daran gekratzt hatte. In der großen, weiten Welt hat sie dann hoffentlich erkannt, wer sie wirklich ist und was sie alles kann, und dass Martin sie absichtlich kleinhielt. Ich glaube nicht, dass sie Heimweh hat. Ich denke, sie sehnt sich nur nach Nina. Das kann ich verstehen. Sie wollte alles hinter sich lassen, aber das Mädchen ist eben eine Sehnsucht, die sich nicht ohne Nachrichten von daheim stillen lässt – wenn überhaupt.«

Er liebt sie noch immer so sehr, dachte Pippa, dass ihm

nur ihr Wohlbefinden wichtig ist – auch wenn es für ihn bedeutet, verlassen worden zu sein.

Baumgartner straffte die Schultern. »Ihr müsst mir glauben: Mit Bernhards Tod habe ich nichts zu schaffen. Ich würde Jasmin so etwas nie antun, aber ...«

Pippa horchte auf. Baumgartner hatte den Satz zwar unvollendet gelassen, aber ihr war klar, dass er jemand Bestimmtes im Sinn hatte. »Wer hätte deiner Meinung nach diese Skrupel nicht?«, fragte sie.

»Ich habe lange überlegt, ob es zeitlich machbar wäre ...«, sagte Baumgartner langsam. »Was passierte zwischen dem Zeitpunkt, als Bernhard die Akademie verließ, und seinem Fund unter dem Felsen in der Grube? Ich habe keine Ahnung, also bleibt alles bloße Vermutung. Aber eines weiß ich genau: Bernhard hat Martin dafür verantwortlich gemacht, dass Jasmin es hier nicht mehr aushielt. Das hat er ihm übelgenommen. Und nicht nur ihm, sondern auch seiner eigenen Frau.«

»Renate?« Pippa hob überrascht die Brauen. »Warum denn das?«

»Weil Renate Martin eingeredet hat, Jasmin sei eine schlechte Mutter, und er solle froh sein, dass er sie los ist. Bernhard haben diese Sticheleien über seine Schwester sehr zugesetzt. Für ihn war es aber auch besonders schwer, so gut wie nie Nachricht von ihr zu bekommen. Dazu dann noch das schlechte Gerede! Martin und Renate haben gegen Jasmin und Bernhard immer zusammengehalten, sich regelrecht verbündet. Ich glaube, sie waren eifersüchtig auf diese Geschwisterliebe. Und ich könnte mir sehr gut vorstellen ...« Er atmete tief durch und sah die Direktorin ernst an. »Hiermit bitte ich die Leitung der Akademie Sinnenschmaus dringend, Martin Lenzbauer aus der Kur zurückzubeordern. Die Polizei muss ihn befragen, wo er sich zum Zeitpunkt von Bernhards Verschwinden aufgehalten hat.«

Das könnte auch die örtliche Polizei im Kurort erledigen, dachte Pippa, aber Gertrude Schliefsteiner hatte bereits ihr Handy herausgeholt.

»Gott sei Dank haben wir hier an der Kirche bereits Netzempfang. Ich rufe ihn an«, murmelte sie, während sie in dem Gerät nach der Nummer suchte. »Lenzbauer dürfte jetzt mit Nina beim Frühstück sitzen.«

Sie stand auf und lauschte, während sie vor der Wallfahrtskapelle hin und her ging, als wäre sie in ihrem Büro. Dann meldete sie sich mit ihrem Namen, als Lenzbauer das Gespräch annahm. Sie aktivierte den Lautsprecher und erklärte Lenzbauer in knappen Worten, was vorgefallen war. Langes Schweigen war die Antwort.

»Dem hat es ja richtig die Sprache verschlagen«, flüsterte Baumgartner Pippa zu, »er scheint tatsächlich betroffen zu sein. Das hätte ich nicht erwartet.«

»Es wäre das Beste, wenn Sie für ein paar Tage nach Plutzerkogel zurückkämen«, sagte die Direktorin nachdrücklich. »Sie könnten uns bei der Suche nach der Wahrheit sehr behilflich sein.«

Endlich reagierte Lenzbauer. Durch das Telefon klang seine Stimme verzerrt und schrill. »Auch wenn ich Ihre Beweggründe durchaus nachvollziehen kann, verehrte gnädige Frau, kann ich gerade das unter gar keinen Umständen tun. Wenn ich Sie richtig verstehe, geht es um Mord. Es entzieht sich völlig meiner Vorstellungskraft, was ich zu dessen Aufklärung beitragen könnte. Ich habe den bedauernswerten Bernhard am Freitagnachmittag zum letzten Mal gesehen, und da war er äußerst lebendig. Gerade jetzt, in dieser schweren, geradezu gefährlichen Stunde, kann ich meine kleine Tochter hier nicht allein und ungeschützt zurücklassen.«

Die Direktorin wollte protestieren, aber Lenzbauer kam

ihr zuvor. »Ich gebe Ihnen allerdings gerne einen Tipp«, fuhr er fort. »Die Polizei soll einfach *die* Menschen unter die Lupe nehmen, mit denen Bernhard mehr Zeit verbracht hat als mit seiner Frau und seinem Sohn. Jeder einzelne Mitarbeiter der Steirer Biodünger AG weiß wahrscheinlich mehr über Bernhard als seine eigene Familie. Finden Sie heraus, wo sich ein paar bestimmte Leute aus dem Werk in den letzten Tagen herumgetrieben haben.«

»Auf wen spielen Sie an?«, fragte Gertrude Schliefsteiner stirnrunzelnd.

Selbst durchs Telefon klang Lenzbauers Stimme gehässig, als er erwiderte: »Wer ist denn gerade nicht vor Ort? Wen kann die Polizei zurzeit nicht befragen? Ich wette mit Ihnen um meine Tochter: Dieser Slowene, dieser Quetschkommodenspieler, ist nirgends zu finden. Ich wette mit Ihnen, Glantschnig ist schon tagelang nicht mehr gesehen worden. Hat sich abgesetzt, der Mann. Wenn Sie mich fragen: Er ist auf der Flucht.«

Pippa und die Direktorin tauschten einen alarmierten Blick, wussten sie doch, dass Glantschnig Plutzerkogel tatsächlich verlassen hatte, um seiner Familie in Slowenien etwas zu bringen. »Warum ausgerechnet er?«, hakte Gertrude Schliefsteiner nach.

Lenzbauers Lachen klang scheppernd. »Weil mir Bernhard am Freitag selbst sagte: ›Ich nehme heute einen anderen Weg nach Hause, auch wenn es einen Umweg bedeutet. Ich muss Jovan Glantschnig aus dem Weg gehen. Ich habe ihm gestern gekündigt – und jetzt hat er eine heiße Wut auf mich.‹«

Kapitel 23

A n der Akademie verabschiedete Pippa sich von Gertrude Schliefsteiner und Valentin Baumgartner. Sie brauchte Ruhe, um ihre Gedanken zu sortieren. Der Fund der Leiche und die polizeilichen Befragungen, die Fülle an neuen Informationen, die Enthüllungen des Trainers und dann auch noch Lenzbauers demonstrativer Hinweis auf Glantschnigs vermeintliche Flucht ... ihr schwirrte der Kopf.

Vor allem aber sehnte sie sich nach einer heißen Dusche. Nach der beinahe schlaflosen Nacht in der Hütte hatte sie sich nur notdürftig frisch machen können, und die Aufregungen hatten ihre Spuren hinterlassen – nicht nur seelisch.

Geistesabwesend ging sie die Straße hinunter und auf Lenzbauers Haus zu. Sie hatte die Haustür schon fast erreicht, als ihr plötzlich bewusst wurde, dass jemand auf den Eingangsstufen saß. Im ersten Moment erschrak sie heftig.

»Na, so schlimm sehe ich nun auch nicht aus«, sagte Karin grinsend und stand auf. »Sicher, ein paar Tage Krankenhaus sind nicht gerade eine Frischzellenkur, aber ...« Sie breitete die Arme aus.

»Karin!« Erleichtert umarmte Pippa ihre Freundin. »Du kannst dir nicht vorstellen, was in der Zwischenzeit passiert ist! Ich habe Unmengen zu erzählen.«

Abwehrend hob Karin beide Hände. »Nichts für ungut, aber vermutlich gibt es nicht mehr viel, was ich noch nicht weiß. Die dörflichen Buschtrommeln dröhnten. Maxi Frühwirt und Monsieur Knöller haben mich im Krankenhaus abgeholt und sind vor Neuigkeiten übergesprudelt wie der Bergbach in der Klamm nach einem Dauerregen.«

»Maxi und Knöller?«, fragte Pippa erfreut. »Wird das ein festeres Gespann?«

»Darauf kannst du wetten. Während du deine beste Freundin einsam im Krankenbett hast darben lassen und nur noch an Morris dachtest, habe ich mal eben Unmögliches möglich gemacht. Maxi und Karsten waren gestern den gesamten Nachmittag bei mir. Wir haben uns einen neuen Kurs überlegt, den Karl Heinz und Maxi in der Werkstatt anbieten könnten.«

»Und was hat Karsten Knöller damit zu tun?«

»Der sponsert die Sache. Ich wollte ihn irgendwie in die Akademie einbinden; jede gute Herde freut sich doch über ein neues Mitglied. Deshalb habe ich ihm eine Aufgabe gestellt: Verhilf Maxi zu einer weiteren Einnahmequelle.« Karin lächelte. »Ohne von Meinrad ist er gar nicht so übel, man muss ihn nur noch ein wenig polieren.«

Pippa grinste. »In seinem Fall wohl eher ein wenig von der Politur abkratzen.«

»Mag sein, jedenfalls hat er sich auf meinen Wunsch gestern pünktlich zu Maxis Vorführstunde bei ihr eingefunden und die Klapotetze ganz genau studiert – und hatte eine großartige Idee.« Karin machte eine Kunstpause. »Wir basteln Mini-Klapotetze. Klapotetz-*Spieluhren*, um genau zu sein. Steiermark zum Mitnehmen, wenn man aus dem Paradies wieder abreisen muss. Ein klapperndes Souvenir. Und das allererste ist für mich!«

»Und spielt *Fürstenfeld*.« Pippa lachte. »Wenn man dich einen Moment ohne Aufsicht lässt ...« Sie sah die Freundin liebevoll an und wusste einmal mehr, warum sie schon ihr halbes Leben mit Karin befreundet war: Wenn es Karin gutging, wollte sie, dass es allen gutging, und wenn es ihr schlechtging, packte sie irgendwo an, damit es ihr wieder gutging – und allen anderen auch.

Pippa wurde ernst. »Kannst du deine Karin-Magie bitte auch auf unsere Bernhard-Tragödie anwenden?«, fragte sie.

»Nur zu gerne, dafür muss ich dann wohl doch deine Version der Vorgänge kennen. Bisher habe ich die Maxi-Frühwirt-Version gehört und die Paul-Friedrich-Seeger-Variante. Wie du dir vorstellen kannst, war Maxis Geschichte eine Mischung aus Stiller Post und Räuberpistole, während dein vorgeblicher Gatte mir den Sachverhalt in dürrem Beamtenjargon geschildert hat. Ach so, und dann gab es noch Margits Vortrag, von dem ich allerdings höchstens die Hälfte verstanden habe, weil sie währenddessen ununterbrochen schluchzte. Die Wahrheit dürfte ein Eintopf aus allen drei Zutaten sein.« Sie nahm Pippa noch einmal in den Arm. »War es sehr schlimm da oben?«

»So schlimm, dass ich mich am liebsten in dein Krankenbett legen würde«, erwiderte Pippa. »Mir die Decke über den Kopf ziehen und nichts mehr sehen und hören.« Sie blickte sich suchend um und fügte hinzu: »Du hast hier nicht zufällig einen kleinen Kuhkater gesehen, als du hergekommen bist?«

Karin schüttelte den Kopf. »Ist Otto noch immer verschwunden?«

»Schade, das hätte mich ein wenig aufgerichtet.« Pippa überlegte einen Moment und schauderte dann. »Obwohl, wenn ich es recht überlege, das stimmt nicht ganz: jetzt Bernhards Kater wiederzufinden, das würde richtig wehtun.«

Karin schob die Freundin ins Haus. »Also los, was tun wir als Erstes?«, fragte sie. »Wie ich dich kenne, hast du längst einen Plan und eine Liste mit zig Punkten, die schnellstens abgearbeitet werden müssen. Ich bin bereit. Nach einer Tasse Tee.«

Die beiden gingen in die Küche und setzten Wasser auf.

»Als Allererstes sollten wir herausfinden, wo Jasmin Lenzbauer sich derzeit aufhält«, erwiderte Pippa. »Gertrude Schliefsteiner findet die Vorstellung grausam, dass Jasmin von der Polizei irgendeines exotischen Staates vom Kreuzfahrtschiff geholt und über den Tod ihres Bruders informiert wird. Sie hat recht, das *wäre* grausam. Auch wenn wir noch nichts Genaues wissen und die Polizei Bernhard Lipp noch nicht offiziell identifiziert hat, sollten wir vorbereitet sein, damit sie seiner Schwester zur Seite stehen und sie unterstützen kann, wenn es so weit ist.«

»Nichts leichter als das. Damit kenne ich mich aus. So machen sich meine langen Jahre im Reisebüro doch endlich mal bezahlt. Wir müssen nur Kontakt zu der Reederei aufnehmen, für die Jasmin Lenzbauer gerade unterwegs ist.«

»Und genau da liegt das Problem«, sagte Pippa. »Frau Direktor weiß nicht, wo Jasmin angeheuert hat.«

Karin zuckte mit den Achseln. »Na und? Martin Lenzbauer hat doch bestimmt eine Kontaktadresse.«

»Er behauptet, er hätte keine. Gertrude Schliefsteiner hat vorhin mit ihm telefoniert; ich konnte mithören. Ich darf zitieren: ›Ich habe keine blasse Ahnung, wer ihr Brötchengeber ist‹«, imitierte Pippa die quäkende Telefonstimme Lenzbauers, »›Jasmin hat mir nichts gesagt und ich habe nicht gefragt. Sie hat wohl Angst, dass ich eines Tages bei ihr auftauche und ihr eine Szene mache. Oder sie gar zurückhaben will. Absurde Vorstellung. Genau das Gegenteil ist richtig. Ich will, dass sie hier niemals mehr aufkreuzt. Das würde Nina nur durcheinanderbringen.‹«

»Sympathisch geht anders, aber aus seiner Sicht verständlich.«

»Findest du? Ich weiß nicht recht. Irgendwann wird Nina nach ihrer Mutter fragen, und dann braucht er etwas anderes als abfällige Bemerkungen.«

Karin goss kochendes Wasser in die Teekanne, dann drehte sie sich zu Pippa um. »Lenzbauer und seine Ex haben doch Mailkontakt, oder? Dann wird sie bestimmt ab und zu schreiben, wo sie gerade herumschippert.« Sie deutete auf die offene Tür des Arbeitszimmers. »Dort steht sein Rechner. Ich könnte mich reinhacken und nach Informationen suchen.«

Entgeistert starrte Pippa ihre Freundin an. »Bist du noch ganz bei Trost? Schon mal was vom Postgeheimnis gehört? In den Computer hacken, also wirklich ...«

Aber Karin war bereits auf dem Weg in Lenzbauers Arbeitszimmer. Dann stand sie sinnend vor dem Schreibtisch und musterte den Computer.

»Stimmt, ich sollte es nicht tun. Aber es juckt mich in den Fingern, herauszufinden, ob ich es kann. Schließlich ist mein Sohn ein Computergenie, und ich möchte das, was ich mir bei ihm abgeguckt habe, zu gerne mal ausprobieren.«

Schützend stellte Pippa sich zwischen Karin und den Schreibtisch. »Ich mache da nicht mit. Das ist illegal.«

Karin winkte ab. »Ja, ja, ich weiß. Selbst der kleine Gencal hat es erkannt: Du hast *Krupel*. Gott sei Dank bin ich von dieser Gewissenskrankheit nicht befallen.« Sie verschränkte ihre Finger und bog sie durch, als benötigten ihre Hände für den Angriff auf Lenzbauers Privatsphäre besondere Geschmeidigkeit.

Pippa seufzte. »Ich gebe auf, ich kann dich ja ohnehin nicht davon abhalten. Aber ich werde nicht danebenstehen.« Sie drehte sich um, ging in Richtung Bad und rief über die Schulter zurück: »Ich dusche meinen Körper in Unschuld. Und zwar ganz heiß!«

Als Pippa erfrisch und mit einer Tasse Tee in der Hand wieder in Lenzbauers Arbeitszimmer erschien, stellte Karin den Computer gerade ab. Sie machte nicht den Eindruck, als wäre sie erfolgreich gewesen.

»Konntest du das Passwort doch nicht knacken?«, fragte Pippa und bemühte sich, ihre Erleichterung nicht allzu deutlich zu zeigen.

»Von wegen«, erwiderte Karin. »Natürlich war ich drin. Das war keine Herausforderung.«

»Und warum guckst du dann so bedröppelt aus der Wäsche?«

»Weil ich absolut nichts über oder von Jasmin Lenzbauer finden konnte. Dieser Mann bestellt zwar sogar seine Unterhosen im Internet, aber es gibt keine einzige Mail an oder von seiner Exfrau. Nichts, nothing, nada, niente, zéro.«

Verblüfft stellte Pippa die Tasse ab. »Bist du sicher?«

»Ganz sicher. Ich habe alles durchsucht. Nichts.«

Nachdenklich runzelte Pippa die Stirn. Wo waren die Mails an die kleine Nina geblieben? Wo die Anhänge für Jasmins Bekannte an der Akademie? Tatsächlich alle gelöscht? Und wenn ja, warum?

»Gut«, sagte sie kurzentschlossen. »Dann gehen wir jetzt hinüber in Gertrudes Büro. Die Direktorin hat ganz sicher Mails von Jasmin aufgehoben. Vielleicht hat sie Hinweise auf die Reederei oder die derzeitige Reiseroute einfach überlesen. Oder schlicht vergessen.«

Schon als Pippa und Karin auf die Bürotür der Direktorin zugingen, konnten sie Heribert Achleitners erregte Stimme hören.

Als die beiden eintraten, stand er vor Gertrude Schliefsteiner und rief entrüstet: »Das ist ja unerhört! Mir zu unterstellen, ich würde Informationen zurückhalten, die für uns alle relevant sein könnten! Ich bin ein äußerst loyaler Mitarbeiter dieser Akademie – nicht, dass es jemals gewürdigt worden wäre, nein, das kann man wirklich nicht behaupten! Aber erwarte ich das nach so vielen Jahren der Enttäuschung noch? Wahrlich nicht. Hier gibt es viel zu viele Leute, die dem Niveau dieser Institution nicht im Ansatz gerecht werden. Wie sollen die erkennen, was echte Leistung ist und was nicht?«

Achleitner warf den Kopf zurück und straffte die Schultern, was ihn zu Pippas Erstaunen plötzlich nicht nur größer, sondern erheblich männlicher wirken ließ. Lediglich aus dem Augenwinkel registrierte sie die Anwesenheit von Paul-Friedrich Seeger und Margit, denn Achleitners furioser Auftritt beanspruchte Pippas gesamte Aufmerksamkeit.

»Aus diesem Grunde werden mir oft genug schlechte Laune und Arroganz unterstellt«, eiferte der Dozent sich weiter. »Aber von einem niedrigeren Bildungslevel aus müssen Können und Niveau zwangsläufig wie Arroganz wirken!«

Vergeblich hatte die Direktorin versucht, Achleitner zu beschwichtigen. Als er nun seinen Monolog kurz unterbrach, legte sie ihm die Hand auf den Arm und sagte: »Bitte, beruhigen Sie sich doch!«

Brüsk trat Achleitner einen Schritt zurück und holte tief Luft. »Ich soll mich beruhigen? Nach dieser impertinenten Frage? Als hätte ich etwas mit diesem schrecklichen Verbrechen zu tun, das sich im Übrigen rasend schnell in ganz Österreich herumsprechen und uns alle arbeitslos machen wird! Herzlichen Dank dafür! Damit werde ich der einzigen Möglichkeit beraubt, mir in dieser vergleichsweise kulturarmen Gegend in angemessener Form meinen Lebensunterhalt zu verdienen. Schon allein deshalb hätte ich keinerlei Motiv, mich Bernhard Lipp in übler Absicht zu nähern.

Noch dazu, wo er der Einzige war, der den Wert und die kulturelle Relevanz meiner Kurse tatsächlich bis zur Gänze begriff. Immerhin hat er selbst erfahren dürfen, wie ich das in ihm schlummernde Talent zum Leben erweckte!«

»Er ist beleidigt, dass die Welt sich nicht um ihn und seine Kunst dreht, sondern um die Sonne«, flüsterte Karin in Pippas Ohr. »Kann ich sehr gut verstehen, denn ich teile sein Schicksal. Auch meine Familie ignoriert hartnäckig, dass ich immer recht habe.«

Pippa unterdrückte ein Kichern, wurde aber sofort wieder von Achleitner abgelenkt.

»Bernhard wusste, wie wertvoll meine Stunden für ihn sind«, redete der Dozent unbeirrt weiter. »Er wusste, welchen Ausgleich zum Alltag sie ihm bieten. Er wusste, dass sie ihn innerlich stärken und so auch äußerlich erfolgreicher machen. Bernhard hätte meine Ratschläge niemals leichtfertig abgewiesen.« Achleitner blickte sich triumphierend um, während er eine Kunstpause machte. Dann deklamierte er theatralisch: »Und diesen Mann soll ich umgebracht haben? Ausgerechnet ich?«

»Jetzt reißen Sie sich mal zusammen, Mann«, entgegnete Paul-Friedrich sichtlich genervt. »Wenn wir das denken würden, stünden nicht *wir* hier, um mit Ihnen zu reden, sondern die Polizei. Frau Direktor hat Sie lediglich gefragt, wann und wo Sie Bernhard Lipp zum letzten Mal gesehen haben. Sie hat nicht behauptet, dass Sie der Letzte waren, der ihn lebend gesehen hat!«

Wenn Seeger gehofft hatte, durch seinen barschen Einwurf eine knappe Antwort zu erreichen, musste er sich eines Besseren belehren lassen.

»Bernhard kam stets direkt aus dem Flirtkurs zu mir ins Atelier«, antwortete Achleitner. »Es brachte ihn in die richtige Stimmung, sagte er immer.«

»Er ging in den Flirtkurs?«, fragte Paul-Friedrich erstaunt. »Allein? Ist das nicht seltsam für einen verheirateten Mann?«

»Nein, Bernhard wollte lernen, für Renate der beste aller Ehemänner zu sein«, erklärte Margit mit einem traurigen Lächeln. »Er erhoffte sich davon Handwerkszeug, um seine Ehe zu retten. Ich sagte schon einmal: Für Lukas tat er alles.«

Gertrude Schliefsteiner nickte. »Renate war übrigens auch für den Flirtkurs angemeldet, ist dort aber nach der ersten Stunde nie wiederaufgetaucht. Über die Tipps von Sigrid Sommerfeld und Stefan Kleindienst hat sie nur gelacht. ›Das muss ich alles nicht lernen, das habe ich im Blut‹, hat sie gesagt. Dann hat sie mir vorgeschlagen, lieber mal einen Erotikkurs anzubieten. Auf den würde sie dann sehr gern die bereits bezahlten Stunden des Flirtkurses umbuchen lassen – und ihren Mann hinschicken.«

»Typisch für diese Person«, meldete Achleitner sich wieder zu Wort. »Zeigt das nicht überdeutlich, dass Renate und Bernhard Lipp in zwei völlig verschiedenen Welten lebten? Bernhard war ein Feingeist, aber für Renate Lipp finden sich die Wörter *fein* und *Geist* höchstens in Hochprozentigem wieder. Ich möchte Ihnen mal etwas zeigen.«

Er eilte zu einem Tisch, auf dem eine lange Papprolle lag. Daraus zog er ein Blatt hervor, das er sorgfältig entrollte. Es handelte sich um ein Aquarell, das Josefas Alm zeigte: eine Ansicht des Hauses mit der Kälberwiese und dem verhängnisvollen Felsüberhang.

»Das hat Bernhard Lipp zuletzt geschaffen«, sagte Achleitner. »Sehen Sie genau hin. Erkennen Sie sein überragendes Talent? Dieses Aquarell könnte in jeder professionellen Ausstellung hängen. Menschen würden dafür zahlen, es sich in ihr Wohnzimmer zu holen – und es würde den Raum aufwerten!«

Auf der Suche nach Reaktionen sah er sich in der Runde

um. Als sein Blick auf Paul-Friedrich fiel, schien er sich wieder an die Ursprungsfrage zu erinnern, denn er fuhr fort: »Wer so malt, braucht Zeit und Ruhe. Und die bekam er bei mir. Er verließ meine Kurse immer als Letzter. Nie versäumte er auch nur eine Stunde. Es schmerzt mich zutiefst, dass all das vorüber sein soll. Welch eine Verschwendung von Talent.«

Viele Worte – nichts gesagt, dachte Pippa.

Achleitner setzte die Miene des gestrengen Lehrers auf. »Allerdings: So ein Talent will gefördert werden, *gefordert* werden. Deshalb habe ich Bernhard Lipp empfohlen«, er deutete auf den Himmel des Aquarells, »an dieser Stelle des Bildes noch ein wenig Blau hinzuzufügen und den Felsvorsprung markanter herauszuarbeiten. Ich habe ihm geraten, das Originalmotiv auf der Alm noch einmal genau zu studieren. Vorzugsweise am frühen Morgen, dann ist das Licht am klarsten. Keinerlei Dunst. Fast wie Morgenlicht an der Nordsee. Einfach wunderbar, dieser helle, weite Himmel bis zum Horizont. Deshalb verbringe ich meinen Jahresurlaub auch immer ...« Sein Blick fiel auf Seegers Gesicht, und der Dozent kam eilig auf das eigentliche Thema zurück. »Bernhard hielt meinen Vorschlag für eine gute Idee und wollte gleich am Samstagmorgen noch einmal hinaufgehen zu Josefa.«

»*Sie* haben ihn auf die Alm geschickt?«, heulte Margit auf. »Zu seinem Mörder?«

Pippa nahm die weinende Margit in den Arm. Jetzt verstand sie, warum Achleitner ständig um den heißen Brei herumredete – er hatte augenscheinlich das Gefühl, sich schuldig gemacht zu haben. Sie wollte ihm die Situation erleichtern und rekapitulierte deshalb: »In Ihren Augen war also der Freitag, an dem Herr Lipp verschwand, ein Freitag wie jeder andere. Bernhard kam pünktlich zur Malstunde, arbeitete an diesem Bild und verließ den Raum erst, als alle anderen Teilnehmer schon gegangen waren. Alles war wie immer, wollen Sie das sagen?«

Achleitner nickte. »Ganz genau. Alles war wie immer. Jedenfalls an diesem Freitag ...«

Paul-Friedrich verdrehte die Augen. »Und an welchem Freitag nicht?«

»An dem Freitag, an dem Nina aus dem Fenster fiel.«

Wenn Achleitner durch diesen Satz die ungeteilte Aufmerksamkeit aller gewinnen wollte, so war ihm das gelungen. Alle hingen an seinen Lippen, als er diesen Nachmittag aus seiner Sicht schilderte.

»Ich hatte höllische Zahnschmerzen«, begann er, »meine Wange sah aus wie ein praller Luftballon. Ich war nur ganz kurz im Atelier, um mich von den abreisenden externen Teilnehmern zu verabschieden. Als ich das Atelier betrat«, erzählte Achleitner zögernd weiter, »sah ich Bernhard und Martin Lenzbauer miteinander reden. Sie sprachen leise, aber es wirkte alles andere als friedlich. Bernhard übergab Martin einen Brief, und ich dachte: Das geschieht dem Lenzbauer recht, jetzt bekommt er auch einmal zurück, was er verdient. Der Brief wird ihn in seine Schranken weisen, und er wird bis zu seiner Abreise in die Kur endlich mal erträglich sein.«

»Wie meinen Sie das?«, fragte Pippa, ahnte aber schon, dass auch er, ebenso wie Valentin Baumgartner, aufgrund des keltischen Zeichens Bernhard Lipp für den Erpresser hielt.

»Bernhard Lipp hat sich mit seinem Schwager nie gut vertragen«, antwortete Achleitner. »Er hatte jede Menge Gründe, ihm auch eins dieser Briefchen zu verpassen. An mich hat er keinerlei Droh- oder Erpresserbriefe geschrieben, meine Kurse liebte er ja. Ich darf wohl verlässlich annehmen, dass ich deshalb zur Gänze von schriftlichen Attacken verschont geblieben bin. Ich war sicher vor ihm.«

Karin runzelte die Stirn. »Wollen Sie uns allen Ernstes weismachen, dass Bernhard Lipp diese widerlichen Briefe geschrieben hat? Sie glauben, *er* war der Erpresser?«

»Aber selbstverständlich glaube ich das. Schließlich hat er sein keltisches Amulett wie ein Erkennungszeichen draufgedrückt«, gab Achleitner im Brustton der Überzeugung zurück. »Genauso wie ich glaube, dass es einem der Erpressten zu viel geworden ist und er die einzige für ihn gangbare Konsequenz gezogen hat. Das Ergebnis kennen wir: Bernhard Lipp ist tot.« Er sah Gertrude Schliefsteiner an. »Es wäre mir lieb, wenn ich jetzt gehen könnte. Gleich beginnt mein Malkurs, und ich habe im Atelier noch einiges vorzubereiten.«

Die Direktorin nickte automatisch, und der Dozent verließ das Büro.

Nach einem Moment des Schweigens blickte Margit, die mühsam um Beherrschung rang, in die Runde. »Wäre das denkbar? Bernhard, der Erpresser? Wenn das wahr ist, spreche ich mir jegliche Menschenkenntnis ab. Und meinem Mann auch. Dann hätten wir eine Natter an unserem Busen genährt.«

»Wisst ihr, was ich nicht kapiere?«, fragte Karin. »Für Achleitner ist Bernhard Lipp doch der edelste Mensch auf Erden – und trotzdem traut er ihm diese Briefe zu.«

»Genau wie Valentin Baumgartner holt er diese Erkenntnis allein aus dem keltischen Zeichen. Und die beiden müssen nicht die Einzigen sein.« Paul-Friedrich schnalzte leise mit der Zunge. »Es ist denkbar, dass jemand dieselben Schlüsse gezogen hat wie Achleitner und Baumgartner. Jemand, der es leid war, erpresst und bedroht zu werden. Jemand mit genug Wut im Bauch, um zurückzuschlagen. Vielleicht hat derjenige mitgehört oder er bekam es erzählt, dass Lipp an diesem Morgen zur Alm hinaufgehen wollte. Der Mörder musste ihm nur folgen. Oder dort oben auf ihn warten.«

Kapitel 24

Eine Stunde nach dem Gespräch mit Achleitner hatte sich Tonio von Pauritz' großzügig bemessenes Vorzimmer mit Karins und Pippas Hilfe in eine provisorische Telefonzentrale verwandelt: Mehrere kleine Tische aus dem Frühstücksraum und zwei Laptops standen als Arbeitsplätze für die Freiwilligen bereit, die bei der Suche nach Jasmin Lenzbauer behilflich sein wollten.

Während Karin und Pippa noch einige Klappstühle aufstellten, ging der Sekretär nach nebenan zu seiner Chefin.

»Bitte, Frau Direktor, können wir uns darauf einigen, dass die Sache mit meinem ... flexiblen Namen vorerst unter uns bleibt? Zumindest, bis die derzeitige Gruppe abgereist ist?«

»Ist es nicht ohnehin bereits allgemein bekannt?«, fragte Gertrude Schliefsteiner zurück.

»Ich ... ich hoffe nicht«, erwiderte Tonio von Pauritz. »Familie Schultze hat mir versprochen, ihr Wissen für sich zu behalten. Darf ich noch eine weitere Bitte äußern? Ich weiß, es ist viel verlangt, aber ...«

»Jetzt sagen Sie schon«, forderte die Direktorin ihn hörbar ungeduldig auf, als er schwieg.

»Nun ... ich möchte Sie höflich bitten, mir nicht zu kündigen, Frau Direktor. Ich habe bisher nirgends so außerordentlich gerne gearbeitet wie hier in der Akademie Sinnenschmaus.«

Karin zwinkerte Pippa kichernd zu. »Ich übersetze mal«,

rief sie ins Nebenzimmer hinüber. »Er meint, wenn er überhaupt schon arbeiten muss und nicht vom Geld der Frauenwelt leben darf, wie es jemandem seines Kalibers eigentlich zusteht …«

Von Pauritz stöhnte auf, aber Gertrude Schliefsteiner sagte gelassen: »Wenn wir Pech haben, müssen wir den Laden hier ohnehin bald schließen. Warum sollte ich vorher noch einen weiteren Skandal verursachen? Wir tun also so, als wäre wenigstens in meinem Vorzimmer alles im Lot. Und sich verstellen können Sie doch, Herr Tonio, nicht wahr?«

Wie ein geprügelter Hund kam der Sekretär aus dem Büro der Direktorin geschlichen und verschanzte sich hinter seinem Schreibtisch. »Ich fange dann mal mit einer Liste aller Reedereien an, die Kreuzfahrten anbieten«, murmelte er und tippte auf seiner Tastatur herum.

»Klopf, klopf!«, erklang Ilsebills Stimme von der Bürotür her. »Sind wir hier richtig zum freiwilligen Einsatz für die gute Sache?«

Die Wiesbadenerin nebst Gatten Jodokus, außerdem Valentin Baumgartner und Giorgio Gallastroni drängten zur Tür herein, dicht gefolgt von Seeger, der Ricarda mitgebracht hatte.

»Wunderbar, dass ihr alle so spontan meiner Bitte gefolgt seid«, sagte Pippa. »Eure Handykosten werden euch natürlich von der Akademie ersetzt.«

Jodokus Lamberti winkte ab. »Unsinn. Ich investiere gern ein paar Euro, wenn ich helfen kann.«

Die anderen nickten zustimmend, und Giorgio Gallastroni fügte hinzu: »Finden wir Jasmin und sehen wir zu, dass der Mörder nicht einfach so verduften kann.«

Baumgartner setzte sich an einen der Tische. »Ich stehe hier nicht eher auf, als bis wir Jasmin gefunden haben.«

»Also dann«, sagte Karin. »Herr Tonio macht gerade eine Liste für uns. Darauf finden wir Kreuzfahrtveranstalter und Agenturen, die Mitarbeiter für Schiffe anheuern. Das werden nicht so viele sein, wie ihr vielleicht glaubt. Die Kreuzfahrtwelt ist überschaubar. Wir teilen sie jetzt sozusagen unter uns auf. Damit es schnell geht, beschränkt sich Tonio mit seiner Liste auf Webadressen und Telefonnummern. Benutzt die Laptops, um eventuell auf den Websites die entsprechenden Ansprechpartner zu finden. Falls das nicht möglich ist, fragt euch durch.« Sie wandte sich an Pippa: »Du gehst bitte die Mails zwischen Frau Direktor und Jasmin durch. Jeder noch so kleine Hinweis auf einen Landgang kann wichtig sein. Die Route und das dazu passende Schiff finde ich dann schon heraus. Schließlich habe ich nicht umsonst mein gesamtes bisheriges Berufsleben lang derartige Reisen verkauft.«

Ricarda deutete auf ihre lederne Umhängetasche. »Ich habe meinen Laptop auch dabei.«

Pippa nickte. »Gut. Für dich habe ich eine besondere Aufgabe: Du könntest nach weiteren Informationen über Falko Schumacher suchen. Er ist bisher immer noch ein unbeschriebenes Blatt, und das behagt mir nicht.«

»Vergiss nicht, die Lambertis aus Wiesbaden zu überprüfen«, warf Jodokus Lamberti ein und grinste. »Die hätten nämlich sehr gerne mal ein detailliertes Bild darüber, was über sie so im Netz kursiert.«

»Ja, es ist gut zu wissen, wer man wirklich ist«, antwortete Pippa und erwiderte sein Lachen, »dann kann man sich anschließend entsprechend verhalten.«

Karin nahm die Listen aus dem Ausgabefach des Druckers und verteilte sie an die Anwesenden, die sich kurz absprachen und dann mit Feuereifer ans Werk machten.

Mit einem Klemmbrett ging Karin von Tisch zu Tisch und strich immer die bereits abtelefonierten Adressen durch.

Eine Zeitlang blieb sie neben dem Sekretär stehen und lauschte dessen Telefonaten.

Schließlich sagte sie leise zu ihm: »Wüsste ich es nicht besser, würde ich denken, Sie sind entweder ein aufgeblasener Kreuzfahrttester oder ein speichelleckender Schnorrer, der auf eine Gratispassage in der besten Kabine hofft. Oder ein Schnorrer, der sich als Kreuzfahrttester ausgibt, um sich einen Urlaub zu ergaunern. Kein Wunder, dass Sie als Hochstapler Erfolg hatten. Aber hier geht es gerade um etwas anderes. Das haben Sie doch verstanden, oder? Könnten Sie also den Gaunermodus abschalten und sich bei Ihren Telefonaten auf das Wesentliche beschränken?«

Tonio von Pauritz zuckte leicht zusammen und errötete. »Kommt nicht wieder vor, versprochen.«

Jodokus Lamberti und Giorgio Gallastroni, die beide über Kreuzfahrterfahrungen verfügten, vergaßen immer wieder ihre Mission, weil sie mit ihren Gesprächspartnern die Vorzüge bestimmter Routen oder Schiffe diskutierten. Baumgartner und Ilsebill dagegen agierten zielorientiert; der Trainer beinahe militärisch-knapp, Ilsebill ruhig und freundlich. Ohne weitere Umschweife ließen sie sich zu den jeweiligen Personalabteilungen weiterverbinden. Paul-Friedrich und Ricarda hatten sich in eine ruhige Ecke des Raums zurückgezogen und beugten sich dort über den Laptop der Journalistin.

Unterdessen wartete Pippa darauf, sich am Schreibtisch von Gertrude Schliefsteiner mit den Mails von Jasmin Lenzbauer beschäftigen zu können. Da die Direktorin noch alle betreffenden Nachrichten in einem Ordner einpflegte, um ihr die Arbeit zu erleichtern, lehnte Pippa im Türrahmen und beobachtete die Bemühungen der freiwilligen Helfer.

Sie winkte Karin zu sich und sagte: »Ihr solltet unbedingt auch nach Jasmin *Lipp* fragen. Vielleicht hat sie ihren Mädchennamen wieder angenommen.«

»Dass ich daran nicht gedacht habe!« Karin schlug sich mit der Hand vor die Stirn. »Vielleicht ist das der Grund, warum wir bisher keinen Erfolg hatten.«

Während sie um allgemeine Aufmerksamkeit bat, um diesen Vorschlag an die anderen weiterzugeben, rief Gertrude Schliefsteiner nach Pippa.

»Du kannst jetzt anfangen.« Die Direktorin gab ihren Schreibtischstuhl frei, und Pippa setzte sich. »Die Mails der vergangenen zwei Jahre. Danke, dass du mir die Arbeit abnimmst. Ich habe momentan einfach keinen Nerv, jedes Wort noch einmal zu lesen.« Sie ließ sich auf einen bequemen Lehnstuhl am Fenster fallen und sah hinaus.

Pippa arbeitete sich durch die elektronischen Briefe, beginnend mit der ersten, scheuen Bitte Jasmins um Austausch. Obwohl Pippa auf der Suche nach Hinweisen auf Jasmins Aufenthaltsort die Antworten der Direktorin nicht hätte lesen müssen, tat sie es dennoch, um ein vollständigeres Bild der Korrespondenz zu erhalten. Aus den ersten knappen Mails hatte sich rasch ein ausführlicher, vertrauensvoller Briefwechsel entwickelt, der besonders vonseiten der Direktorin immer persönlicher wurde. Offensichtlich hatte Gertrude Schliefsteiner darauf gebaut, dass Jasmin zu anderen Plutzerkoglern keinerlei Verbindungen mehr hatte.

»Du hast Jasmin einiges anvertraut«, sagte Pippa, »ihr mehr als einmal dein Herz ausgeschüttet. Sogar über Interna hast du berichtet.«

Die Direktorin wandte sich ihr zu und nickte. »Ich brauche ab und an einen neutralen Gesprächspartner, besonders wenn mir etwas auf der Seele liegt. Wen sollte ich sonst ansprechen? Margit? Die hatte oft selbst genug Sorgen. Sie erfährt natürlich alles Wichtige, aber ich muss ja nicht wegen jeder Kleinigkeit, die mir mal eine Nacht den Schlaf raubt, gleich die Pferde scheu machen.«

»Und was ist mit Josefa? Ich dachte, deine Schwester ist auch deine Vertraute.«

Die Direktorin schüttelte mit einem Lächeln den Kopf. »Das schon, aber ich gehe vor allem auf die Alm, um abzuschalten und den Kopf freizubekommen. Da lasse ich meine Sorgen im Tal. Nein, Jasmin erschien mir perfekt. Sie kennt die Verhältnisse hier aus eigener Erfahrung und konnte mir deshalb auch immer gute Ratschläge geben. Und: Sie ist neutral, denn sie hat keinen Nutzen davon. Außerdem galt sie schon früher immer als geschickte Vermittlerin, wenn es im Kollegium mal krachte. Das wird dir hier jeder bestätigen.« Sie wandte sich wieder dem Fenster zu und seufzte. »Und gerade deshalb möchte ich sie sprechen, sobald sie gefunden ist. Ich überbringe ihr die Nachricht und lade sie ein zurückzukommen. Das bin ich ihr schuldig. Sie kann bei mir wohnen, und wir warten gemeinsam auf … Neuigkeiten bezüglich ihres Bruders. Sie muss das nicht allein durchstehen.«

In diesem Moment lief Valentin Baumgartner mit dem Handy am Ohr an der offenen Bürotür vorbei. Die Direktorin sah ihn nachdenklich an und fügte hinzu: »Und wie sich dann alles weiterentwickelt, wird die Zeit zeigen.«

Pippa folgte ihrem Blick. Seine Meinung zu diesem Plan würde mich allerdings auch interessieren, dachte sie.

»Bei allem, was gerade auf unserer Agenda steht, sollten wir die Erpresserbriefe nicht aus den Augen verlieren«, sagte sie dann zu Gertrude Schliefsteiner. »Du erinnerst dich, dass wir von zwei Dozenten noch immer nicht wissen, ob sie welche erhalten haben?«

»Ich habe Stefan Kleindienst und Sigrid Sommerfeld bereits herbestellt. Sie kommen gleich nach dem Flirtkurs.« Die Direktorin schaute auf die Uhr. »Das kann nicht mehr lange dauern. Die beiden wollten eigentlich auch Margit bei dem Gespräch dabeihaben …«

Pippa zuckte mit den Schultern. »Dann haben sie Pech gehabt. Es ist gut, dass Margit jetzt mit Aloisia Krois bei Renate ist und gemeinsam mit ihnen auf das Ergebnis der Obduktion wartet. Dort wird sie *wirklich* gebraucht. In einem solchen Moment sollte jeder einen mitfühlenden Menschen an seiner Seite haben. Bei allem Gefühl wird Margit vielleicht nicht den kühlen Kopf, aber den Durchblick behalten.« Sie hielt inne und lauschte. »Wenn mich nicht alles täuscht, sind unsere streitbaren Dozenten bereits im Anmarsch.«

Die Tür, die vom Flur ins Nebenzimmer führte, ging mit Schwung auf. Ohne sich um die Telefonierenden zu kümmern, stürmten die beiden Flirtkursleiter laut miteinander zeternd in den Raum und bauten sich voreinander auf. Pippa, die ihnen entgegengeeilt war, um sie zu stoppen, ignorierten sie.

»Musst du für unsere Übungen immer Paare mit Leuten bilden, die überhaupt nicht zueinanderpassen?«, fragte Sigrid Sommerfeld gerade. »Belinda Schultze und Falko Schumacher? Ich bitte dich! Das ist doch wie … wie … wie Bratkartoffeln auf Hawaii!«

Stefan Kleindienst schüttelte den Kopf. »Wieso kannst du nicht endlich einsehen, dass völlig gleichgültig ist, wer mit wem ein Paar bildet? Hier geht es um den Erwerb sozialer Kompetenzen und um harmonische Kommunikation! Das *kann* man nicht nur mit jedem üben – das *sollte* man sogar mit jemandem üben, der einem selbst so fremd wie nur möglich ist. Wenn sich dann Erfolg zeigt, spornt es besonders an, weiterhin auf diese Weise zu kommunizieren!«

»Das nennst du Kommunikation?« Die Dozentin schnaubte. »Falko Schumacher hat die Vorzüge der Nordsee und seines dortigen Etablissements angepriesen, inklusive eines Finanzierungsplans für den Anbau einer Wellnessanlage. Und

Belinda Schultzes Antwort darauf lautete: ›Meine Tochter erbt zwei Häuser, eine Ferienvilla und einen Verlag.‹«

»Echt jetzt?«, rief Tonio von Pauritz verblüfft. »So viel?«

Pippa schickte ihm einen strafenden Blick, und er nahm den Telefonhörer, den er hatte sinken lassen, schnell wieder ans Ohr. Dann schob sie die beiden Dozenten ins Büro der Direktorin und schloss die Tür.

»Wie man angesichts der tragischen Ereignisse hier seine Energie auf Nebenkriegsschauplätzen vergeuden kann, ist mir ein Rätsel«, sagte sie zu den beiden. »Eure gegenseitige Abneigung muss wirklich tief sitzen, wenn ihr darüber das Drama vor eurer Haustür übersehet. Wenn zwei Menschen, die sich auf den Tod nicht ausstehen können, gemeinsam einen Flirtkurs anbieten, stellen sich mir gleich zwei Fragen: Warum ausgerechnet dieses Kursthema? Und: Wieso könnt ihr einander nicht ausstehen?«

»Ich soll Stefan nicht ausstehen können?« Sigrid Sommerfeld starrte Pippa sichtlich erstaunt an. »Ich mag ihn, sehr sogar! Er kann *mich* nicht ausstehen!«

Kleindienst fuhr zu ihr herum. »*Ich*? An mir liegt es sicher nicht. Ich habe mit den Streitereien nicht angefangen. Früher habe ich dich sogar für das netteste, hübscheste und klügste Mädchen in meinem Bekanntenkreis gehalten. Hätte ich dir sonst von der Ausschreibung für die Dozentenstellen zum Flirtkurs erzählt?« Er verschränkte die Arme vor der Brust und fuhr fort: »Jedenfalls dachte ich so, als wir hier angefangen haben. Aber mittlerweile habe ich dich wohl richtig kennengelernt. Offensichtlich musst du schon beinahe zwanghaft immer anderer Meinung sein. Es ist doch geradezu pathologisch, dass du grundsätzlich das Gegenteil von dem willst, was ich vorschlage!«

»Ich muss immer anderer Meinung sein? Ich höre wohl nicht richtig! Nur weil ich meine eigenen Ideen auch einbringe?«, erwiderte die junge Frau erbost. »Das ist doch normal. Oder sollte ich sagen: Bei anderen Männern wäre das normal. Die würden nicht so ausrasten und jeden alternativen Einfall als persönlichen Angriff auf sich verstehen. In den meisten Fällen gebe ich lediglich eine zweite Sicht der Dinge zu bedenken. Und das wird man ja wohl noch dürfen! Oder habe ich schweigend zu erfüllen, was der Herr und Meister in seiner Weisheit entscheidet?«

Vor Ärger lief Kleindienst rot an. »Ich habe nichts gegen gute Streitkultur. Im Gegenteil: Meiner Meinung nach gehört ein kleiner Schlagabtausch zwingend zu einem guten Flirt. In *Stolz und Vorurteil* sind Elisabeth Bennet und Mr Darcy am unterhaltsamsten, wenn sie sich mit Worten duellieren und aneinander messen.«

»Typisch: Immer, wenn es eng wird, versteckst du dich hinter der Literatur. In der Theorie bist du klasse, aber wenn es um echte menschliche Gefühle geht …« Sie wandte sich von ihm ab und der Direktorin und Pippa zu. »Wissen Sie, wir kennen uns seit Ewigkeiten. Wir wurden gemeinsam eingeschult und sind gleichzeitig durch die Matura gefallen. Das und noch einiges andere haben wir zusammen erlebt. Ich dachte, warum sollte ein vertrauter Wegbegleiter aus der Vergangenheit nicht auch ein guter Freund in der Gegenwart sein – und vielleicht in Zukunft noch mehr auf uns warten?«

»Ach ja, das dachtest du?«, fragte Kleindienst spöttisch. »Findest du nicht, dass dafür ein Mindestmaß an Integrität gegenüber dem Partner vorhanden sein sollte?«

Sigrid Sommerfeld nickte. »Allerdings. Nicht nur das: auch Verlässlichkeit und Vertrauen. Und die Sicherheit, dass man auch mal einen Fehler machen darf, ohne sofort verlassen zu werden.«

»Wenn das deine Meinung ist, warum verhältst du dich

nicht so? Dann wärst du nämlich schlagartig die liebenswerteste Frau, die ich kenne.«

»Das nenne ich mal ein trügerisches Kompliment«, gab Sigrid Sommerfeld blitzschnell zurück. »Und obendrein eines, das ich an dich zurückgeben kann.«

Gertrude Schliefsteiner hob die Hand. »Schluss jetzt. Ich bin nicht mehr bereit, Publikum für eure verbalen Scharmützel zu spielen. Was ist denn nur mit euch passiert? Früher wart ihr immer ein Herz und eine Seele. Sonst hätte ich euch doch gar nicht eingestellt!«

Ehe Pippa sich bremsen konnte, sprach sie laut aus, was ihr während der letzten Minuten durch den Kopf gegangen war: »*Was sich liebt, das neckt sich* – so heißt es doch. Wenn der Spruch stimmt, müsst ihr zwei euch heiß und innig lieben.«

Die beiden Dozenten blickten betreten zu Boden.

Dann sagte Sigrid Sommerfeld leise: »Auf mich trifft das zu. Aber Stefan hat mich zu sehr verletzt. Ich fühle mich gedemütigt. Das war es für mich, endgültig. Nach dieser Aktion ...«

»Welche Aktion meinst du?«, fragte Kleindienst erstaunt. »Ich würde dich niemals absichtlich verletzen. Im Gegenteil – ich habe auf eine Entschuldigung oder wenigstens ein erklärendes Wort von *dir* gewartet. Wegen *deiner* Aktion.«

An der Reaktion der jungen Frau erkannte Pippa, dass jetzt Sigrid nicht wusste, worauf ihr Kollege anspielte. Ehe der Streit erneut Fahrt aufnehmen konnte, fragte sie deshalb: »Welche Aktionen? Was ist passiert?«

Sigrid Sommerfeld holte tief Luft. »Ihr wisst ja, dass Giorgio Gallastroni auf Wunsch für jeden ein Charakterparfüm kreiert.« Sie deutete auf Kleindienst. »Dieser charmante Herr hat mich glauben lassen, dass er eines für mich hat komponieren lassen.« Sie wühlte in ihrer Umhängetasche und zog eine Glückwunschkarte heraus. »Das hier hat er mir vor ein paar Wochen zum Geburtstag geschickt. Ich darf vorlesen: *Ich schenke Dir heute Klarheit über meine Gefühle zu Dir – und dazu einen Duft, der Dich perfekt verkörpert.*«

»Das Parfüm ist nicht zufällig auch in der Tasche?«, fragte Pippa.

Sigrid Sommerfeld nickte, holte den Flakon heraus und präsentierte ihn mit großer Geste. »Hübsch, nicht wahr? Nicht nur der Name ist eine Bosheit, der Inhalt schlägt dem Fass den Boden aus. Das ist auch mit größtem Verständnis nicht mehr als Scherz zu verstehen. Wie soll ich mit einem solchen Gefühlsbarbaren wie diesem Mann normal arbeiten können? Davon, ihm meine Zuneigung zu offenbaren, ganz zu schweigen.«

»Darf ich?« Pippa streckte die Hand aus, und die junge Frau legte den Flakon hinein. Auf dem Etikett stand in großen Lettern *MISTBIENE*, daneben prangte die Abbildung einer Schmeißfliege. Kleindienst, der ihr über die Schulter sah, schnappte hörbar nach Luft. Pippa öffnete den Flakon, und sofort zog überwältigender Geruch nach Gülle durch den Raum. Hastig verschloss sie das Fläschchen wieder.

»Das ist ekelhaft«, sagte sie zu Kleindienst, der sichtlich blass geworden war und abwehrend die Hände hob.

»Aber … aber … das stammt nicht von mir«, stammelte er. »Ich schwöre es! Nachdem ich die zauberhafte kleine *Liebesgabe* von Sigrid bekommen hatte, hab ich ihr gar nichts zum Geburtstag geschenkt! Ich bin doch kein verdammter Trottel!«

Sigrid Sommerfeld runzelte die Stirn. »Liebesgabe? Welche Liebesgabe?«

»Auch so ein nettes Kärtchen. Und einen persönlichen Duft. Ich darf zitieren: *Verdufte endlich. Du bist nicht mein*

Typ und erst recht nicht meine Klasse.« Er musste tief Luft holen, bevor er fortfahren konnte. »Auf meinem Flakon stand *Langweiler.* Er enthielt Wasser.«

Sigrid Sommerfeld entfuhr ein Laut der Überraschung, und Pippa sagte: »Da hat euch aber jemand sehr gekonnt gegeneinander ausgespielt.«

»So viel zur hohen Kunst der harmonischen Kommunikation.« Die Direktorin seufzte. »Ist denn keiner von euch auf die Idee gekommen, den anderen auf die Stinkbomben anzusprechen? Da habe ich einen Tipp für euch: Ihr solltet mal euren Flirtkurs buchen.«

Und somit sind drei der Flakons wiederaufgetaucht, die Valentin für den Erpresser besorgen musste, dachte Pippa. Ganz schön ausgekocht, dieser Widerling. Und genau das wird er mit den Flakons gemacht haben, er hat sie ausgekocht, damit sie ihre neuen Düfte aufnehmen konnten. Mir wird ganz schlecht, wenn ich daran denke, dass noch immer ein Fläschchen fehlt.

Während sie noch überlegte, ob sie vor den beiden von Baumgartners Beteiligung an ihrem Missverständnis erzählen durfte, platzte Karin ins Büro und verkündete: »Wir haben jetzt jeden Arbeitgeber mit mindestens einer Handbreit Wasser unter dem Kiel angerufen. Und ich kann mit fast hundertprozentiger Sicherheit sagen: Jasmin Lenzbauer hat auf keinem Schiff dieser Welt als Friseurin angeheuert – es sei denn, es gibt ihn doch, den Fliegenden Holländer!«

Kapitel 25

Nachdem Karin die Bombe hatte platzen lassen, herrschte zunächst einen Moment Stille, dann redeten alle durcheinander.

Auf alle Einwände hin, es gebe sicherlich noch mehr Kreuzfahrtschiffe als die auf der Liste oder unbedeutendere Veranstalter, die nicht erfasst worden seien, schüttelte Karin entschieden den Kopf. »Wir haben alles abgeklappert. Selbst die großen Fährlinien habt ihr abtelefoniert. Keine Jasmin.«

»Und kleinere Reedereien?«, warf Gertrude Schliefsteiner ein. »Oder kürzere Fährlinien, die nur ein paar Stunden unterwegs sind?«

»Wir haben keine Linie ausgelassen, die eine deutschsprachige Friseurin oder Kosmetikerin an Bord gebrauchen könnte«, sagte Karin. »Es bleiben nur noch Routen wie die zwischen Calais und Dover übrig. Aber bei einer derartigen Fähre würde sie nicht an Bord leben. Dann hätte sie eine Wohnung, von der aus sie täglich zur Arbeit ginge, und auch sicherlich ein Internetcafé in der Nähe. Warum sollte sie also in einzelnen Mails betonen, dass sie mal wieder schlecht erreichbar ist und es viele Tage dauern kann, bis sie antwortet? Sie hat auf keinem Luxusliner angeheuert, so viel steht fest.«

»Warum dann dieses Ammenmärchen mit der großen, weiten Welt und ihrem Kapitän?«, fragte die Direktorin leise. »Ich verstehe das nicht.«

»Vielleicht, damit du sie nicht bemitleidest?«, sagte Pippa.

»Oder um sicherzugehen, dass ihr Mann sie nicht findet«, fügte Karin hinzu. »Auch dann nicht, wenn Ihnen aus Versehen etwas herausrutscht.«

Sigrid Sommerfeld hob die Hand. »Also, wenn ihr wissen wollt, von wo die Mails abgeschickt wurden, das sollte nicht so schwer sein. Das finden wir heraus.« Sie warf Stefan Kleindienst einen Blick zu, und der nickte. »Stefan und ich haben nach der verkorksten Matura eine IT-Ausbildung bei einem großen Software-Hersteller in Deutschland gemacht.«

»Mit der wir ebenfalls untergegangen sind«, fuhr Kleindienst fort. »Aber erst einmal waren unsere Eltern beruhigt, denn in ihren Augen waren Computer die Zukunft. In *meinen* allerdings waren sie schlicht die Möglichkeit, um durch das Internet so viel wie möglich über Literatur zu erfahren und mit Gleichgesinnten in Kontakt zu kommen.« Sein Gesicht verzog sich zu einem breiten Grinsen. »Zum Lernen blieb da allerdings nicht mehr so furchtbar viel Zeit. Also, zum Beispiel gibt es da eine Seite, auf der man alles über Jane Austen erfährt und sich sogar eine Figur aus den Büchern als Avatar wählen kann, um dann …«

»Was Stefan sagen will«, fiel Sigrid Sommerfeld ihm ins Wort, »mit ein wenig Aufwand können wir herausfinden, von wo aus Jasmins Mails an die Chefin abgeschickt wurden. Dann wissen wir, wo sie sich derzeit aufhält.«

»Etwas Ähnliches wollte ich auch gerade vorschlagen«, sagte Karin. »Falls das nicht klappt, können wir Jasmin immer noch eine Mail schicken und sie bitten, sich schnellstmöglich telefonisch hier zu melden.«

»Das wollte ich unbedingt vermeiden.« Gertrude Schliefsteiner seufzte. »So eine Aufforderung bedeutet meist etwas Schlimmes, es würde sie beunruhigen.«

Pippa zuckte mit den Schultern. »Erschrecken wird sie

so oder so, das werden wir nicht verhindern können. Auch wenn es uns leidtut.«

Gedankenverloren ging die Direktorin zum Tisch hinüber, auf dem noch immer Bernhard Lipps Aquarell lag. Sie nahm das Bild in die Hand und studierte es. »Ich hatte gehofft, gleich mit ihr sprechen und meinen Beistand anbieten zu können.«

Die Helfer der Telefonaktion waren Karin ins Büro der Direktorin gefolgt, während Paul-Friedrich und Ricarda im Vorzimmer noch immer über ihren Laptop gebeugt saßen, leise miteinander tuschelten und sich Notizen machten.

Jodokus Lamberti schnupperte und blickte demonstrativ auf die Uhr. »Also, wenn wir hier nicht mehr gebraucht werden … Mich zieht ein unwiderstehlicher Duft ins Café Kürbishügel. Ich würde gerne Freundschaft mit gebratener Forelle in Sterzmehl schließen.«

»Ich nehme noch einmal die Schilcherrahmsuppe«, sagte Ilsebill und hakte sich bei ihrem Gatten ein. »Oder wir werben gleich den Koch ab, was meinst du, Jodokus? Keine Ahnung, wie wir in Zukunft ohne Beppo satt werden sollen.«

Gertrude Schliefsteiner blickte in die Runde. »Vielen Dank, dass Sie alle geholfen haben. Vielen Dank auch Ihnen, Herr Baumgartner und Signore Gallastroni. Ich lasse Sie sofort wissen, wenn wir mit weiteren Nachforschungen Erfolg haben.«

»Mein Stichwort«, sagte Stefan Kleindienst und setzte sich an einen der freien Laptops im Vorzimmer.

Baumgartner und Gallastroni verabschiedeten sich und verließen das Büro.

Die Lambertis folgten ihnen, aber Jodokus drehte sich in der Tür noch einmal um. »Nicht vergessen: Nach dem Essen treffen wir uns alle im Katzenhaus zur Lesestunde.«

»Das würde ich um nichts in der Welt verpassen«, erwiderte Karin. »Ich will doch wissen, bei wessen Stimme die Katzen als Erstes schnurren. Wer stoppt das Ganze überhaupt?«

Jodokus grinste. »Die Kreuzworträtsler haben versprochen, ihre Wettkampfuhr mitzubringen.«

»Wettkampf?«, fragte die Direktorin erstaunt. »Im Katzenhaus? Wer hat das denn organisiert?«

Jodokus deutete stolz auf seine Brust.

»Auch wenn ich erst seit heute Morgen wieder in der Akademie Sinnenschmaus bin«, sagte Karin, »ist diese Wette nicht an mir vorbeigegangen. Waldemar, Jodokus und Oliver Mieglitz sind der Meinung, dass ältere Männer einen Vorteil beim Bezirzen der Damenwelt haben, weil ihre sonoren Stimmen nach Sicherheit klingen und das gewisse Timbre der Weisheit haben. Das konnte die jüngere Fraktion natürlich nicht so stehenlassen, also haben Falko, Tobias und Tonio dieser These vehement widersprochen. Wir Frauen wurden nicht als neutrale Instanz anerkannt, um diesen Streit zu schlichten. Also haben die Herren der Schöpfung beschlossen, stattdessen die Katzen mit ihren Stimmen zum Schnurren zu bringen. Jeder wird ihnen dieselbe Textpassage aus *Stolz und Vorurteil* vorlesen. Sobald eine Katze zu schnurren beginnt, wird die Zeit gestoppt.«

»Amelia Dauber wird die Stoppuhr bedienen«, fügte Jodokus hinzu.

»Da wäre ich gerne dabei«, sagte Pippa sehnsüchtig. »Denselben Text wiederholt zu hören dürfte herrlich meditativ wirken. Wie in der Kindheit, als man dasselbe Bilderbuch immer wieder vorgelesen bekommen wollte, obwohl man es in- und auswendig kannte. Genau wie früher: eine Stunde lang an etwas anderes denken, einfach wegdriften. Das stelle ich mir himmlisch vor.«

»Gönn dir doch das Vergnügen«, erwiderte Sigrid Sommerfeld. »Danach gehen ohnehin alle auf den Waldspaziergang für Sarahs Fotokurs. Die anderen Kurse fallen heute aus. Margit wollte nach der ganzen Aufregung den hiesigen Dozenten eine kleine Auszeit gönnen. Ab morgen ist dann wieder normales Programm mit dem freien Malkurs und der nächsten Flirtlektion.«

»Der Freitagsmalkurs«, murmelte die Direktorin mit Blick auf Bernhard Lipps Aquarell. »Bernhards Malkurs.«

»Ich habe auch so ein Alm-Aquarell von ihm«, sagte Sigrid Sommerfeld. »Es hängt über meinem Sofa. Heribert ist fast geplatzt, als er es dort sah.«

»Wieso das denn?«, fragte Pippa.

Die Flirtkurs-Dozentin lächelte. »Weil er mir eines seiner Bilder für diesen Platz angeboten hatte. Wisst ihr, Bernhard ist ... war zwar Heriberts bester Schüler, und er war sehr stolz auf ihn. Aber wenn ihr mich fragt, war Bernhard ein wenig *zu* gut für Achleitners Geschmack. Welcher Lehrer lässt sich schon gern von seinem Schüler überflügeln? Bernhard hat regelmäßig steirische Motive an eine Galerie nach Graz verkauft. Er hat nicht viel Geld dafür bekommen, aber sie wollten *seine* Bilder.«

Pippa verstand sofort. »Aber Achleitners nicht.«

Sigrid Sommerfeld nickte. »Und seitdem war das harmonische Lehrer-Schüler-Verhältnis ein wenig mit grüner Galle überzogen.«

»Neid ist kein guter Freundschaftsverstärker«, rief Stefan Kleindienst zu ihnen herüber. »Davon können wir ein Lied singen, was? Ich könnte übrigens ein wenig Unterstützung gebrauchen. Sigrid? Karin?«

Die beiden folgten seiner Bitte und setzten sich zu ihm.

Pippa hörte ihnen einen Moment lang beim Fachsimpeln zu, dann hakte sie sich bei der Direktorin unter. »Wir zwei gehen jetzt auch zum Beppo und gönnen uns sowohl Ilsebills Suppe als auch Jodokus' Forelle.« Gertrude Schliefsteiner wollte protestieren, aber Pippa fuhr fort: »Keine Widerrede. Wir tun weder uns noch Jasmin einen Gefallen, wenn wir nicht auch ein wenig auf uns selbst achten. Wenn unsere Recherchenabteilung etwas herausfindet, wird sie es uns sofort wissen lassen. Wir sind ja nicht aus der Welt. Außerdem«, sie gab Paul-Friedrich und Ricarda ein Zeichen, »können wir uns gleich berichten lassen, was es sonst noch Wichtiges zu wissen gibt.«

Bei Beppo Sonnbichler herrschte Hochbetrieb. Nicht nur die Kursteilnehmer, sondern auch viele Einheimische hatten sich zum Mittagessen eingefunden.

Pippa, die Direktorin, Ricarda und Paul-Friedrich blieben am Eingang stehen, um nach freien Plätzen Ausschau zu halten. An einem Tisch am anderen Ende des Raums saßen von Meinrad, Maxi Frühwirt und Karsten Knöller, aber während der Journalist auf seine Tischnachbarn einredete, prostete sich das Paar mit Schilcherwein zu, als wären sie allein. Die Neuankömmlinge erregten Axel von Meinrads Aufmerksamkeit. Er zuckte sichtlich zusammen, als er Ricarda sah, wandte sich dann hastig ab und widmete sich demonstrativ seinem Essen.

»Offenbar lassen sich die Leute von den Gerüchten um Bernhard nicht abhalten, hier zu essen«, sagte Pippa.

»Ganz im Gegenteil«, erwiderte die Journalistin. »Was könnte interessanter sein, als gleichzeitig noch die Neugier an der Quelle der Gerüchteküche zu sättigen?«

Pippa blickte sich weiter um und entdeckte auch Renate Lipps Nachbarin Thea Wolfgruber an einem Tisch mit vier anderen Frauen ihres Alters, darunter auch Aloisia Krois, die sie eigentlich als moralische Unterstützung bei Renate Lipp gewähnt hatte. Die anderen Frauen sprachen beruhigend auf Aloisia ein, die betrübt vor einer nicht angerührten

Portion Gulasch saß. Thea Wolfgruber nahm eine Gabel, spießte energisch ein Stück Fleisch auf und hielt es Aloisia vor den Mund, bis diese endlich ihren Widerstand aufgab und sich füttern ließ.

»Mir ist es hier zu voll, um ungestört zu reden«, sagte Pippa, »selbst auf der Terrasse scheint kein Platz mehr frei zu sein. Aber alle haben ihr Essen, soweit ich es überblicken kann. Ob Beppo so freundlich ist, uns ausnahmsweise im Frühstücksraum zu bedienen?«

»Selbstverständlich, die Dame«, sagte der Wirt, der in diesem Moment mit einem Tablett voller Getränke an ihnen vorbeieilte und Pippas Frage gehört hatte. »Ich bin gleich bei Ihnen.«

Im Frühstücksraum war bereits für den nächsten Morgen eingedeckt. Pippa und Ricarda räumten Teller und Tassen auf einen Nebentisch, als der Wirt auch schon erschien. Er stellte Gewürz-Menagen auf den Tisch, legte Besteck für vier Personen aus und fragte: »Was darf ich bringen?«

»Nichts für mich«, murmelte die Direktorin.

»Das ist leider aus«, entgegnete Beppo Sonnbichler. »Genau wie die Forelle, das Gulasch und die anderen Gerichte von der Mittagskarte. Aber ich hätte noch Kernöl-Schmölzi aus drei oder aus sechs Eiern anzubieten, außerdem Hirschragout mit Knödeln und Schilcherrahmsuppe, serviert mit warmem, selbstgebackenem Krustenbrot.«

»Wir nehmen alles, was Sie noch in der Küche haben«, sagte Paul-Friedrich. »Einfach herbringen, wir schaffen das. Und Schilcherwein für alle.«

Kaum war der Wirt außer Hörweite, fragte Pippa: »Also, welche Neuigkeiten habt ihr für uns?«

»Vorhin erhielt ich eine Mail von Axel von Meinrad«, erzählte Ricarda. »Er weist mich darauf hin, dass er recht damit hatte, ›an Renate dranzubleiben‹, wie er es formulierte, und dass die aktuellen Entwicklungen eine heiße Topstory versprächen. Er fragte an, ob ich wirklich auf einen Mitarbeiter mit einem derart unfehlbaren Riecher verzichten wolle.«

Die Direktorin stöhnte gequält auf, und Ricarda fuhr fort: »Meine Antwort dürfte ihm nicht gefallen haben: Ich habe ihn wissen lassen, dass ich ›Stinker‹ als Bezeichnung deutlich angemessener fände als ›Riecher‹. Und dass ich seine fragwürdigen Methoden öffentlich anprangern werde, wenn er sein Verhalten nicht ändert.«

»Nichts für ungut«, warf Pippa ein, »aber sind hartgesottene Schreiberlinge wie er nicht gefragter als diejenigen, die sich durch Respekt und Rücksichtnahme hervortun?«

»Bei einer gewissen Art von Sensationspresse vielleicht«, antwortete Ricarda, »aber nicht bei mir.«

»Ich wünschte, wir könnten ihn irgendwie loswerden«, sagte Gertrude Schliefsteiner grimmig.

»Darüber haben wir nachgedacht.« Paul-Friedrich lächelte. »Leider sind die einzigen Methoden, ihn rückstandsfrei zu entsorgen, weder legal noch gesetzestreu.«

Pippa sah in die Runde. »Könnte Gertrude ihn nicht einfach vor die Tür setzen?«

Ricarda schüttelte vehement den Kopf. »Um als Retourkutsche dann noch schlechtere Presse zu bekommen? Ihr glaubt doch nicht, dass er Plutzerkogel verlässt, nur weil er der Akademie verwiesen wird! Nein – es ist geschickter, ihn in unserer Nähe zu behalten. So haben wir ihn viel besser unter Kontrolle und können seinem Geschreibsel die Wahrheit entgegensetzen.«

Gertrude Schliefsteiner stöhnte erneut und griff sich an den Hals. »Ich bin mir nicht mehr sicher, ob ich die Wahrheit wirklich wissen will.«

Das Auftauchen Beppo Sonnbichlers unterbrach die Diskussion. Der Wirt stellte ein riesiges Tablett auf dem Nachbartisch ab und servierte die Getränke sowie köstlich duftende Vorsuppen.

»Wünsche den Herrschaften einen guten Appetit. Volle Teller werden nicht zurückgenommen«, sagte er mit besorgtem Blick auf die Direktorin und ließ sie wieder allein.

Einige Minuten lang widmeten sie sich der wohlschmeckenden Suppe. Zu Pippas Erleichterung aß Gertrude Schliefsteiner zwar langsam, aber der Duft aus dem Suppenteller schien ihren Appetit angeregt zu haben.

»Also, was haben eure Recherchen ergeben?«, fragte Pippa, als erst Paul-Friedrich und dann auch Ricarda den Teller geleert hatte.

Ricarda tupfte sich die Mundwinkel mit einer Serviette ab. »Wir haben so etwas wie einen Rundumschlag gemacht. Du wirst staunen.«

»Deine Vertrauten, die Lambertis, sind genau, was sie zu sein scheinen«, übernahm Paul-Friedrich. »Ein gut situiertes Ehepaar und im gesamten Rhein-Main-Gebiet bei allem aktiv, was karitative Hilfe benötigt. Jodokus mit Geld, Ilsebill mit Charisma.«

Innerlich atmete Pippa erleichtert auf – hatte ihre Menschenkenntnis sie also nicht getrogen.

»Familie Schultze könnte aus einem von Waldemars Heftromanen stammen«, fuhr Ricarda fort. »Ebenfalls gut situiert, Vater erfolgreich und zufrieden, Mutter unausgelastet und von dem Wunsch beseelt, aus ihrer Tochter all das zu machen, was sie sich nicht getraut hat. Naomi selbst hat momentan keinen weiteren Ehrgeiz, als ausgiebig ihr Abitur zu feiern und eine Liebesaffäre zu erleben. Möglichst heiß, aber ohne sich daran zu verbrennen.«

»Das hast du doch nicht aus deinem Archiv!«, rief Pippa. »Das hast du dir ausgedacht, jede Wette.«

Ricarda schüttelte lachend den Kopf. »Mitnichten ausgedacht, meine Liebe. Das haben wir – wortgetreu – gestern Nacht auf der Heimfahrt von Waldemar gehört, und es gibt keinen Grund, seiner Einschätzung nicht zu glauben. Jedenfalls habe ich in unserem Archiv nichts Gegenteiliges gefunden.«

»Und jetzt zu unseren Kreuzworträtselgewinnern«, warf Paul-Friedrich ein.

»Die sind doch nicht prominent, oder?«, fragte Pippa erstaunt. »Es kann nicht leicht gewesen sein, Informationen über sie zu finden.«

»Wenn jemand irgendwo einen ersten Platz belegt, gehört ihm automatisch auch die Aufmerksamkeit irgendeines Kollegen«, sagte Ricarda. »Amelia Dauber ist demnach einer der wenigen *nicht* fanatischen Kreuzworträtselfans. Sie arbeitet in einem Altenheim und hilft ihren Schützlingen schon so lange, Preisrätsel zu lösen, dass sie sich ganz automatisch zum Champion entwickelt hat, ohne üben zu müssen. Jedenfalls hat sie das beim Interview nach der Preisverleihung gesagt. Oliver Mieglitz dagegen …«

Sie machte eine Kunstpause, die Paul-Friedrich sofort nutzte: »Der trainiert seit Jahren verbissen und war stinksauer, sich ausgerechnet einer Amateurin geschlagen geben zu müssen. Ich denke, die beiden können wir ausschließen, was die Erpresserbriefe angeht. Ich sehe kein Motiv, weshalb sie der Akademie Sinnenschmaus Schaden zufügen wollten. Wann beißt schon einmal ein Hund die Hand, die ihn liebevoll füttert?«

»Mich interessiert besonders Falko Schumacher«, sagte Gertrude Schliefsteiner. »Immerhin streben seine Brüder und er ja eine Kooperation mit uns an. Was gibt es über den umtriebigen Hotelbesitzer zu erfahren?«

»Sein Nordseehotel läuft zwar hervorragend«, erklärte

Ricarda, »kommt aber laut der Bewertungen im Internet langsam in die Jahre. Seit die drei Brüder das Haus von den Eltern übernommen haben, ist es nicht mehr nennenswert renoviert worden. Das will Falko Schumacher ändern. Er will aufstocken, erweitern, modernisieren, vier Sterne an die Eingangstür.«

»Das hört sich doch vielversprechend an, oder?« Pippa sah in die Runde. »Klar, er wollte Gallastroni abwerben, und das ist nicht nett. Aber Giorgio könnte dort Gastkurse geben, und alle wären zufrieden.«

»Ganz so einfach ist es leider nicht«, sagte Paul-Friedrich. »Falko Schumacher hat viele Pläne, aber seine Brüder wollen nicht mitziehen. Nun gibt es Streit im Ferienparadies. Ein Kollege von Ricarda hat erst kürzlich eine Reportage über das Hotel gemacht. Ricarda hat mit ihm telefoniert.«

Die Journalistin nickte. »Genau. Er hat es mir so erklärt: Die beiden älteren Brüder sind völlig mit dem zufrieden, was sie haben – solange das Haus genug Geld für alle abwirft. Mal wird ein Zimmer gestrichen, mal eine durchgelegene Matratze gegen eine neue ausgetauscht. Sie wollen ansonsten die Linie ihrer Eltern konsequent fortführen.«

»Und das schmeckt dem smarten Falko nicht«, warf Pippa ein.

»Ganz und gar nicht«, erwiderte Ricarda. »Seine Brüder haben ausgerechnet aus der Lokalpresse von seinem neuen Konzept erfahren. So wollte er sie in Zugzwang bringen – was ihm auch gelungen ist. Allerdings ganz anders, als von ihm geplant: Sie sind durch die Decke gegangen vor Wut und wollen ihn jetzt am liebsten loswerden. Es sei denn, er hält sich ab sofort wieder an ihre Regeln. Sie haben ihm angeboten, ihn auszuzahlen. Also: Entweder er fügt sich oder er ist draußen. Notfalls sogar auf dem Rechtsweg.«

»Also war alles erstunken und erlogen, was er mir erzählt hat?«, fragte die Direktorin fassungslos.

»Nein, eine Zusammenarbeit mit der Akademie ist tatsächlich im Sinne aller Brüder, sagt mein Kollege«, sagte Ricarda. »Es gibt noch Kontakte zu zwei weiteren Etablissements, einem Hotel auf Rügen und einer Kuschelfarm in Südtirol.«

»Wir glauben, Falko will durch den Besuch in der Akademie Sinnenschmaus die Wogen glätten«, fügte Paul-Friedrich hinzu. »Er hofft, seine Brüder durch seinen persönlichen Einsatz wieder zu versöhnen.«

Pippa verzog den Mund. »Er hat also kalte Füße gekriegt und will seine sichere Einnahmequelle nicht verlieren. Ich wüsste zu gerne, ob er in dieser Mission auch schon das Hotel auf Rügen oder die Südtiroler Kuschelfarm besucht hat. Und vor allem, wie das ausgegangen ist. Könntest du deinen Bekannten fragen, ob er dazu Näheres weiß, Ricarda?«

Bevor diese antworten konnte, kam Beppo Sonnbichler mit dem Hauptgang in den Frühstücksraum. Ihm dicht auf den Fersen waren Sigrid Sommerfeld und Stefan Kleindienst, die sichtlich ungeduldig darauf warteten, dass der Wirt endlich wieder verschwand.

Pippa schwante nichts Gutes.

Gertrude Schliefsteiner schob ihren Teller von sich weg. »Also? Hatten Sie Erfolg mit Ihren Bemühungen?«

Die beiden Dozenten tauschten einen raschen Blick, der ihr ganzes Unbehagen ausdrückte.

»Das kommt darauf an, was wir finden sollten«, antwortete Sigrid Sommerfeld langsam. »Oder finden wollten.«

Stefan Kleindienst nickte. »Besonders schwierig war die Suche jedenfalls nicht, denn jeder Rechner hat eine sogenannte IP-Adresse. Sie wird allen Geräten zugewiesen, die an das Internet angeschlossen sind. Im Gegensatz zu Postadressen sind IP-Adressen allerdings nicht zwangsläufig an einen bestimmten Ort gebunden. Ein Laptop zum Beispiel ist ja mobil und loggt sich mal hier, mal dort ins Internet ein – aber immer mit derselben IP-Adresse.«

Die Direktorin hatte der Erklärung mit gerunzelter Stirn gelauscht. »Und was bedeutet das jetzt für Ihre Suche nach Jasmin?«

»Wir hatten erwartet, es mit IP-Adressen aus der ganzen Welt zu tun zu bekommen. Jasmin müsste mit ihrer Mailadresse von vielen verschiedenen Computern aus geschrieben haben, da sie ja ständig unterwegs ist, aber ...«

Sigrid Sommerfeld zögerte, und Gertrude Schliefsteiner rief: »Und was? So reden Sie doch schon! Was haben Sie herausgefunden?«

»Kurz: Bei keiner einzigen Mail führt die Spur ins Ausland«, sagte Stefan Kleindienst. »Einige stammen aus Graz, Wien und Klagenfurt, aber die allermeisten kommen aus Internetcafés der näheren Umgebung. Und direkt aus Deutschlandsberg. Jasmin Lenzbauer ist nicht in der großen weiten Welt. Das war sie nie. Sie war die ganze Zeit in Österreich.«

Kapitel 26

Jasmin soll Österreich niemals verlassen haben?«, rief Gertrude Schliefsteiner entgeistert. »Was ist das denn für ein Blödsinn? Ihr müsst euch irren. Immer wieder hat sie Sehenswürdigkeiten detailliert beschrieben: den Zuckerhut, die Golden Gate Bridge, den Panamakanal ... Diese lebendigen Schilderungen können nur von jemandem stammen, der all dies mit eigenen Augen gesehen hat.«

»Oder von jemandem, der gut abschreiben kann«, wandte Ricarda ein. »Das Internet ist voll mit Reiseberichten von Urlaubern oder Leuten, die beruflich an diesen Orten zu tun haben. Die muss ich nur kopieren und ein wenig umformulieren. Und schon denkt man, ich wäre selbst dort gewesen.«

»Bleibt die Frage, warum sie dieses Theater veranstaltet hat«, sagte Sigrid Sommerfeld. »Warum inszeniert sie ein vermeintlich glamouröses Leben, wenn sie in Wirklichkeit nach wie vor in Österreich Haare toupiert und Augenbrauen zupft? Oder hat Jasmin Heimweh nach ihrer Tochter bekommen und wollte wieder in ihrer Nähe leben?«

Paul-Friedrich, der in aller Ruhe weitergegessen hatte, legte sein Besteck beiseite. »Die Mails sind ausschließlich von österreichischen Internetcafés aus geschickt worden? Und die meisten hier aus der Umgebung? Dann hat sie jemand geschrieben, der sich für Jasmin ausgegeben hat.« Angesichts der ungläubigen Mienen der anderen fuhr er fort: »Überlegt doch mal: In einer Gegend wie dieser ist es schier unmöglich, innerhalb von zwei langen Jahren niemandem über den Weg zu laufen, den man kennt. Irgendjemand hätte Jasmin Lenzbauer irgendwo einmal sehen müssen – und wie ich Plutzerkogel mittlerweile kenne, hätte derjenige das ganz sicher weitererzählt, und zwar sofort.«

Hektisch wedelte sich die Direktorin mit der Hand Luft zu. »Ich verstehe überhaupt nichts mehr. Das ist ja fürchterlich! Himmel, hilf!«

Gerade wird ihr bewusst, dass sie sich vielleicht einer vollkommen fremden Person anvertraute und dabei Interna preisgegeben hat, dachte Pippa, kein schönes Gefühl. »Da Valentin Baumgartner wegen Jasmin noch immer schweren Liebeskummer hat, schließe ich ihn als Ghostwriter aus«, führte sie Seegers Gedankengang weiter. »Aber es könnte jemand sein, der Jasmin gut genug kennt, um sich glaubwürdig für sie auszugeben. Vielleicht solltest du dich mal ausführlich mit Jasmins Lieblingskollegen Giorgio Gallastroni unterhalten.«

Gertrude Schliefsteiner atmete tief durch. »Worauf du dich verlassen kannst! Das duldet keinen Aufschub.« Entschlossen stand sie auf. »Gnade ihm Gott, wenn er es war!«

Sie rauschte aus dem Raum, und Sigrid Sommerfeld zog unwillkürlich den Kopf ein. »Wenn die Direktorin in dieser Stimmung ist, geht man besser in Deckung. Ich wäre jetzt nicht gerne an Giorgios Stelle.«

»Stunk im Duftparadies«, murmelte Stefan Kleindienst.

Auch den anderen war der Appetit auf ein Dessert vergangen. Um Beppo Sonnbichler die Arbeit abzunehmen, deckten sie den Tisch wieder für das Frühstück ein und trugen ihr benutztes Geschirr und Besteck hinüber ins Café Kürbishügel.

Dort herrschte allgemeine Aufbruchsstimmung, und der

Wirt war damit beschäftigt, von Tisch zu Tisch zu gehen und zu kassieren. Auf ihrem Weg nach draußen blieben Maxi Frühwirt und Falko Schumacher bei Pippa stehen.

»Du kommst doch auch zum Schnurr-Wettbewerb ins Katzenhaus?«, fragte Maxi. »Aber beeil dich, sonst sind die besten Zuschauerplätze weg. Falko nimmt übrigens noch Wetten an.«

Schumacher blickte auf sein Klemmbrett. »Paul-Friedrich gilt als Favorit.«

»Ich wusste gar nicht, dass dein Mann mitmacht, Pippa«, sagte Karsten Knöller, der sich zu ihnen gesellte.

Maxi Frühwirt lachte. »Er weiß auch noch nichts von seinem Glück. Livia und ich haben ihn ungefragt nominiert, und sofort haben ganz viele auf ihn gesetzt.« Sie stupste Pippa scherzhaft in die Seite. »Dein Göttergatte macht Eindruck. Livia und ich können gut verstehen, dass du ihn erwählt hast. Für uns ist er der perfekte Kandidat, denn wir sind der Meinung, dass auch im Wettkampfteam der älteren Semester ein frisch verliebter Mann sein sollte.«

»Dafür garantiere ich«, sagte Pippa im Brustton der Überzeugung. »Frisch verliebt ist er.«

Da die beiden Flirtdozenten noch nicht gegessen hatten, nahmen sie bei Fotolehrerin Sarah MacDonald Platz, während Pippa, Paul-Friedrich und Ricarda zu einem großen Tisch hinübergingen, an dem außer Karin noch immer Aloisia Krois, Thea Wolfgruber und die anderen älteren Damen saßen. Obendrein hielt dort jetzt aber noch Axel von Meinrad Hof.

»Reden Sie ruhig weiter, von Meinrad«, sagte Karin gerade in zuckersüßem Tonfall, »ich höre Ihnen gerne zu. Je mehr ich über Sie weiß, desto fester kann ich später die Schlinge um Ihren Hals ziehen.«

Der Journalist schien alles andere als erbaut über die Neu-ankömmlinge. Zu Pippas Amüsement nahm er mit einem Seitenblick auf Ricarda die Rechte von Aloisia Krois und hauchte einen Handkuss darauf. »Liebe gnädige Frau, ich weiß, wie sehr Sie derzeit gefordert sind. Nur wenige Menschen würden derartige Herausforderungen auf so souveräne Art und Weise meistern. Sie helfen nicht nur Ihrem Gatten, den Schock über den Verlust seines Grabungsfeldes zu verkraften – seine Enttäuschung muss so tief sein wie die Grube, in der sich der leblose Körper fand. Nein, Sie sind zusätzlich Trost und Stütze für unsere unglückliche gemeinsame Freundin Renate. Diese Stärke bewundere ich zutiefst.«

Aloisia Krois fuhr sich mit der freien Hand über die Augen. Als ihre Schultern verräterisch zu zucken begannen, kramte eine ihrer Tischnachbarinnen ein riesiges weißes Stofftaschentuch aus der Handtasche und reichte es ihr.

»Renate bevorzugt andere Leute, die sich um sie kümmern«, sagte Aloisia Krois mit einem Anflug von Vorwurf in der Stimme. »Sie will meine Art, Hilfe zu leisten, im Moment nicht annehmen.« Sie schnäuzte sich vernehmlich und fügte beinahe trotzig hinzu: »Außerdem muss ich Sie korrigieren. Bisher ist noch nicht abschließend geklärt, ob die … ob wirklich Bernhard in Eddis Grube gefunden wurde.« Sie schnäuzte sich erneut.

»Leider scheint es mir nur noch eine Formsache zu sein, dass dies offiziell bestätigt wird«, erwiderte von Meinrad. »Und dann müssen wir beide vorbereitet sein. Deshalb: Lassen Sie uns gleich jetzt nach Deutschlandsberg aufbrechen und unserer Freundin zur Seite stehen.«

»Freundin?«, murmelte Karin. »Ist jeder, dessen Schicksal sich für Sie in bare Münze verwandeln lässt, sofort Ihr *Freund*?«

Der Journalist ignorierte den Einwurf und fuhr fort:

»Und auf dem Weg dorthin unterhalten wir uns ein wenig, Frau Krois. Ich habe so viele Fragen an Sie. Zum Beispiel, wann Sie zuletzt in der Akademie geputzt haben. Ich vermisse etwas, und Sie haben es vielleicht gesehen.«

Aloisia Krois blickte ihn erstaunt an. »Geputzt? Gestern Abend. Wie immer. Ich putze jeden Abend außer sonntags und montags. Was vermissen Sie denn?«

»Mein schwarzes Notizbuch«, erwiderte von Meinrad. »Es ist ledergebunden, mit einem blutroten Lesebändchen. So eines, wie es von professionellen Reiseschriftstellern benutzt wird.«

Unwillkürlich schüttelte Pippa den Kopf. Woher sollte Aloisia Krois wissen, welche Art Notizbücher Reiseschriftsteller benutzten? Dieser Mann konnte nicht einmal eine einfache Frage stellen, ohne sich aufzuplustern.

»Ihr Reiseschriftsteller-Notizbuch haben wir«, sagte Paul-Friedrich und lächelte zuvorkommend, »und so schnell werden wir es nicht wieder hergeben. Frühestens, nachdem die Polizei es sich angesehen hat.«

»Wie bitte? *Sie* haben mein Notizbuch?«, ereiferte sich von Meinrad prompt. »Ich verlange, dass Sie es mir auf der Stelle zurückgeben. Wo haben Sie es denn gefunden?«

»Dort, wo Sie es verloren haben«, erwiderte Paul-Friedrich gelassen. »Und genau deshalb bekommt es erst einmal die Polizei.«

Ein Ausdruck von Irritation flog über das Gesicht des Journalisten. »Ich sehe zwar nicht, an welcher Stelle sich Relevantes aus meinem Notizbuch ergeben könnte, stehe der Polizei aber selbstverständlich mit allen Ergebnissen meiner Recherchen jederzeit zur Verfügung«, verkündete er dann. »Dennoch hätte ich mein Eigentum gern zurück. Und zwar sofort.«

Paul-Friedrich packte ihn am Arm und zog den überrumpelten von Meinrad vom Tisch hoch und quer durchs Lokal bis nach draußen auf die mittlerweile leere Terrasse, dicht gefolgt von Pippa. Erst dort ließ er den Journalisten los, und der zog sich verärgert das Jackett zurecht.

»Sie fragen mich, wo Sie Ihr Notizbuch verloren haben? Das ist ein starkes Stück«, sagte Paul-Friedrich. »Dann will ich Ihrem Gedächtnis mal auf die Sprünge helfen: dort, wo Sie nichts verloren hatten. In Lenzbauers Haus. Als Sie uns ohne Einladung *besucht* haben.«

»Ich soll Sie besucht haben?«, fragte der Journalist sichtlich verwirrt. »Nicht mal im Traum käme ich auf diese Idee. Ich habe wahrlich Wichtigeres zu tun, als über Leute zu recherchieren, über die ich bereits alles weiß.«

Seeger starrte sein Gegenüber einen Moment lang an, dann sagte er: »Das Notizbuch bekommen Sie zurück, sobald es für die Ermittlungen nicht mehr gebraucht wird.«

Er drehte sich abrupt um und ging zurück zum Haus. Die überraschte Pippa hatte alle Mühe, ihn einzuholen. Sie erwischte ihn gerade noch am Arm, bevor er das Café betrat.

»Damit gibst du dich zufrieden?«, fragte sie leise. »Der lügt doch wie gedruckt!«

Auch Paul-Friedrich senkte die Stimme. »Geh du mit den anderen ins Katzenhaus und halte dort die Augen offen. Ich überprüfe derweil von Meinrads Aussage.« Sein Gesicht verzog sich zu einem Grinsen. »Wie ein professioneller Reise-Ermittler.«

»Dein tragbares Polizeilabor! Endlich kommt es zum Einsatz. Sonst hättest du es ja auch völlig umsonst in die Steiermark mitgeschleppt.«

Paul-Friedrich nickte. »Ich will Fingerabdrücke nehmen. Alles Nötige dazu habe ich in meinem Koffer.«

»Fingerabdrücke?«, fragte Pippa zweifelnd. »Von einem Notizbuch, das wir alle in der Hand hatten?«

»Bis zu seinem Verlust in unserem Badezimmer wird von Meinrad es nicht aus der Hand gegeben haben. Viele Abdrücke dürften also nicht darauf sein. Ich erwarte seine eigenen, die von Knöller, außerdem deine, Ricardas und meine. Überschaubar.«

»Wenn das der Fall ist, wäre das ein Beweis, dass er doch bei uns eingestiegen ist – und dass er uns gerade frech ins Gesicht gelogen hat.«

»Axel von Meinrad ist zwar ein Selbstdarsteller, aber er ist kein guter Schauspieler«, erwiderte Paul-Friedrich. »Sein Erstaunen eben war echt. Vielleicht hat das Notizbuch ja doch eine weitere Reise gemacht, als wir glauben.«

»Dann überprüfe den Fensterrahmen bitte auch gleich auf Fingerabdrücke, die mit denen auf dem Notizbuch übereinstimmen. Vielleicht haben wir Glück, und unser Besucher ist ohne Handschuhe rein- und wieder rausgeklettert.«

»Steht bereits auf meiner To-do-Liste, die Hoffnung stirbt ja zuletzt. Ich erledige das am besten sofort.«

Pippa schüttelte mit gespieltem Bedauern den Kopf. »Das wird leider warten müssen. Du, mein wunderbarer Göttergatte, hast dich nämlich in die Herzen weiterer junger Frauen geschlichen. Dem musst du jetzt romantischen Tribut zollen. Man erwartet von dir, dass du dich erst noch als Katzenflüsterer bewährst. Du darfst deine Fans nicht enttäuschen – auf dich wurde Geld gesetzt. Ein kleines Vermögen, wenn ich das richtig sehe.«

Im Café Kürbishügel brachen gerade die letzten Besucher auf, um ins Katzenhaus zu gehen.

»Sie müssen mitkommen. Sie füttern die Katzen doch oft«, sagte Oliver Mieglitz gerade zur zögernden Aloisia Krois. »Darum kennen Sie die Tiere besser als wir und haben ein Gespür für sie. Wir können Sie gut in unserer Jury gebrauchen. Es wird ja Katzen geben, die seltener schnurren, und andere, die schon beim Anblick einer Hand loslegen. Nur Sie können die Schwierigkeitsgrade einschätzen, die der jeweilige Vorleser bewältigt hat.«

Gut gemacht, Rätselkönig, dachte Pippa. Der Wettbewerb wird Aloisia ablenken, wenn es nicht schon allein das Schnurren der Katzen schafft, sie ein wenig zu entspannen.

Tatsächlich ließ Aloisia Krois sich überzeugen und ging gemeinsam mit den anderen hinaus. Pippa, die der Gruppe den Vortritt ließ, bemerkte Thea Wolfgruber, die an der Kuchentheke stand.

Das ist die perfekte Gelegenheit, noch einmal mit ihr zu sprechen, dachte Pippa, immerhin ist sie Renate Lipps direkte Nachbarin.

»Guten Tag, Frau Wolfgruber, erinnern Sie sich noch an mich?«, fragte sie.

Thea Wolfgruber nickte. »Selbstverständlich. Wir zwei haben bei Renates Pressetheater in der ersten Reihe gesessen und sehr nett miteinander geplaudert. Wissen Sie – die arme Aloisia ist fix und fertig. Renate weiß gar nicht, was sie anderen Menschen mit ihrer Leichtfertigkeit antut.« Sie seufzte und fuhr bissig fort: »Das hätte Renate sich ganz sicher nicht träumen lassen, dass ihr Bernhard auch ohne sie Schlagzeilen macht. Wie es aussieht, müssen ihre männlichen Besucher in Zukunft wohl nicht mehr die Hintertür benutzen.«

Pippa hakte sofort nach. »Mehrzahl? Waren es denn mehr als ein Besucher?«

Thea Wolfgruber biss sich auf die Unterlippe. Es schien, als ärgerte sie sich im Nachhinein über ihren drastischen Kommentar. »Na ja, ihr Schwager, dieser Martin Lenzbauer, war doch ständig bei ihr, seit seine Frau auf einem anderen *Dampfer* unterwegs ist. Und von diesem schneidigen jungen Mann habe ich Ihnen ja schon bei unserer ersten Begegnung erzählt.«

Das stimmt, dachte Pippa voller Reue, aber da war ich von dem Rummel viel zu abgelenkt, um nachzufragen. Wird mir nicht wieder passieren.

»Allerdings hätten Sie mir ruhig damals schon sagen können, dass Sie den jungen Mann persönlich kennen, statt mich ins offene Messer laufen zu lassen«, fuhr Thea Wolfgruber fort. »Das hat mich wie eine Tratschtante aussehen lassen, und das bin ich ja nun wirklich nicht.«

»Ich kenne den Mann?«, fragte Pippa verblüfft. »Renates Besucher? Wie kommen Sie darauf?«

Thea Wolfgruber nickte. »Gerade eben haben Sie mit ihm geredet. Maxi stand auch dabei.«

Spricht sie etwa von Knöller?, dachte Pippa. »Ich habe mit ihm geredet? Meinen Sie den Mann im Seidenanzug? Mit der weißen Gardenie im Knopfloch?«

»Nein, den Geck meine ich nicht. Der andere ist es, der immer den Computer unter dem Arm hat, der mit dem norddeutschen Akzent!«

Vor Erstaunen griff Pippa haltsuchend nach der Kuchentheke. »Computer? Norddeutscher Akzent? Sie sprechen von Falko Schumacher! Sind Sie sicher?«

Thea Wolfgruber nickte abwesend und orderte bei Beppo Sonnbichler einige Stücke Kürbiskerntorte für sich und ihre Freundinnen. Dann sah sie Pippa wieder an. »Ich bin mir ganz sicher. Lenzbauer hat ihn Renate vorgestellt, das habe ich selbst mitbekommen. Ich war ja praktisch ... *dabei.*«

»Sie waren dabei?«, fragte Pippa und kam sich vor wie ein Papagei, weil sie ständig wiederholte, was ihr Gegenüber sagte.

»Wir sind direkte Nachbarn. Eine Ligusterhecke mag ein

guter Sichtschutz sein – *hören* kann ich draußen jedoch alles, was auf ihrer Terrasse gesprochen wird.«

»Und die drei haben sich lautstark auf der Terrasse unterhalten?«

»Warum auch nicht?« Thea Wolfgruber zuckte mit den Schultern. »Schließlich haben sie kein Verbrechen geplant oder so. Es war eine ganz normale Unterhaltung, völlig harmlos. Martin hat Renate seinen Freund vorgestellt, dabei habe ich auch den Namen gehört. Und dieser Schumacher hat in den höchsten Tönen von der Nordsee geschwärmt. Er hat sogar Renate und den Kleinen zu sich eingeladen.«

»Hat Lenzbauer ihn wirklich als seinen *Freund* vorgestellt? Hat er dieses Wort benutzt?«

Thea Wolfgruber runzelte die Stirn und dachte einen Moment lang nach. »Also, so ganz genau weiß ich das natürlich nicht mehr. Aber auf jeden Fall als Freund eines Freundes oder als Freund eines Geschäftspartners. Oder war es der Freund eines Kollegen? Irgendetwas in der Art.«

Ungeduldig wartete Pippa, während Beppo Sonnbichler die Aufmerksamkeit ihrer Gesprächspartnerin beanspruchte. Er fragte, welche heißen Getränke Thea für sich und ihre Freundinnen wünsche, und kassierte gleich.

Als das Portemonnaie endlich wieder in der Handtasche verstaut war, fragte Pippa: »Können Sie sich an noch etwas erinnern?«

Thea Wolfgruber schüttelte den Kopf. »Aber der Mann muss ihr gefallen haben, denn danach kam er häufiger. Jedenfalls habe ich oft genug vom Küchenfenster aus gesehen, wie er den Weg zur Haustür hinaufging ... oder eben zur Hintertür. Je nachdem, ob Bernhard auf Geschäftsreise oder im Lande war. Und er hatte immer dieses Ding unter dem Arm. Was macht die Jugend heutzutage, wenn sie sich trifft? Computerspiele?« Sie kicherte anzüglich und fügte hinzu: »Also, wir haben früher keinen Dritten zum Skat gesucht.«

Sie wollte sich abwenden, aber Pippa hielt sie auf. »Eine Frage noch: Können Sie sich zufällig erinnern, *wann* Martin Lenzbauer Ihrer Nachbarin den Herrn Schumacher vorgestellt hat?«

Thea Wolfgruber nickte. »Das kann ich Ihnen sogar ganz genau sagen. Es war der Tag, an dem ich meine Gartenmöbel aus dem Keller hole und auf der Terrasse putze. Ich mache das immer am selben Datum; vorausgesetzt, das Wetter passt. Es ist stets der 17. Mai – diesmal lag er kurz vor Pfingsten. Es war also genau *heute* vor zwei Monaten.«

🐱 *Kapitel 27* 🐱

*D*en Plan, Paul-Friedrich umgehend auf den neuesten Stand der Dinge zu bringen, gab Pippa auf, als sie ihn draußen vor dem Café entdeckte: Er war umringt von den anderen Kursteilnehmern, die ihn unnachgiebig in Richtung Katzenhaus schoben. Lachend gab er schließlich seine Gegenwehr auf, drehte sich zu Pippa um und hob über die Köpfe der Leute hinweg in einer Was-soll-ich-machen?-Geste beide Hände.

Da ist kein Durchkommen möglich und ungestörtes Reden erst recht nicht, dachte Pippa und bedeutete ihm pantomimisch, dass sie später nachkommen würde.

Sie entschied, stattdessen Gertrude Schliefsteiner über Thea Wolfgrubers Beobachtungen zu unterrichten. Die Direktorin musste erfahren, dass Falko Schumacher Plutzerkogel und die Genussakademie offenbar schon deutlich länger, als er vorgab, im Visier hatte. Das bedeutete aber vielleicht nur, dass er zu diesem Zeitpunkt durch Lenzbauer und Renate Lipp auf die Genussakademie aufmerksam geworden war und sie als passende Partner für seine Zukunftspläne eingestuft hatte. Blieb die Frage, wie die überraschende Dreierkonstellation aus Renate Lipp, Falko Schumacher und Martin Lenzbauer zustande gekommen war.

Da Pippa die Direktorin bei Giorgio Gallastroni vermutete, ging sie in den Trakt, in dem die Seminarräume lagen. Auf dem Weg zum Duftparadies kam sie an der geöffneten Tür

338

des Ateliers vorbei und sah Heribert Achleitner mit dem Rücken zu ihr an einer Staffelei stehen. Der Dozent hielt eine Palette in der linken, einen Pinsel in der erhobenen rechten Hand; leichter Geruch nach Ölfarben hing in der Luft. Pippa zögerte, aber sie wollte zu gerne wissen, an was Achleitner gerade arbeitete. Sie klopfte an die Tür, und der Dozent fuhr erschrocken herum.

»Ich wollte Sie nicht erschrecken«, sagte Pippa, »bitte entschuldigen Sie.«

Achleitner schüttelte den Kopf und winkte sie heran. »Schon gut. Wenn ich in meine Kunst versunken bin, blende ich alles andere aus. Aber eigentlich müsste ich Ihnen wegen etwas anderem böse sein.«

»Mir?«, fragte Pippa und trat ein. »Wieso?«

»Sie haben keinen meiner Kurse belegt. Aber jetzt kommen Sie ja doch, weil Sie neugierig sind, was Sie verpasst haben. Das versöhnt mich.«

Pippa machte eine wegwerfende Handbewegung. »Seien Sie froh. Ich habe weder zeichnerisches noch dichterisches Talent und kenne meine kreativen Grenzen. Glauben Sie mir: Ich hätte Sie zur Verzweiflung getrieben.«

Noch immer verdeckte Achleitner mit dem Körper das Bild auf der Staffelei.

»Nun, dieses Dilemma hält andere keineswegs davon ab, meine Kurse zu besuchen.« Der Dozent seufzte. »Aber schließlich ist es meine Aufgabe, selbst das allerkleinste Talent zu fördern. Ich möchte jedem einen Zugang zur Kunst eröffnen.«

Pippa stand mittlerweile neben ihm und konnte das Gemälde sehen.

Himmel, das ist ja wirklich gruselig, dachte sie, hoffentlich fragt er mich nicht, was ich davon halte.

In starkem Kontrast zum tiefschwarzen Hintergrund

zeigte es eine stilisierte menschliche Gestalt. Aus dem Kopf der Figur schien rotglühende Lava zu fließen; aus den Füßen schossen grelle Blitze, die wie Langmesser oder Schwerter wirkten.

Nachdem das Bild sie beim ersten flüchtigen Blick eher erschreckt hatte, veränderte sich die Wirkung, je länger sie es ansah.

»Beeindruckend«, sagte Pippa spontan. »Sehr kraftvoll.«

Achleitner, der sein Bild liebevoll betrachtet hatte, sah sie an. »Sehen Sie? Sie verstehen ja doch etwas von Kunst. Das Thema des aktuellen Kurses ist, anhand einer Figur ein Gefühl darzustellen. Malerisch zu erarbeiten, wie man dieses Gefühl an sich selbst erlebt. Schauen Sie.«

Er ging zur nächsten Staffelei, und Pippa folgte ihm. Die Figur auf diesem Bild streckte ihre Arme in Richtung eines dunklen Tunnels aus, an dessen Ende ein strahlendes, heimeliges Licht glomm. In diesem Licht waren um einen runden Tisch herum Menschen zu erkennen, die große Harmonie ausstrahlten.

»Das ist von Karsten Knöller«, sagte Achleitner. »Er nennt es *Sehnsucht*.«

Und kehrt damit sein Innerstes nach außen, dachte Pippa betroffen.

Für sie zeigte das Gemälde überdeutlich Knöllers Bedürfnis, dazuzugehören, nicht mehr ausgegrenzt zu sein – auch wenn er sich durch die übertriebene Inszenierung seiner selbst erst in diese Situation gebracht hatte. Augenscheinlich war ihm klargeworden, dass er Freunde nicht durch eine banale Homestory aus Axel von Meinrads Paparazzoküche erlangen würde. Seine derzeitigen Bemühungen um Maxi Frühwirt waren ein deutlich besserer Weg, und Pippa nahm sich vor, eine Klapotetz-Spieluhr in Auftrag zu geben, um seine Idee zu unterstützen.

Die nächste Staffelei präsentierte ein Bild, auf dem die Figur sich mit hochgereckten Armen in einer Pirouette aufzulösen schien, umgeben von einem rauschhaften Wirbel aus knalligen Farben.

»Dieses Gemälde ist von Naomi Schultze«, sagte Achleitner. »Sie hat wirklich Talent und lernt sehr schnell.«

Pippa nickte. »Sie hat Verliebtheit dargestellt. Das ist wirklich leicht zu erkennen.«

»Sehr gut!« Achleitner musterte Pippa mit sichtlichem Wohlwollen. »Aber jetzt interessiert mich, wie Sie mein Bild interpretieren. Welches Gefühl habe ich gemalt?«

Unversehens fühlte Pippa sich in eine Schulstunde versetzt. Wie ein Lehrer stand Achleitner an seiner Staffelei und sah sie auffordernd an.

»Es … es macht mich unruhig«, sagte sie zögernd, »ich fühle mich durch die Figur beinahe bedroht. Aber das ist mein subjektives Empfinden beim Betrachten Ihres Gemäldes. Ich spüre nicht zwangsläufig das, was Sie ausdrücken wollten.«

Achleitner trat neben sie und betrachtete sein Bild aus Pippas Perspektive. »Nicht schlecht, Frau Bolle. Ihre Analyse ist durchaus treffend, zumal das Gemälde noch nicht vollendet ist. Aber Hut ab, die Grundstimmung haben Sie erfasst. Je besser der Künstler, desto klarer die Aussage.« Er nickte geschmeichelt und murmelte wie im Selbstgespräch: »Noch ein wenig mehr Rot und einen gleißenden Blitz aus eiskaltem Blau – dann ist er erkennbar, der Hass.«

Völlig versunken in sein Kunstwerk, schien der Dozent kaum wahrzunehmen, dass Pippa ihn in seinem Atelier wieder alleinließ.

Bereits aus einiger Entfernung hörte sie die erregten Stimmen, die aus Gallastronis Schönheitsparadies drangen.

»Und wie, bitte schön, sind Sie ausgerechnet auf mich gekommen?«, rief Gallastroni gerade. »Warum verdächtigen Sie nicht Achleitner oder Karl Heinz oder Margit? Oder irgendeinen anderen Ihrer Kollegen und Freunde? Wieso ausgerechnet mich?«

Mit ihrem Eintreten unterbrach Pippa den Disput, und die beiden Kontrahenten blickten ihr beinahe erleichtert entgegen.

»Gott sei Dank jemand, der neutral ist«, sagte Gallastroni. »Erklären Sie bitte der Frau Direktor, dass es für mich gar keinen Sinn hätte, Mails in Jasmins Namen zu schreiben. Außerdem befand ich mich zu den Zeiten, als die betreffenden Mails versendet wurden, stets kilometerweit von sämtlichen Internetcafés entfernt – nämlich hier an meinem Arbeitsplatz. Das kann ich durch mein Unterrichts- und Terminbuch lückenlos nachweisen.«

Gertrude Schliefsteiner seufzte. »Darum geht es mir doch gar nicht, Signore Gallastroni. Ich habe Ihnen schon dreimal erklärt, was mich entsetzt: Jemand hat Jasmins Identität benutzt, um mich auszuspionieren. Und ich war dumm genug, es nicht zu merken. Ich hatte sogar geglaubt, endlich einen Ansprechpartner für meine Sorgen und Nöte gefunden zu haben.«

»Und dann bin *ich* Ihre erste Wahl? Für eine derart hinterhältige Schweinerei?« Gallastroni wandte sich abrupt ab und ging zu seiner Duftorgel. Zielsicher griff er ein Fläschchen aus dem zierlichen Regal, öffnete es und sog tief den ausströmenden Duft ein.

Baldrian, dachte Pippa.

Sie entschloss sich zu einem Vermittlungsversuch. »Ihre Chefin hat *gehofft*, dass Sie die Mails geschickt haben, Giorgio, genau wie wir anderen auch. Bei Ihnen wären die Informationen in guten Händen gewesen, Sie sind diskret.

Wenn Sie es allerdings nicht waren, erhärtet sich ein Verdacht, der uns nicht gefallen will.«

Gertrude Schliefsteiner seufzte wieder und vergrub das Gesicht in den Händen.

Giorgio Gallastroni stutzte kurz, dann ging er langsam zu einem Stuhl und ließ sich daraufsinken. »Ich verstehe. Die Mails muss jemand geschrieben haben, der ihr nicht nur schaden, sondern sie zusätzlich zu seiner Komplizin machen will. Denn sie hat die Informationen ...« Er brach ab.

Pippa nickte ernst. »Genau. Von ihr stammen die Informationen, die der Erpresser in seinen Briefen verwertet hat.«

»Nicht nur das«, sagte die Direktorin beinahe tonlos. »Es bestätigt unseren Verdacht, dass der Erpresser aus unserem nächsten Umfeld kommen muss. Seine Fragen waren gezielt. Er konnte sie nur mit Hintergrundwissen stellen, verstehen Sie? Hintergrundwissen, wie Jasmin es hat, oder eben Sie, Signore Gallastroni. Oder ein anderer von den derzeitigen Mitarbeitern der Akademie.«

Gallastroni reichte das Riechfläschchen an seine Chefin weiter, aber diese winkte ab. »Das hilft mir jetzt auch nicht mehr.«

»Dann ist es Zeit für das Katzenhaus«, sagte der Parfümeur entschlossen. »Die Katzen und ihr Schnurren werden uns entspannen. Danach sehen wir weiter.«

Pippa folgte ihnen, bezweifelte allerdings stark, dass ausgerechnet jetzt, während des laufenden Wettbewerbs, das Katzenhaus eine Quelle der Ruhe und Harmonie sein würde.

Sie sah sich eines Besseren belehrt, als sie vor dem Haus standen und durch die transparenten Katzenklappen ins Innere sahen. Bis auf Oliver Mieglitz' melodische Stimme herrschte andächtige Stille.

»Elisabeth, der Jane den Brief in großen Zügen mitteilte«,

las er gerade vor, »*hörte schweigend mit wachsendem Un-behagen zu. Sie war zwischen Sorge um ihre Schwester und Ärger über alle anderen hin- und hergerissen ...*«

Stimmt, dachte Pippa, in *Stolz und Vorurteil* geht es auch immer wieder um Briefe, durch die Missverständnisse und gegenseitige Vorbehalte entstehen oder Hoffnungen zunichtegemacht werden. Aber immerhin gibt es auch den einen Brief, der alles erklärt und klärt. Nur brauchte es, um einen so mutigen Brief zu schreiben und seine Fehler einzugestehen, einen Mann wie Mr Darcy.

In diesem Moment schoss Karins Hand hoch, und Amelia Dauber stoppte die Wettkampfuhr. »Der Kater neben Karin schnurrt!«, verkündete sie.

Karin tätschelte dem riesigen rauchgrauen Tier an ihrer Seite liebevoll den Kopf. »Er heißt Dante.«

»Gut gemacht, Dante«, sagte Amelia Dauber. »Und meine Hochachtung, Oliver. Nur eine Minute und 37 Sekunden. Das ist neuer Rekord. Kandidat Mieglitz hat bereits zu Beginn des dritten Absatzes von Kapitel 24 das Ziel erreicht.«

Pippa, Gertrude Schliefsteiner und Giorgio Gallastroni nutzten die Wettkampfpause, um das Katzenhaus zu betreten. Jede der anwesenden Katzen hatte jemanden neben sich stehen oder sitzen, der sofort reagieren konnte, sobald das Tier zu schnurren begann. Tobias Jauck, Karsten Knöller und Paul-Friedrich hatten sogar auf Leitern Position bezogen, da drei der Tiere auf höher gelegenen Plattformen zweier Kratzbäume lagen und die Vorgänge von dort aus aufmerksam verfolgten. Die anderen Besucher verteilten sich auf Sofas und hockten neben Sesseln, die von Katzen besetzt waren. In der Mitte des großen Raums stand ein Lehnstuhl für den jeweils Vortragenden. Da niemand sich bewegte, wirkte die ganze Szenerie wie ein skurriles Standbild, von der durch die Fenster einfallenden Sonne beleuchtet wie das Gemälde eines alten Meisters.

Um die Tiere nicht aufzuscheuchen, wurden die Neuankömmlinge lediglich durch Kopfnicken begrüßt, dann wandte sich die allgemeine Aufmerksamkeit wieder der Jury zu, die aus Amelia Dauber, Aloisia Krois und Maxi Frühwirt bestand. Sie saßen auf Stühlen nebeneinander an einer Wandseite, vor sich einen Tisch, auf dem die Wettkampfuhr stand. Jetzt hielten sie Tafeln mit Ziffern hoch, um Mieglitz' Vortrag zu bewerten.

Karin kam zu Pippa und den anderen herüber und erklärte leise: »Das ist jetzt für die stimmliche Leistung und den Eindruck beim menschlichen Publikum. Diese beiden Punktvergaben zusammen bilden aber nur 50 Prozent der Gesamtwertung. Die andere Hälfte ergibt sich aus dem vorher festgelegten individuellen Schwierigkeitsgrad der teilnehmenden Katzen. Ziemlich viel Rechnerei.« Sie grinste und fuhr fort: »Paul-Friedrich hat sich übrigens Pluspunkte erarbeitet, denn er hat gleich zwei Katzen zum Schnurren gebracht, benötigte dazu allerdings gut vier Minuten. Mieglitz war zwar deutlich schneller, hat aber weniger Punkte von der Jury bekommen. Das könnte ein Kopf-an-Kopf-Rennen zwischen den beiden werden. Sucht euch schnell Plätze, dann kann es weitergehen.«

»Ich bleibe hier stehen«, sagte Pippa, aber Gertrude Schliefsteiner und Giorgio Gallastroni setzten sich auf ein freies Sofa. Auch Karin kehrte zu ihrem Kontroll-Kater zurück.

»Der nächste Kandidat ist Karsten Knöller«, verkündete Amelia Dauber.

Knöller tauschte seinen Platz auf der Leiter mit Mieglitz, holte das Buch vom Jurytisch und nahm dann im Lehnstuhl Platz. Dabei kreuzte sich sein Blick mit dem Pippas, und sie drückte spontan die Daumen aufmunternd in seine Richtung. Knöller lächelte erfreut, setzte sich zurecht und schlug das Buch auf.

Während er noch nach der Textstelle blätterte, stieg eine große graugetigerte Katze von einer der höchsten Liegeflächen des Raums herab. Gemächlich, aber elegant bewegte sie sich zu dem Sofa, auf dem die Direktorin und der Parfümeur saßen, sprang hinauf und rollte sich zwischen den beiden zusammen. Automatisch streckte Gertrude Schliefsteiner die Hand aus, um das Tier zu streicheln.

»Stopp«, sagte Aloisia Krois sofort. »Anfassen verboten, das gilt als Wettbewerbsverzerrung. Hier zählt allein die Stimme. Amelia – bitte.«

Amelia Dauber aktivierte die Wettkampfuhr, und Karsten Knöller räusperte sich.

»*Er kann in meiner Erinnerung als der liebenswerteste Mann, den ich je gekannt habe, weiterleben, aber das ist auch alles*«, las Karsten Knöller gerade. »*Ich habe nichts zu hoffen oder zu fürchten und ihm nichts vorzuwerfen. Gott sei Dank, der Schmerz bleibt mir erspart. Noch ein Weilchen also, dann ist es sicher überstanden ...*«

Noch ein Weilchen also, dann ist es überstanden?, dachte Pippa. Das wäre wunderbar, dann würde Plutzerkogel endlich wieder zur Ruhe kommen.

Man hätte eine Stecknadel fallen hören können. Knöller las etwas langsam und schleppend, aber mit einem sehnsüchtigen Unterton, der alle Anwesenden ergriff. Wie in seinem Gemälde schien er auch bei seinem Vortrag sein Innerstes nach außen zu kehren.

Gertrude Schliefsteiner hatte die Augen geschlossen und sich bequem in die Sofakissen gelehnt.

Ihr geht es wie mir, dachte Pippa: vorlesen und vorgelesen bekommen bringt ultimative Entspannung. Das war schon in meiner Kindheit so, als Mum mir englische Bücher so lange vorlas, bis ich sie endlich verstand.

»Sie schnurrt!«, verkündeten Sigrid Sommerfeld und Stefan Kleindienst wie aus einem Mund und zeigten synchron auf die rotgetigerte Katze, die wie eine Sphinx zwischen ihnen lag.

Sofort stoppte Amelia Dauber die Uhr, und Maxi Frühwirt sagte: »Ist notiert: Diva schnurrt nach exakt fünf Minuten.«

»Das erscheint jetzt einigen von Ihnen vielleicht sehr viel«, erklärte Aloisia Krois, »aber dieses Exemplar ist besonders schwer zum Schnurren zu bringen. Sie ist sich selbst genug, eine echte Diva eben. Das wird in die Wertung einfließen. Gratulation, Herr Knöller. Als Nächstes ist Tobias Jauck an der Reihe.«

Karsten Knöller strahlte, als er sich vom Lehnstuhl erhob und den Platz mit Tobias Jauck tauschte, der seinem Mitbewerber anerkennend auf die Schulter schlug.

Pippa sah, dass Livia Rieglers Blick Tobias voller Besitzerstolz durch den Raum folgte und auf ihm ruhte, nachdem er im Lehnstuhl Platz genommen hatte. Erst jetzt bemerkte sie, dass Ricarda Lehmann-Jauck nicht unter den Anwesenden war, und fragte sich, ob die Journalistin die Veranstaltung wegen der privaten Verquickungen gemieden hatte.

Wie bestellt ging in diesem Moment die Eingangstür neben Pippa auf, und Ricarda streckte ihren Kopf herein.

»Gott sei Dank muss ich nicht alle aufscheuchen«, flüsterte sie, »komm schnell und bring Paul-Friedrich mit!«

Seeger hatte sie ohnehin bemerkt und war bereits auf dem Weg zur Tür, während Tobias Jauck nervös auf seinem Stuhl herumrutschte, sichtlich irritiert durch die gleichzeitige Anwesenheit von Gattin und Geliebter.

Karin machte Anstalten, sich Pippa und Paul-Friedrich anzuschließen, aber Pippa bedeutete der Freundin lautlos, im Katzenhaus zu bleiben. Im Moment war es wichtig, überall dort Augen und Ohren zu haben, wo der Erpresser sich aufhalten konnte.

Pippa schlüpfte aus der Tür und schloss sie leise hinter sich. Als sie sich umdrehte, wäre sie am liebsten sofort wieder ins Haus zurückgegangen, denn vor ihr standen – neben Ricarda und Paul-Friedrich – Chefinspektor Fuchshofer und eine betroffen wirkende Margit Unterweger.

»Wir gehen zu Karl Heinz' Werkstatt«, sagte Ricarda, »dort sind wir ungestört und können nicht belauscht werden.«

Pippa beschlich ein ungutes Gefühl. Sie hakte sich bei Margit ein, bis sie an dem abgelegenen Häuschen ankamen. Drinnen wurden sie bereits von Karl Heinz erwartet, der alle Fensterläden sorgfältig verschlossen hatte. Sie versammelten sich um den Chefinspektor, der ernst in die Runde blickte.

»Das Obduktionsergebnis der gestern Abend auf dem Gelände der Josefsalm aufgefundenen Leiche liegt mir jetzt vor«, sagte der Ermittler. »Es handelt sich um eine Person von circa 35 Jahren, die durch einen massiven Schlag auf den Kopf zu Tode gekommen ist und dann unter dem Felsen begraben wurde. Dem Zustand der sterblichen Überreste nach zu urteilen, geschah dies vor ungefähr zwei Jahren.«

»Zwei Jahre?«, entfuhr es Pippa. »Aber dann kann es nicht Bernhard Lipp sein!«

Fuchshofer nickte. »Ganz richtig, es kann nicht Bernhard Lipp sein – zumal sich herausgestellt hat, dass es sich bei dem Mordopfer um eine Frau handelt.«

Tonlos formten Margits Lippen den Namen, an den auch

Pippa sofort dachte: Jasmin Lenzbauer. Die angeblich seit zwei Jahren zur See fuhr.

»Das Amulett … es hatte ein graviertes L auf der Rückseite«, murmelte Margit mit erstickter Stimme, »ich ahnte nicht, dass sie es ebenso gekennzeichnet hatte wie ihr Bruder.«

Pippa runzelte die Stirn. »Das löst ein Rätsel, wenn auch mit sehr tragischem Ergebnis. Aber es reaktiviert ein altes, an dessen Lösung wir bereits vergeblich gearbeitet haben: Wo – um alles in der Welt – steckt Bernhard Lipp?«

🐾 *Kapitel 28* 🐱

Lachend und plaudernd kamen die Teilnehmer und Zuschauer des Wettbewerbs aus dem Katzenhaus, um sich auf der Caféterrasse für den Fotospaziergang zu versammeln.

Chefinspektor Fuchshofer fing Gertrude Schliefsteiner ab und bat sie wieder zurück ins Haus. Ricarda hielt die Tür auf, schloss sie hinter den beiden und baute sich dann davor auf, um ihnen ein ungestörtes Gespräch zu ermöglichen.

Spontan wollte Margit dem Chefinspektor und der Direktorin folgen, aber Paul-Friedrich hielt sie zurück. »Gib ihnen einen Moment. Wichtig ist, dass du anschließend für Gertrude da bist.«

Margit zögerte, nickte dann aber. »Du hast recht. Ich bin so froh, dass bis auf den Fotospaziergang alle Kurse für heute abgesagt sind. Ich zumindest brauche noch Zeit, um mich von diesem Schock zu erholen. Als der Chefinspektor bei Renate aufkreuzte, war ich auf alles gefasst ... dachte ich.«

»Ich frage mich, warum Renate nicht Aloisia bei sich haben wollte, sondern dich«, sagte Paul-Friedrich, »ich hatte immer den Eindruck, dass die beiden ein inniges Verhältnis haben. Warum hat sie ihre Tante ausgerechnet in dieser schweren Stunde weggeschickt?«

»Das kann ich dir sagen«, erwiderte Margit, »die beiden haben sich in die Wolle gekriegt. Wegen eines ausgestopften Tieres. Wenn ich es richtig verstanden habe, ging es um einen Kater aus Kuhfell. Jedenfalls war Aloisia stinksauer und ging nicht gerade zimperlich mit Renate um. Die wurde dann auch wütend und sagte: ›Das muss ich mir in meiner Situation nicht bieten lassen, nicht einmal von dir! Wenn du Bernhard mehr glaubst als mir, dann geh lieber gleich.‹ Dann hat sie auf mich gezeigt und gefaucht: ›Ich habe noch andere Leute, die mir helfen können und es wirklich gut mit mir meinen.‹« Margit verzog das Gesicht. »Natürlich ist Aloisia sofort abgerauscht. Das war mir mehr als unangenehm, denn ich lasse mich nicht gerne gegen andere ausspielen. Aber was hätte ich machen sollen? Renate allein zurücklassen? Das konnte ich nicht.«

»Sie hat sich über den Kater aufgeregt?«, fragte Pippa ungläubig. »Obwohl sie befürchten musste, dass der Vater ihres Kindes tot ist? Zu dem Zeitpunkt wusste sie ja noch nicht, dass es sich bei der Leiche um Jasmin handelt.«

»Ja, das war wirklich seltsam«, sagte Margit nachdenklich. »Sie wirkte bis zur Mitteilung des Chefinspektors irgendwie unbeteiligt, so als ginge sie das alles nichts an. Stattdessen schien sie eher kämpferisch, so als wollte sie sich durchsetzen gegen den Rest der Welt, auf jeden Fall aber gegen Aloisia. Aber als Fuchshofer dann kam und von Jasmin berichtete, wurde Renate weiß um die Nase. Ich musste ihr einen Zirbenschnaps eingießen – drei Fingerbreit. Da war sie wirklich betroffen. Ehrlich erschüttert sogar.« Margit schüttelte den Kopf. »Sie tat mir richtig leid. Als Chefinspektor Fuchshofer mich dann bat, ihn zur Genussakademie zu begleiten, war ihr das gar nicht recht. Sie hat sogar hinter uns abgeschlossen. So, als hätte sie plötzlich Angst. Und sie hat mich gebeten, heute Nacht bei ihr zu übernachten. Am besten zusammen mit Karl Heinz.«

Pippa zog die Augenbrauen hoch. »Habe nur ich den Eindruck, als wäre der Tod der Schwester ihres Mannes für sie schlimmer als Bernhards?«

351

Das Schweigen der anderen war Antwort genug. Pippa war beinahe erleichtert, als Waldemar Schultze und Jodokus Lamberti sich zu ihnen gesellten und für einen Themenwechsel sorgten.

Schultze schlug Paul-Friedrich jovial auf die Schulter. »Da ist er ja, unser Meister der Alte-Herren-Klasse. Du hast unsere Ehre verteidigt, mein Lieber. In der Gesamtwertung belegst du mindestens den dritten Platz! Hast du eine Blamage befürchtet, oder warum bist du so plötzlich gegangen? Die Bronzemedaille ist doch aller Ehren wert!«

»Wer hat denn gewonnen?«, fragte Pippa nach.

»Wir alle, finde ich«, erwiderte Waldemar. »Zwar kann ich nicht für die Katzen sprechen, aber Teilnehmer und Zuhörer sind entspannter als zuvor.«

Jodokus nickte und fügte hinzu: »Wir haben beschlossen, noch weitere Auszeichnungen auszuloben und zum Ende des Lehrgangs eine große Siegerehrung zu veranstalten. Am besten in Poldi Pommers Buschenschank, auf der Josefsalm ist ja im Moment … kein Platz. Was sagt ihr nun?«

»Euch darf man keine Minute lang alleine lassen.« Paul-Friedrich grinste. »Lasst mal hören.«

»Du wirst begeistert sein«, sagte Waldemar. »Es gibt Preise für den frühesten Frühaufsteher zum Frühsport, das denkwürdigste Gedicht aus dem Dichterkurs, das verrückteste Foto aus dem Fotokurs …«

Margit hatte sich durch die gute Laune der beiden Männer aufheitern lassen und fragte neugierig: »An welche Art Trophäe haben Sie denn gedacht?«

»Na, Knöllers Klapotetz-Miniaturen zum Beispiel«, erwiderte Waldemar. »Die werden für die ersten drei Plätze des Schnurr-Wettbewerbs verliehen. Lackiert in Gold, Silber und Bronze. Und die anderen Auszeichnungen … vielleicht könnte Signore Gallastroni ein wenig auf seiner Duftorgel klimpern? Der Dichter bekommt ein Parfüm, das *Knüttel-reimer* heißt. Und der passionierte Frühaufsteher darf sich in Zukunft mit *Wurmfänger* einsprühen. Ihr wisst schon, der frühe Vogel ...« Vor Lachen konnte er nicht weitersprechen, und auch Jodokus und Paul-Friedrich stimmten ein.

Margit musterte die drei und sagte leise: »Ich würde alles darum geben, wenn diese Feier stattfände.«

Ja, dachte Pippa, den Sieg über das Böse feiern zu können, das wäre wundervoll.

Gemeinsam gingen alle in Richtung Caféterrasse, aber Paul-Friedrich hielt Pippa zurück. Er zog sie eng an sich heran und flüsterte ihr die weiteren Planungen ins Ohr wie ein Verliebter seine Schmeicheleien: »Ich werde hier auf Fuchshofer warten und mit ihm zusammen die Fingerabdrücke nehmen. Der Kollege ist wirklich ... ausgefuchst. Er wird meine Unterstützung nicht ablehnen.«

Ihrer Rolle als liebender Ehefrau entsprechend schmiegte Pippa sich an ihn. »Erst Ricarda, jetzt die österreichische Polizei. Was ist aus dem *Wir* geworden, das wir uns bei unserer Eheschließung geschworen haben? Durch dick und dünn wollten wir zusammen gehen. Wie viel dicker soll es denn noch kommen, bis ich dabei sein darf und du nicht mehr andere bevorzugst, mein Liebster?«

Ein kurzes Grinsen zog über Paul-Friedrichs Gesicht, dann sagte er ernst: »Deine Aufgabe ist mindestens ebenso wichtig wie meine. Du gehst zum Fotokurs und hältst dort Augen und Ohren offen. Je mehr Normalität wir vorspiegeln, desto besser für alle.«

»Und desto sicherer sind wir vor weiteren bösen Überraschungen.«

Paul-Friedrich nickte. »Wir wissen nicht, ob der Mörder und der Erpresser sich kennen, aber beide Seiten dürften jetzt sehr nervös sein. Wer weiß – vielleicht sind sie ja sogar ein und dieselbe Person.«

»Du befürchtest, dass ein Mörder, der sich seit zwei Jahren sicher fühlte, durch die Entdeckung der Leiche zu einer Kurzschlusshandlung fähig ist, um seine Haut zu retten, stimmt's?«

»Ich gehe von Berufs wegen immer vom Schlimmsten aus, denkbar wäre es. Auf jeden Fall muss auch der Erpresser befürchten, im Zuge der Mordermittlungen entdeckt zu werden. Als Beifang, wie man im Norden sagt. Also pass bitte auf dich auf.« Er warf einen Blick zurück auf Ricarda, die noch immer vor dem Katzenhaus Wache hielt. »Und auf alle anderen auch.«

Auf der Terrasse hatten sich die Teilnehmer der Fotowanderung mittlerweile vollzählig versammelt. Heribert Achleitner lief geschäftig hin und her und verteilte Stoffbeutel, die Skizzenblöcke und Stifte enthielten.

Seeger entdeckte Karl Heinz und ging mit Margit zu ihm hinüber. »Geht einer von euch bitte sofort zu Renate zurück? Lasst außer Aloisia und Eddi Krois niemanden zu ihr, ja?« Er sah sich um und fuhr deutlich leiser fort: »Von Meinrad hatte beim Mittagessen angekündigt, dass er ebenfalls zu ihr will. Sollte er tatsächlich bei ihr sein, merkt euch bitte genau, was er sagt und tut. Und wie Renate darauf reagiert. Die beiden wissen etwas, was wir nicht wissen – dessen bin ich sicher. Und wenn er unangenehm wird, schmeißt ihn raus.«

Sarah MacDonald bat die Teilnehmer, sich um sie herum aufzustellen, und sagte: »Mein geschätzter Kollege Heribert Achleitner und ich haben für unseren Spaziergang den Wald ein wenig präpariert, um euch einige ungewöhnliche Motive anzubieten. Haltet also die Augen offen und wundert euch nicht über einen grasgrünen Kubus, der in trockenem Laub vom Vorjahr steht, oder ein weißes Tischtuch auf bunter Wiese. Mehr werde ich nicht verraten, das sollt ihr selbst entdecken. Natürlich dürft ihr alles bewegen und verschieben oder umhängen. Experimentiert, lasst eure Fantasie spielen, probiert ungewöhnliche Blickwinkel aus! Erzählt mit euren Fotos eine Geschichte über die Wechselwirkung von Natur und Objekt. Das Zusammenspiel kann harmonisch sein oder das Objekt als Fremdkörper entlarven. Das bleibt ganz euch überlassen. Ich bin gespannt auf eure Ideen.«

»Das ist ja mal eine außergewöhnliche Aufgabe, nicht wahr?«, sagte Livia Riegler zu Tobias Jauck.

»Hm, hm«, machte Jauck geistesabwesend. Er sah gerade zum Katzenhaus hinüber, vor dessen Ausgang Ricarda mit ihrem Handy am Ohr auf und ab ging.

»Hört ihr? Tobias ist auch begeistert. Wir kommen mit«, verkündete Livia.

Achleitner räusperte sich und blickte in die Runde. »Ich darf anmerken, dass die Idee zu diesem Spaziergang von mir stammt. Normalerweise inszeniere ich so etwas ausschließlich für meine fortgeschrittenen Zeichenschüler. Aber Fotografieren ist ja so etwas wie Fast-Food-Malen, nicht wahr? Also habe ich vorgeschlagen, dass wir heute alle zusammen losgehen und Ideen für zukünftige Projekte an der Staffelei sammeln.« Er machte eine Pause und fügte hinzu: »Oder eben ein wenig knipsen.«

Du meine Güte, dachte Pippa, der Mann macht es einem aber nicht leicht, ihn sympathisch zu finden.

»Nicht zuletzt bitte ich die Poeten unter uns«, fuhr Achleitner fort, »sich durch unseren Waldspaziergang inspirieren zu lassen, wie es die großen Barden stets taten. Wald,

Schlucht und Bergeshöh, das werden die Ingredienzien für die nächste dichterische Aufgabe sein. Also schauen Sie genau hin, hören Sie auf das Rauschen der Wipfel und das Raunen des Windes. Lassen Sie sich vom Wildbach Ihr nächstes Gedicht erzählen.«

Sarah MacDonald lächelte gelassen und sagte: »Wie wunderbar, heute gleich drei Künste verbinden zu können. Und das bei so herrlichem Sonnenschein.«

»Ganz genau.« Achleitner nickte wichtig. »Denn nach einem Regen wie heute Nacht ist das Licht ganz besonders vorteilhaft. Es ist wie reingewaschen und erreicht damit beinahe die Klarheit und Qualität, die man sonst nur in nördlicheren Breiten findet.«

Auf ein Zeichen der Fotografin hin marschierte die Gruppe in den Wald, der ans Akademiegelände grenzte. Währenddessen monologisierte Achleitner weiter, und da er neben Falko Schumacher herging, hörte dieser sichtlich unwillig zu.

»Sie kennen doch den Norden noch viel besser als ich«, sagte Achleitner. »Da werden Sie das heutige Leuchten ganz besonders zu schätzen wissen. Gewiss, wo viel Licht ist, da ist auch viel Schatten. Aber im gegenseitigen Wechselspiel – oder sollte ich Zusammenspiel sagen? – liegt doch gerade der Reiz. Und der *Gewinn*, natürlich. Aber wem sage ich das?«

Pippa gab vor, in die Baumwipfel hinaufzufotografieren, wo ein orangefarbenes Banner hing, spitzte aber die Ohren. Was macht Achleitner da? Wovon redet der?, dachte sie.

Schumacher brummte Unverständliches, blickte sich hilfesuchend um und ging dann zu Belinda Schultze, die eilig ihre Tochter herbeiwinkte. Aber Schumacher hatte die Hartnäckigkeit des Kunstdozenten unterschätzt, der ihm sofort nachfolgte.

»Ah, liebe gnädige Frau, Sie sind ja auch aus dem Norden«, schwadronierte Achleitner weiter. »Wie ich Sie darum beneide, dass Sie immer unter weitem Himmel leben dürfen. Mir bleibt nur, ein- oder zweimal im Jahr an die Nordsee zu fahren und dort Eindrücke zu sammeln, von denen ich dann bis zu meinem nächsten Aufenthalt zehre und die ich nach und nach in Kunst umsetze.« Nach einem Seitenblick auf Falko Schumacher fuhr er fort: »Und zwar gewinnbringend, wenn ich das in aller Bescheidenheit sagen darf. Ob Sie es glauben oder nicht: Bilder mit stürmischer See, vielleicht sogar noch mit einem Segelboot in Not oder einem Mann, dem das Wasser bis zum Hals steht, verkaufen sich ausgesprochen gut. Auch oder *gerade* hier in Österreich.«

Schumacher schnaubte und stapfte zu einem Baum, um den ein weißes Band geschlungen war. Während er das Motiv wieder und wieder aufnahm, ruhte Achleitners triumphierender Blick auf ihm.

Pippa erkannte den Kunstdozenten kaum wieder: Alles Jammervolle und Klagende war verschwunden.

Sie blickte sich unauffällig um, ob niemand in Hörweite war, dann rief sie Paul-Friedrich an und flüsterte: »Wenn es nicht in aller Öffentlichkeit passiert wäre, würde ich glatt sagen: Achleitner hat Falko Schumacher gerade massiv gedroht. Ich weiß nur nicht, womit. Was weiß Achleitner, was wir nicht wissen?«

»Erzähl mir alles. Lass nichts aus«, sagte Paul-Friedrich.

Rasch gab Pippa Achleitners Worte wieder und beschrieb Schumachers Reaktion darauf.

Paul-Friedrich pfiff leise durch die Zähne. »Ich werde herausbekommen, wo Achleitner seine Urlaube verbringt. Es scheint so, als kämen wir der Antwort auf die Frage näher, wie Schumacher für seine Pläne ausgerechnet auf die Akademie Sinnenschmaus gekommen ist. Es würde sich hervorragend zusammen*reimen*, wenn des Dichters Liebe zur Nordsee an ein gewisses Familienhotel in Cuxhaven gekoppelt wäre. Damit hätten wir den Beweis, dass Achleitner schon länger mit Schumacher bekannt ist.«

»Eine Bekanntschaft, aus der offenbar jeder finanziellen Gewinn ziehen will«, erwiderte Pippa, »und an der auch unsere zarte Künstlerseele gerne partizipieren möchte. Aber wie und auf welche Weise?«

Paul-Friedrich sog scharf die Luft ein. »Du fragst Achleitner auf keinen Fall danach, solange du allein bist, hörst du? Das machen wir gemeinsam. Und zwar erst, wenn wir ihn besser einschätzen können. Bis später.«

Pippa blickte sich um und steckte das Handy wieder ein. Achleitner war mittlerweile in eine Diskussion mit Naomi Schultze vertieft, Schumacher sah sie nirgends. Sie schrak fast zusammen, als Amelia Dauber sie unvermittelt von hinten ansprach.

»Wunderschön, das Orange, nicht wahr?«, fragte sie und zeigte auf ein Banner im Wipfel einer Eiche. »Ich würde es gern anders spannen – hilfst du mir, da hochzukommen?«

Pippa nickte und verschränkte die Hände. »Alles klar – Räuberleiter.«

Amelia Dauber stieg hinauf und arrangierte das Banner neu, dann sprang sie wieder hinunter und fragte: »Waren das nicht eben gerade Achleitner und Schumacher in schönster Eintracht? Haben die beiden sich also wieder eingekriegt?«

»Wieso fragst du? Hatten sie künstlerische Differenzen?«

Amelia Dauber grinste. »In den Kursen konnte man den Eindruck gewinnen, dass sie sich nicht riechen können. Keine Ahnung, warum Falko trotzdem keine Stunde versäumt hat. Weder beim Malen noch beim Dichten.«

Und sonst ist er so gut wie nirgends aufgetaucht – außer

in der Buschenschank mit seinem unvermeidlichen Laptop, dachte Pippa. Interessant, dass er ausgerechnet zum Achleitner in die Kurse geht.

»Du solltest mal hören, wie der Kunstdozent Falkos Gedichte in der Luft zerreißt«, sagte Amelia Dauber. »Und bei seinem Gemälde mit der Gefühlsfigur … Ermutigen geht anders.« Mit verstellter Stimme fuhr sie fort: »»Nur eine schwarze Spirale, die sich in der Mitte der Figur dreht, Herr Schumacher? Wollten Sie sich nicht am Thema Wut versuchen? Das kann der Betrachter noch nicht erkennen, denn bisher kann die Figur alles Mögliche darstellen: Hinterhältigkeit, Bosheit, Neid. Da sollten Sie noch einmal richtig tief in das Gefühl hineingehen. Ich kann Ihnen gerne dabei helfen.'« Sie schüttelte sich. »Vernichtend! Ich hätte nicht an Falkos Stelle sein mögen.«

»Und was hat Falko geantwortet?«

Amelia kicherte. »Der ist vollkommen cool geblieben. Es sei ihm nur recht, wenn die Figur von Galligkeit bis Missgunst *alles* ausdrücken könnte. Er werde Achleitner das Bild als Erinnerung schenken, es würde in seiner Beliebigkeit so gut zu ihm passen.«

»Holla, mit einem Peitschenhieb gekontert!«

»Allerdings. Fand ich super. Achleitner aber nicht. Er hat sich tatsächlich einen Pinsel geschnappt, ihn in rote Farbe getaucht und wollte damit auf Falkos Gemälde los. Der hat blitzschnell seinen Arm festgehalten und gesagt: ›Alles bleibt so, wie es ist. So war es geplant, und so ist es gut.‹ Und Achleitner hat geantwortet: ›Gut, aber nicht perfekt!‹ Glaub mir, wir anderen waren sprachlos!«

Das bin ich auch gerade, dachte Pippa, verdammt, am liebsten würde ich Paul-Friedrich noch mal anrufen und ihm das alles erzählen!

Sie riss sich zusammen und sagte: »Ich habe einige eurer

Bilder gesehen. Eine wirklich interessante Aufgabe, die Achleitner euch da gestellt hat.«

Amelia Dauber nickte. »Ja, fand ich auch. Ich habe die Geduld gemalt. Etwas, von dem man in meinem Beruf als Altenpflegerin gar nicht genug haben kann.«

»Und mit deinem Bild war Achleitner zufrieden?«

»Das schon ...« Amelia Dauber lachte. »Aber er war der Ansicht, dass *Ungeduld* ein interessanteres Gemälde geworden wäre. Er attestierte mir ein übertriebenes Harmoniebedürfnis.«

Genau das hätte ich über Achleitner gesagt, dachte Pippa, jedenfalls bevor ich sein Hass-Bild gesehen habe.

Karin und Sarah MacDonald kamen durch den Wald auf sie zu, und die Fotografin winkte. »Kommt, ihr Nachzügler, die anderen sind schon unterwegs zur Klamm. Auf der anderen Seite der Brücke warten noch weitere Objekte auf euch. Wir müssen uns beeilen, sonst wird es dort unten zu dunkel zum Fotografieren.«

Sie gingen los und holten die Gruppe rasch ein, die auf der Anhöhe oberhalb der Brücke wartete.

»Die Welt ist bunt, die Welt ist rund, das Licht hält nur noch eine Stund«, deklamierte Karin fröhlich.

Prompt fuhr Achleitner herum, verkniff sich aber einen Kommentar.

Ilsebill stand andächtig da und deutete auf die hölzerne Brücke hinunter. »Das gefällt mir. Welch ein schönes Bild. Wunderbar arrangiert: melancholisch, aber gleichzeitig beruhigend. Als würde die Zeit stillstehen.«

Pippa blickte hin und schnappte nach Luft: Mitten auf der Brücke lag, sich deutlich vom dunklen, fast bedrohlichen Umfeld abhebend, ein aufgespannter knallroter Regenschirm – Lenzbauers Regenschirm. Es war eindeutig der Stockschirm, den Pippa schon seit Tagen vermisste.

»Das ist in der Tat bezaubernd.« Sarah MacDonald nickte und drehte sich zu Achleitner um. »Heribert, hier hast du dich selbst übertroffen. Das Motiv spricht wirklich für sich selbst.«

Achleitner blickte ungläubig zwischen dem Schirm und der Gruppe hin und her. »Danke für die Blumen. Aber dieses Arrangement ist nicht von mir.«

Kapitel 29

ie Teilnehmer des Fotospaziergangs stiegen langsam zur Brücke über die Klamm hinunter. Während die meisten das Motiv ablichteten, beschleunigte Achleitner seine Schritte, schnappte sich den Schirm und schloss ihn. Dann hängte er ihn ans Brückengeländer.

Um Pippa herum protestierten einige, aber er zeigte nur auf das andere Ufer und sagte: »Dort drüben gibt es noch jede Menge spannende Motive. Wir wollen schließlich nicht alle dasselbe Bild haben, nicht wahr? Kunst ist Individualität.«

Pippa stellte sich neben den Kunstdozenten und schaute in die Tiefe. »Ganz schön hoch, diese Brücke, für so einen kleinen Bach.«

»Um die neun Meter. Während der Schneeschmelze würden Sie sofort verstehen, warum sie so gebaut wurde.« Achleitner zuckte mit den Achseln. »Leider nicht gerade eine Augenweide, diese grobschlächtige Holzkonstruktion. Seit langem plädiere ich für einen eisernen Steg mit romantischem Schwung. Der hätte das Potential, ein Anziehungspunkt für Wanderer zu werden, eine Sehenswürdigkeit für Touristen, eine Aufwertung für ganz Plutzerkogel.« Er seufzte und fuhr fort: »Aber Kommunalpolitiker überall auf der Welt denken ja immer klein-klein. Also bleibt diese morsche Holzbrücke, bis sie zusammenbricht.«

Pippa kicherte innerlich. Passt zur Steiermark, dachte sie, immerhin gibt es hier tatsächlich einen Ort namens Klein-Klein.

»Wollen Sie den Schirm hier einfach so hängen lassen?«, fragte sie.

Achleitner sah sie überrascht an. »Ja, selbstverständlich. Was machen Sie, wenn Ihnen etwas abhandengekommen ist? Gehen Sie als Erstes zum Fundbüro? Ganz sicher nicht. Sie laufen die Strecke noch einmal ab, wo Sie glauben, den Gegenstand verloren zu haben, und schauen, ob Sie ihn entlang des Weges wiederfinden.«

»Und wenn der Schirm gar nicht verloren wurde, sondern jemand ihn mit Absicht hier deponiert hat? Als Zeichen?«

»Wenn er ein Zeichen für ein romantisches Stelldichein ist«, erwiderte der Kunstdozent gelassen, »dann ist es erst recht besser, ihn hier hängen zu lassen. Wir wollen schließlich nicht schuld daran sein, dass zwei verliebte Seelen nicht zueinanderfinden, oder, Frau Bolle?«

Er weiß, dass dies Lenzbauers Schirm ist, so viel ist klar, dachte Pippa erstaunt. Und er weiß, dass ich etwas weiß – aber auch, dass ich nicht genug weiß, solange er sich nicht verplappert. Er ist auf der Hut, da ist jede weitere Frage zwecklos.

Ob von Meinrad zweimal bei uns eingebrochen ist?, grübelte sie, während Achleitner zu ihrem Unwillen nicht von ihrer Seite wich. Hatte er beim ersten Mal den Schirm mitgenommen? Aus welchem Grund? Wer sonst käme dafür in Frage? Renate? Aber warum sollte sie den Regenschirm hier deponieren? Wenn sie mit Achleitner – oder wem auch immer – ein Rendezvous verabreden wollte, müsste sie nicht diesen komplizierten und geradezu öffentlichen Weg wählen. Es gäbe zig andere Möglichkeiten.

Sie spürte, dass Achleitner sie musterte, als könnte er so ihre Gedanken lesen. Demonstrativ blickte sie in die andere Richtung und damit direkt in Falko Schumachers Kamera, der ein Foto vom Schirm, ihr und Achleitner aufnahm. Dabei lächelte der Norddeutsche spöttisch – ein Lächeln, das Achleitner mit zusammengekniffenen Lippen beantwortete.

»Kommen Sie«, sagte Achleitner zu der Gruppe, die sich einer nach dem anderen auf der Brücke einfand, »das nächste Motiv wartet bereits. Meine Kollegin hat ein schneeweißes Tannenbäumchen zwischen den dunklen Eichen …«

Pippa wartete, bis alle außer Hörweite waren, drehte ihnen den Rücken zu und wählte zum zweiten Mal auf diesem Spaziergang Seegers Nummer. Während sie wartete, rekapitulierte sie, welche Figuren auf dem Schachbrett standen: Renate und Bernhard Lipp, Axel von Meinrad, Heribert Achleitner, die kleine Nina und ihr ergebener Vater Martin Lenzbauer – und natürlich seine Frau Jasmin, von der zwei Jahre lang niemand gewusst hatte, dass sie längst nicht mehr im Spiel war …

Noch immer hörte sie das Rufzeichen, ohne dass Paul-Friedrich an den Apparat ging. Der plötzliche schrille Signalton einer Textnachricht ließ sie fluchen, hastig riss sie sich das Telefon vom Ohr.

Sie rief die Nachricht auf und las: *Komm sofort zur Wallfahrtskirche. Allein! Warte dort auf Dich. Paul-Friedrich weiß Bescheid. Morris.*

Pippa runzelte die Stirn. Das war nicht die Art romantischer Nachricht, die Liebende normalerweise austauschen. Und wieso sollte sie allein kommen? Wieso nicht mit Karin oder Ilsebill?

»Auch nicht gerade die Gedanken einer verliebten Frau«, murmelte sie mit einem Grinsen, »mit Freundinnen zum Rendezvous erscheinen zu wollen.«

So rasch war sie noch nie zur Wallfahrtskirche hinaufgestiegen, stellte Pippa fest. Die Aussicht, Morris endlich für sich allein zu haben, beschleunigte ihre Schritte wie von selbst. Als sie aus dem Wald trat, kam er ihr bereits entgegen, und ihr Herz schlug schneller.

Sie genoss seine Umarmung, bis Morris sagte: »Komm, wir müssen uns beeilen.«

»Was ist denn los?«, fragte sie verblüfft, als er sie am Arm zur Wallfahrtskirche zog. »Brauchen wir jetzt auch göttlichen Beistand?«

»Du wirst erwartet«, erwiderte Morris. »Ich stehe draußen Schmiere, damit euch niemand stört.«

Völlig überrumpelt ließ sie sich ins Innere der Kirche schieben, dann schloss sich die Tür hinter ihr.

Nach der Helligkeit draußen brauchten Pippas Augen einen Moment, um sich an das Zwielicht zu gewöhnen und Einzelheiten erkennen zu können. Ihr Blick fiel auf den prunkvollen barocken Flügelaltar, dann auf die Heiligenfigur des Sankt Honorius, die rechts davon stand. Die beeindruckende Steinskulptur trug ein faltenreiches Gewand, einen eher rustikal wirkenden Vollbart – und einen riesigen Kürbis in den Händen. Zunächst hatte sie das runde Etwas für eine Weltkugel gehalten, aber die wurde nicht mit Stiel und großem Blatt dargestellt. Zudem fiel ihr ein, was Karin vorgelesen hatte, als sie zum ersten Mal an dieser Wallfahrtskirche vorbeigekommen waren: Sankt Honorius war der Schutzheilige der steirischen Ölmüller und Bäcker. Was lag also näher, als ihm einen Kürbis in die Hand zu drücken?

Sie fuhr erschrocken zusammen, als sich von einer der Bänke eine massige Gestalt erhob, die sie bis jetzt nicht bemerkt hatte. Zögernd ging sie näher und erkannte verdutzt, dass es sich um Jovan Glantschnig handelte. In der Bank direkt hinter ihm saß Sonja Öttinger, Bernhard Lipps Sekretärin.

»Herr Glantschnig! Ich dachte, Sie sind in Slowenien?« Pippa setzte sich neben die junge Frau und nickte ihr zu.

»Und die kompetente Chefsekretärin ist mit von der Partie. Was verschafft mir die Ehre dieses unerwarteten Zusammentreffens?«

»Wir brauchen Ihre Hilfe, Pippa«, sagte Glantschnig drängend.

Pippa hob abwehrend die Hände. »Bitte nicht, bloß nicht noch eine Aufgabe! Ich habe mit den bisherigen schon mehr als genug zu tun. Zudem habe ich nicht den Hauch einer Ahnung, wo ich nach Bernhard Lipp suchen soll. Um ihn geht es doch, nicht wahr? Und ob ich ihn für *Sie* finden will, Jovan, müsste ich mir ohnehin genau überlegen.«

Sie erinnerte sich daran, wie Lenzbauer der Direktorin erklärt hatte, aus welchem Grunde der Ziehharmonikaspieler eine heiße Wut auf seinen ehemaligen Arbeitgeber hatte.

»Sie irren sich, Sie sollen Bernhard nicht finden«, erwiderte Glantschnig ruhig. »Darum geht es nicht.«

»Im Gegenteil«, fügte Sonja Öttinger hinzu. »Sie sollen verhindern, dass es anderen gelingt. Was Bernhard jetzt am meisten braucht, ist Zeit.«

Damit hatte Pippa nicht gerechnet. »Sie wissen, wo Bernhard ist?«

Glantschnig nickte. »Bevor er aber nach Plutzerkogel zurückkehrt, muss er noch ein paar wichtige Dinge klären. Zu unser aller Bestem. So lange will er ungestört sein.«

Das klingt ganz so, als ob Bernhard und Jovan ihren Streit beigelegt haben, dachte Pippa, falls sie je einen hatten.

Sie runzelte die Stirn. »Also, raus mit der Sprache: Wo ist der Mann, über den alle Welt spricht, aber den nie einer zu Gesicht bekommt?«

»Er ist in Podčetrtek«, erwiderte Glantschnig, »oder Windisch-Landsberg, wenn Ihnen das lieber ist, und renoviert seine Wohnung.«

»Er tut *was*?«, fragte Pippa entgeistert.

»Haben Sie sich nie gefragt, was der Leiter des Werkes Deutschlandsberg machen wird, wenn es hier nichts mehr für ihn zu tun gibt?«, fragte Sonja Öttinger.

Pippa knirschte buchstäblich mit den Zähnen. »Er wird nach Podčetrtek versetzt.«

Sonja Öttinger nickte. »So ist es. Einen so guten Mann wie ihn lässt man nicht gehen.«

»Er hatte die Wahl zwischen Graz und Podčetrtek«, fügte Jovan Glantschnig hinzu, und ein Hauch Heimatstolz schwang in seinen Worten mit, »er hat sich für Podčetrtek entschieden.«

»Das wird Renate Lipp aber gar nicht schmecken, so wie ich sie kennengelernt habe«, kommentierte Pippa.

»Das ist einer der Gründe, weshalb die beiden sich ständig gestritten haben«, sagte die Sekretärin. »Er war der Meinung, ein paar Tage Abstand voneinander würden ihnen beiden guttun. Damit jeder für sich in Ruhe nachdenken kann, was er wirklich will und wo der andere darin Platz hat.«

Jovan Glantschnig machte ein ernstes Gesicht. »Aber vor allem will Bernhard herausfinden, wie er sich im Fall des Erpressers verhalten soll. Dafür will er unbedingt Rücksprache halten mit seiner Schwester; er benötigt ihren Rat, aber er kann sie nicht finden. Er hat nicht damit gerechnet, dass es so schwierig ist, Kontakt zu ihr aufzunehmen.«

Pippa brach der Schweiß aus. Wie sollte er auch jemanden finden können, der seit zwei Jahren tot war?

Offenbar hat es sich noch nicht herumgesprochen, dass und wie die Leiche Jasmin Lenzbauers gefunden wurde, dachte sie, und ich werde diese Information ganz sicher nicht weitergeben.

Der grausamen Wahrheit ausweichend, fragte sie: »Wie könnte sie ihm denn raten?«

»Bernhard glaubt zu wissen, wer der Erpresser der Akademie Sinnenschmaus ist«, erwiderte Glantschnig. »Aber er zögert noch, ihn öffentlich zu beschuldigen.«

»Und wieso?«

Sonja Öttinger verzog das Gesicht. »Weil er befürchtet, Renate hängt in der Sache drin.«

»Es geht also um die Erpressungen. Und wir dachten, es ging bei dem Streit zwischen den Lipps vor allem um Kater Otto und sein Ebenbild aus Kuhfell ...«, murmelte Pippa, erleichtert, dass Jasmin nicht mehr im Mittelpunkt des Gesprächs stand.

Glantschnig runzelte die Stirn. »Was hat denn Bernhards Kater mit der ganzen Sache zu tun?«

Pippa erklärte ihm, dass sie sich als Haushüterin um Ninas vermeintliches Haustier namens Otto kümmern sollte, der Kater aber durch das offene Badezimmerfenster entwischt sei und seitdem vermisst werde.

»Bei euch war der Kater?« Glantschnig war sichtlich überrascht. »Lenzbauer, dieser Sausack! Hat seinen Schwager leiden lassen und ihm nicht gesagt, dass er seinen Kater gefunden hat? Er muss doch gewusst haben, dass Bernhard nach ihm sucht.«

Sonja Öttinger lachte leise. »Jovan, du bist echt zu gut für diese Welt. Zähle mal eins und eins zusammen, und schon heißt das Ergebnis mal wieder *Renate*. Hat sie ihm nicht mehr als einmal gedroht, dass er sein blaues Wunder erlebt, wenn er statt der Stelle in Graz die in Slowenien annimmt? Und womit konnte sie ihn bis ins Mark treffen oder bestrafen? Indem sie die Unterwegers als Taufpaten ablehnte und obendrein sein geliebtes Haustier verschwinden ließ. Immerhin, sie hat das Tierchen nicht gekillt, dafür muss man wohl noch dankbar sein.«

»Sie meinen, Renate hat den Kater als Druckmittel einge-

setzt?«, fragte Pippa. »Und wollte Otto so lange bei Lenzbauer verstecken, bis Bernhard nachgibt?«

Sonja Öttinger nickte und imitierte Renates Tonfall äußerst gekonnt: »›Du kriegst den Kater nur zurück, wenn wir
in der Steiermark bleiben. Wenn nicht, ist das nur ein kleiner Vorgeschmack. Solltest du nach Slowenien gehen, bleibt
Lukas hier. Deinen Sohn behalte ich.‹«

Pippa verzog das Gesicht. Weder Renate Lipp noch Martin Lenzbauer wurden ihr durch die Aktion mit dem Kater
sympathischer, zumal die beiden auch sie zum Instrument
ihres Plans gemacht hatten.

»Lenzbauer hat gewusst, dass Otto Bernhards Kater ist«,
sagte Pippa. »Trotzdem hat er sich nicht einmal die Mühe
gemacht, seinen Namen zu ändern. Dummer Fehler, übrigens. Sonst würden wir jetzt die Zusammenhänge gar nicht
erkennen.«

»Und es war gut, dass Bernhard, als er am Samstagnach-
mittag zu mir kam, auch über den Kater sprach und ich so
Bescheid wusste«, erwiderte Glantschnig.

Vor Überraschung schnappte Pippa nach Luft. »Bernhard war Samstag noch bei Ihnen?«

Glantschnig nickte, offensichtlich war er sich der Bedeutung des Zeitpunktes nicht bewusst. »Ja, klar. Er wollte jemandem sein Herz ausschütten, der seine Situation versteht.
Er war sich seiner Entscheidung für Podčetrtek nicht mehr
sicher und überlegte, dem Wunsch seiner Frau nachzugeben.
Auch wenn das bedeutete, einen ungeliebten Job anzuneh-
men. Bei diesem Treffen hat er mir erzählt, dass er seinen
Otto vermisst. Als ich den Kater dann ein paar Tage später
in Richtung Wald laufen sah, habe ich ihn angelockt und
eingefangen.«

»Wie bitte? Otto ist bei Ihnen?«, fragte Pippa.

Glantschnig schüttelte den Kopf. »Jetzt nicht mehr. Jetzt

ist er bei Bernhard. Deshalb bin ich ja eigens nach Slowenien gefahren. Ich dachte, Otto würde ihn ein wenig aufmuntern. Ich konnte doch nicht ahnen, dass der Kater dann von Ihnen vermisst wird!«

Pippa brauchte einen Moment, um sich zu sammeln, dann sagte sie streng: »Nicht nur der Kater. Und nicht nur von mir. Sind Sie wirklich nicht auf die Idee gekommen, all das mal irgendjemandem zu erzählen? Sie wussten doch, dass sich alle um Bernhard sorgten. Margit, der Frau Direktor und vielen anderen wäre eine Menge erspart geblieben, wenn Sie den Mund aufgemacht hätten. Von Renate will ich gar nicht reden. Wie sehr muss sie gelitten haben, seit Bernhard weg ist!«

Glantschnig ballte die Faust und schlug auf die Kirchenbank. »Das ist ja, was ich nicht begreife! Und deshalb habe ich meinen Mund gehalten, bis ich persönlich mit Bernhard gesprochen hatte. Wir verstehen es beide nicht: Warum macht Renate so ein Getöse? Mit Presse und allem? Sie wusste doch die ganze Zeit, wo Bernhard ist!«

»Bernhard dachte, jeder weiß, dass es ihm gutgeht«, fügte Sonja Öttinger hinzu. »Erst an dem Tag, als Sie zu mir in die Firma kamen, wurde mir klar, dass da etwas gewaltig schieflief.«

Pippa drehte sich der Kopf. Sie stand auf und ging ein paar Schritte, um ihre Gedanken zu sortieren, dann setzte sie sich wieder. »Noch einmal zum Mitschreiben: Renate wusste, dass es ihrem Mann gutgeht?«

Jovan Glantschnig nickte langsam. »Bernhard hat sich bei mir zu Hause hingesetzt und einen ausführlichen Brief an sie geschrieben: Um ihr begreiflich zu machen, warum es gut ist, mal zwei Wochen Pause voneinander zu haben. Er hat ihr erklärt, wieso die Stelle in Slowenien für ihn die Erfüllung eines Traumes ist. Er hat sogar Verständnis für ihre Weigerung signalisiert, nach Slowenien zu ziehen, und ihr diverse Angebote gemacht, die ihr die Entscheidung erleichtern sollten. ›Jovan‹, hat er zu mir gesagt, ›ich will nicht, dass meine Frau sich so fühlt wie Jasmin damals bei Martin und auch irgendwann wegläuft.‹«

»Also, da waren Vorschläge dabei, nach denen sich jede meiner Freundinnen die Finger geleckt hätte«, warf Sonja Öttinger ein.

Pippa stöhnte und massierte sich die Schläfen. »Sie waren also ebenfalls eingeweiht?«

»Am letzten Tag vor seinem Urlaub ist er das Für und Wider mit mir durchgegangen«, erwiderte die Sekretärin. »Er wollte meine weibliche Sicht der Dinge hören. Ich habe beinahe bedauert, dass nicht ich die Frau war, der er diese Vorschläge unterbreiten wollte.«

»Ernsthaft«, sagte Pippa, »Ihre Loyalität ist lobenswert, aber es gibt Momente, in denen das Wohlergehen anderer wichtiger ist. Sie hätten reden *müssen*. Beide. Es ist doch eindeutig, dass Renate den Brief nicht bekommen hat. Warum sonst hätte sie die Presse eingeschaltet?«

»Sie hat den Brief bekommen. Und ob!«, antwortete Jovan Glantschnig. »Nicht sofort, aber gleich am Sonntag. Kurz nach Mittag, bevor ich zu Poldi Pommers Buschenschank gegangen bin.«

»Sie sollten den Brief abgeben?« Pippa schnaubte entnervt. »Und haben das erst einen ganzen Tag später getan?«

Wie zum Schutz zog Glantschnig den Kopf zwischen die Schultern. »Am Samstagabend hatte ich einen Auftritt, da habe ich es nicht mehr geschafft. Dafür habe ich ihr den Brief am nächsten Tag persönlich übergeben. Ob sie ihn allerdings gleich gelesen hat, kann ich nicht sagen. Vielleicht …«

»Quatsch«, fiel Sonja Öttinger ihm ins Wort. »Jede Frau hätte den Brief sofort gelesen. Wenn schon nicht aus Liebe, dann aus Neugier.«

»Sie hat mich nicht ins Haus gelassen«, erzählte Glantschnig. »Ich musste ihr alles, was Bernhard mir aufgetragen hatte, an der Haustür sagen.«

Sonja Öttinger kicherte. »Und das bei einer Nachbarin wie Thea Wolfgruber. Da kann man seine Neuigkeiten gleich in die Zeitung setzen.«

»Und diese Neuigkeiten lauteten …?«, fragte Pippa ungeduldig.

»Dass Bernhards Abreise keine Retourkutsche für Otto sein sollte, sondern er ihr Gelegenheit geben will, alles zu überdenken, ohne dass sie sich von ihm bedrängt fühlt«, berichtete Glantschnig. »Ich habe ihr auch gesagt, dass er in Slowenien bisher weder Telefon- noch Internetanschluss hat, sich aber jeden Tag per Handy bei ihr melden wird, um Lukas und ihr ›Gute Nacht‹ zu sagen.«

»Dich einfach an der Tür abzufertigen, als würdest du sie mit einem x-beliebigen Ansinnen belästigen«, kommentierte Sonja Öttinger kopfschüttelnd.

»Sie hatte Besuch«, sagte Glantschnig, »und wollte wohl nicht, dass der von der Angelegenheit etwas mitbekommt.«

Pippa horchte auf. »Besuch?«

Glantschnig nickte. »Ich hörte Männerstimmen aus dem Wohnzimmer. Als ich wieder ging, habe ich das Auto ihres Schwagers in einer Seitenstraße stehen sehen.«

»Sind Sie ganz sicher? Lenzbauer war am Sonntagmittag bei Renate Lipp?«, fragte Pippa nach.

Und alle denken, dass er, nachdem er mit Nina von Samstag auf Sonntag bei Unterwegers übernachtet hat, gleich am Morgen mit seiner Tochter in die Rehaklinik gefahren ist, dachte sie. Stattdessen hat er vorher noch einen sehr interessanten Umweg gemacht.

»Eindeutig Lenzbauer«, bestätigte Glantschnig. »Die

Stimme des anderen Mannes kannte ich nicht; er sprach mit norddeutschem Akzent.«

Da ist er wieder, der Herr Schumacher, dachte Pippa. Aber momentan war sie mehr an Lenzbauer interessiert. »Wie gut ist Ihr Verhältnis zu Lenzbauer?«

Die beiden sahen sich erstaunt an; dann sagte Sonja: »Da gibt es keins. Ich weiß halt, dass er der Schwager des Chefs ist und einiges mitgemacht hat. Ansonsten sehe ich ihn nur mal bei Festen oder in Buschenschänken.« Sie deutete auf Glantschnig und fuhr fort: »Wenn wir miteinander auftreten, zum Beispiel. Das ist alles.«

Erneut kam Pippa das Telefonat zwischen Gertrude Schliefsteiner und Lenzbauer in den Sinn. Es war an der Zeit, der Sache auf den Grund zu gehen. »Irgendjemand lügt hier«, sagte sie ruhiger, als sie sich fühlte. »Einer von euch. Oder alle beide.« Sie wandte sich an Glantschnig. »Sie müssen Verbindung zu Lenzbauer gehabt haben. Dessen bin ich sicher.«

»Hatte ich nicht!«, protestierte der entrüstet.

»Dann waren Sie es«, sagte Pippa zu Bernhard Lipps Sekretärin.

Sonja Öttinger verschränkte die Arme vor der Brust. »Kein bisschen! Wie käme ich denn dazu! Überhaupt nicht mein Typ, der Kerl.«

Erneut hielt es Pippa nicht mehr in der Kirchenbank. Um wieder einen klaren Gedanken fassen zu können, ging sie auf dem Gang zwischen den Bankreihen auf und ab, dann blieb sie vor Glantschnig stehen. »Wie sieht Ihre Zukunft bei der Steirer Biodünger AG aus, Herr Glantschnig?«

Etwas überrascht sah der Harmonikaspieler erst Sonja, dann Pippa an: »Ich falle die Treppe hoch«, sagte er dann. »Ich werde Vorarbeiter. Bernhard hat mich gebeten, meinen Ruhestand noch etwas aufzuschieben. Beim Aufbau der neuen Firma hätte er mich gern an seiner Seite, hat er gesagt.«

»Stimmt das?«, fragte Pippa an die Sekretärin gewandt, die sofort nickte und stolz sagte: »Und ich bleibe, was ich bin. Falls Sie das auch interessiert.«

In dieser Sache zu flunkern wäre absolut sinnlos, da eine Überprüfung in der Grazer Personalabteilung des Unternehmens Chefinspektor Fuchshofer nur einen Anruf kosten würde. Pippa glaubte den beiden – und stellte postwendend Lenzbauers Behauptung über den Streit zwischen Glantschnig und Lipp in Frage. Trotzdem brauchte sie Gewissheit. »Dann erklären Sie mir bitte, wie Martin Lenzbauer gegenüber der Frau Direktor behaupten konnte, dass Sie, Herr Glantschnig, sich in Slowenien aufhalten? Und das zu einem Zeitpunkt, als er seiner Tochter schon seit Tagen im Kurheim beim Gesundwerden zuguckte?«

»Woher wusste Lenzbauer …«, begann Glantschnig, stockte und fuhr dann fort: »Das *konnte* niemand wissen. Dazu habe ich mich spontan entschlossen, nachdem ich Otto eingefangen hatte.«

Wieder ging Pippa einige Schritte, dann blieb sie grübelnd vor der Figur des heiligen Honorius stehen. Wenn die Reise des Akkordeonspielers tatsächlich ungeplant war und er keinen Kontakt zu Lenzbauer gehabt hatte, dann musste zwischen diesem und Renate eine Standleitung liegen, über die Lenzbauer alles erfuhr. Oder Lenzbauer log das Blaue vom Himmel herunter, oder …

Sie fuhr zusammen, als ihr Handy klingelte und Paul-Friedrich sich meldete. »Du bist noch mit Glantschnig und der Sekretärin in der Kirche, sagt Morris. Richtest du den beiden bitte aus, dass Chefinspektor Fuchshofer sie sprechen will?«

»Dabei wünsche ich ihm viel Vergnügen«, erwiderte

Pippa. »Die beiden sind ein Quell überraschender Informationen, die sie nur dann in homöopathischen Dosen preisgeben, wenn sie ihrem verehrten Bernhard Lipp damit helfen können.« Sie referierte in Stichpunkten, was sie gerade erfahren hatte, außerdem erzählte sie vom Auftauchen des roten Regenschirms sowie von Achleitners Reaktion darauf. Sie hörte, wie Paul-Friedrich die Neuigkeiten mit jemandem im Hintergrund diskutierte.

Es raschelte im Hörer, dann ertönte die Stimme des Chefinspektors. »Fuchshofer hier. Frau Bolle, fragen Sie die beiden Geheimnisträger doch bitte nach der Adresse von Bernhard Lipp. Wir müssen ihn vom Tode seiner Schwester informieren. Aber das ist nicht alles: Wir wollen sicherstellen, dass ihm an seinem derzeitigen Aufenthaltsort nichts geschieht. Falls der Erpresser und der Mörder gemeinsame Sache machen oder sogar ein und dieselbe Person sind, sollte Herr Lipp nicht ohne Schutz sein.«

»Das passt gut«, sagte Pippa, »denn Herr Glantschnig und Frau Öttinger wollen ihn so lange mit Zähnen und Klauen verteidigen, wie er von Slowenien aus seine Nachforschungen zu den Erpresserbriefen betreiben will.«

»Wie niedlich«, knurrte Fuchshofer, »dass Lipp und Konsorten jetzt auch noch in Ihre Branche einsteigen, Frau Bolle, und zu Hobbydetektiven werden. Warum will eigentlich jeder meinen Job? Aber bitte«, sagte er, und Pippa konnte das Amüsement in seiner Stimme hören, »dann delegiere ich eben großzügig und kassiere anschließend nicht nur mein Gehalt, sondern auch noch Ruhm und Ehre für einen schnell erledigten Fall. Bei diesen internationalen Verstrickungen könnte sogar noch eine Beförderung für mich drin sein.«

Pippa kicherte und war Fuchshofer dankbar, dass er durch seine launige Art ihre Anspannung abbaute.

Der Chefinspektor ist unseren Rateköniginnen nicht unähnlich, dachte sie, auch er hat Freude daran, Rätsel zu lösen – allerdings gepaart mit einer dicken Portion schwarzen Humors.

»Meine Leute waren in der Rehaklinik, wo die kleine Nina schon seit einer Woche auf Besuch von ihrem Papa wartet«, fuhr Fuchshofer fort. »Der hat die Kleine am Sonntag lediglich dort abgeliefert und wurde seitdem nicht mehr gesehen. Ich möchte wissen, warum das so ist und wo er jetzt ist. Wieso hat er behauptet, bei seiner Tochter in der Klinik bleiben zu wollen?«

»Weil er freie Bahn für seine widerlichen Pläne wollte«, mutmaßte Pippa. »Bernhard Lipp ist nicht nur in Slowenien, weil er seine neue Wohnung renoviert. Er wollte die Zeit auch nutzen, um seine Schwester ausfindig zu machen, ohne dass ihm jemand in die Quere kommt. Heribert Achleitner hat am letzten Freitag einen Streit zwischen Lipp und Lenzbauer beobachtet. Wenn mich nicht alles täuscht, hält Lipp seinen Schwager für den Erpresser der Akademie Sinnenschmaus.«

»Wie passend«, knurrte der Chefinspektor. »Und wir halten Martin Lenzbauer für den Mörder seiner Frau.«

Kapitel 30

Es war kurz vor Sonnenaufgang, als Pippa und Morris am nächsten Morgen die Josefsalm verließen und Arm in Arm durch den Wald zur Wallfahrtskirche wanderten.

»Soll man sich während des Schlafens nicht regenerieren?« Pippa gähnte. »Wie soll das gehen, wenn die Nacht so kurz ist?«

»Wärst du mit Ricarda und Paul-Friedrich gestern Abend direkt nach unserer Besprechung zurück zur Akademie gefahren, könntest du jetzt noch im Bett liegen«, erwiderte Morris, wohl wissend, dass Pippa – wenn auch zum Preis einer zu kurzen Nacht – seine Gesellschaft genoss.

Pippa grinste. »Deine Sorge rührt mich. Aber ich durchschaue dich, mein Lieber: Dann hättest *du* ausschlafen können! Das könnte dir so passen. Nicht, solange ich das verhindern kann.« Mit der freien Hand holte sie einen Notizzettel aus der Tasche, studierte ihn im Gehen und murmelte: »Ich hatte gehofft, ich müsste nur eine Nacht darüber schlafen, damit mir noch etwas zu unseren Listen einfällt – aber dazu haben die paar Stündchen nicht ausgereicht.«

»Grübelst du noch immer, wem die Fingerabdrücke gehören?«, fragte Morris. Als sie nickte, fügte er hinzu: »Dann lass uns noch einmal alles durchgehen.«

»Gute Idee. Also: Auf dem Notizbuch hat Paul-Friedrich wie erwartet meine, seine und Ricardas Fingerabdrücke gefunden. Und natürlich die von Axel von Meinrad. Aber zusätzlich auch Karsten Knöllers und Renates Abdrücke sowie einen unbekannten Daumenabdruck.«

»Renate Lipp und dieser Knöller – das ist nicht so überraschend, oder? Du hast selbst mal beobachtet, wie es zwischen Knöller und dem Journalisten um das Notizbuch ging. Knöller hat sicher mal nachgelesen, welche Notizen über ihn drinstehen. So hat er seine Abdrücke darauf hinterlassen.«

»Ich würde auch wissen wollen, was der über mich berichten will«, bestätigte Pippa und blieb stehen. »Das würde zwar auch Renates Fingerabdrücke erklären – allerdings nicht, warum wir über sie und Bernhard so gar keine Notizen in dem Buch gefunden haben. Hat sich von Meinrad während der ganzen Zeit ihres Zusammenseins denn nicht ein einziges Detail aufgeschrieben?«

»Denk dran, es fehlen mehrere Seiten«, erwiderte Morris. »Aber vielleicht hat Renate ihm auch gar nichts Wissenswertes anvertraut. Ich denke, sie ist cleverer, als ihr denkt, und hat von Meinrad für ihre Zwecke benutzt – nicht umgekehrt.«

Langsam ging Pippa weiter. »Wenn ich mit meinem jetzigen Wissen Renates Verhalten interpretieren sollte, würde ich sagen: Bei der gesamten Inszenierung ging es nie allein um Bernhard. Es war ein einziges großes Ablenkungsmanöver.«

»Und wovon sollte es deiner Meinung nach ablenken?«, fragte Morris.

»Wenn ich das wüsste.« Pippa zuckte mit den Achseln. »Von dem, was wirklich wichtig ist.«

»Vielleicht bringt uns der unbekannte Daumenabdruck auf dem Notizbuch weiter.«

Pippa warf einen Blick auf den Zettel. »Der sich auch auf dem Fensterrahmen des Lenzbauer-Bades befindet.« Sie zog eine Grimasse. »Ich gestehe es ungern ein, aber wir haben von Meinrad tatsächlich unrecht getan, er ist nicht bei uns eingebrochen. Seine Fingerabdrücke finden sich nirgends – außer auf seinem Notizbuch. Irgendwer hatte also ebenso viel Interesse daran wie er selbst. Aus Sorge, über sie oder ihn könnte etwas Verräterisches drinstehen? Aber warum hat diese Person dann nicht besser darauf aufgepasst?«

»Zeig mal.« Morris nahm ihr den Zettel aus der Hand und studierte ihn. »Renates Fingerabdrücke sind auch auf dem Badezimmerfenster. Das ist schon etwas seltsam, oder? Könnte nicht sie das Notizbuch verloren haben?«

»Schon möglich. Andererseits sind ihre Abdrücke dort nicht ungewöhnlich. Die sind überall im Haus. Immerhin haben sie und Lenzbauer gegenseitig auf die Kinder aufgepasst. Das haben wir nicht nur von Margit gehört. Sicherlich hat Renate bei solcher Gelegenheit auch mal das Bad benutzt und das Fenster geöffnet oder geschlossen. Nein, die unbekannten Abdrücke scheinen mir wegweisender.«

Morris runzelte die Stirn. »Zu diesem Stichwort möchte ich anmerken: Ich finde es überhaupt keine gute Idee von euch, heimlich von den anderen Dozenten und Teilnehmern der Akademie Fingerabdrücke zu nehmen. Das ist Fuchshofers Aufgabe. Überlasst das ihm.«

»Grundsätzlich bin ich deiner Meinung. Wir müssen aber davon ausgehen, dass die betreffende Person erst das Notizbuch entwendet und es dann in Lenzbauers Bad verloren hat. Wenn Fuchshofer eine offizielle Aktion startet, ist diese Person gewarnt. Das möchten wir verhindern. Und Fuchshofer ist der entspannteste Kriminalist, der mir je begegnet ist. Jemand anders macht seine Arbeit und liefert ihm das Ergebnis frei Haus? Dann war es eine gute Idee – solange niemand dabei zu Schaden kommt, jedenfalls.«

»Trotzdem. Heimlich Besteck und Gläser der anderen nach dem Frühstück einzusammeln, um die Abdrücke zu nehmen …« Er schüttelte den Kopf. »Das ist nicht fein.«

»Das sind Mord und Erpressung auch nicht«, erwiderte Pippa. »Hier heiligt der Zweck die Mittel. Hoffe ich zumindest.«

Sie hatten die Wallfahrtskirche erreicht. Hier auf der freien Anhöhe blies ein scharfer Wind, den sie im Wald nicht bemerkt hatten und der Pippa frösteln ließ.

Sie deutete auf den Weg unterhalb der Kirche und schlüpfte aus Morris' Arm. »Valentin Baumgartner ist im Anmarsch. Ich hatte seine nie erlahmende Energie vergessen.«

»Dass er nicht mal heute auf seinen Waldlauf verzichtet«, sagte Morris kopfschüttelnd. »Wenn meiner großen Liebe Leid geschehen wäre, würde ich mich im Bett verkriechen.« Er zog Pippa noch einmal an sich heran und gab ihr einen Kuss.

Mit einem Seufzen befreite sie sich wieder. »Er rennt sich den Blues weg, nehme ich an. So ein Schock würde sogar mich frühmorgens aus dem Bett holen – gepaart mit dem Bedürfnis, mich körperlich derart zu verausgaben, dass mein Kopf ganz automatisch abschaltet.« Noch einmal umarmte sie Morris. »Ich gehe lieber alleine weiter. Zurück mit dir auf die Alm und zu Josefas gigantischem Frühstück.«

Kurze Zeit später kreuzte Valentin Baumgartner, in dunkler Kapuzenjacke und Trainingshose, ihren Weg. Vor ihr auf der Stelle laufend, sagte er keuchend: »Guten Morgen, Pippa. So früh schon auf den Beinen?«

»Dies sind keine Zeiten, in denen ich ruhigen Schlaf finde«, sagte sie und hätte sich am liebsten dafür geohrfeigt, denn sofort stand Baumgartner wie eingefroren, sein Körper eine Skulptur des Kummers.

»Magst du mich ein Stück begleiten?«, fügte Pippa hinzu.

Baumgartner zögerte einen kurzen Moment, dann schüttelte er den Kopf. »Vielen Dank, aber ich will hoch zur Alm. Ich will noch einmal ... ich möchte zu Jasmins ...« Ihm versagte die Stimme.

Spontan nahm Pippa ihn in den Arm, und der Fitnesstrainer lehnte sich erschöpft gegen sie, dankbar für diesen Moment der Zuwendung. Dann wandte er sich mit einem kurzen Nicken ab und schlug den Weg zur Josefsalm ein.

Gedankenverloren ging Pippa weiter. Der Wind war stärker geworden und nun auch im Wald spürbar, darum zog sie ihre Jacke enger um sich. Die Wipfel über ihrem Kopf rauschten so laut, dass sie den nahen Bach beinahe übertönten. Sie blieb stehen, um eingehender zu lauschen: Da waren noch andere Geräusche. Von der Klamm her tönten erregte Stimmen zu ihr herüber. Unwillkürlich blickte sie auf die Armbanduhr. Es war erst kurz nach sechs Uhr – selbst für Waldarbeiter zu früh.

Vorsichtig schlich sie näher und versteckte sich hinter einem Baum oberhalb des Steilufers. Schemenhaft erkannte sie drei Männer auf der Brücke – dort, wo noch immer der rote Regenschirm am Geländer hing. Sie kniff die Augen zusammen, konnte aber nicht ausmachen, um wen es sich handelte. Zwar war die Sonne vor einer knappen halben Stunde aufgegangen, aber unten in der Klamm herrschte noch weiter Zwielicht. Leise, um die Männer nicht auf sich aufmerksam zu machen, schlich Pippa zu einem dickeren Baum, der ihr mehr Deckung bot.

Einer der Männer trug Kapuzenjacke und Trainingshose, genau wie Baumgartner.

Er kann es nicht sein, dachte Pippa, es gibt keinen anderen Weg zur Klamm. Er hätte mich überholen müssen, und das hätte ich bemerkt.

Jetzt drehte sich einer der drei Männer in ihre Richtung, so dass der Wind seine Worte deutlich zu ihr herübertrug.

»Ich lasse mich doch nicht an der Nase herumführen!«, schrie er. »Und erst recht nicht lasse ich mich von Leuten ins Bockshorn jagen, die ihre eigene Planung nicht im Griff haben. Ich will jetzt endlich wissen, wie es weitergehen soll! Wie wollt ihr verhindern, dass wir auffliegen?«

Das ist ja Heribert Achleitner!, dachte Pippa verblüfft.

»Also, was habt ihr jetzt vor?«, fuhr der Kunstdozent fort. »Ich gehe jedenfalls keinen Schritt mehr weiter auf dem bisherigen Weg, solange der immer glitschiger wird. Jeder von uns kann jeden Moment auf dem Eis ausrutschen und einbrechen – und dann ist es vorbei mit unserem schönen Plan und der Übernahme der Akademie Sinnenschmaus.«

Pippa schlug die Hand vor den Mund, um einen überraschten Ausruf zu unterdrücken.

Trotz aller Mühen konnte sie nicht verstehen, was der Mann im Trainingsanzug antwortete; er hatte nicht nur die Kapuze so tief ins Gesicht gezogen, dass er nicht zu erkennen war – er redete auch deutlich leiser als Achleitner. Jetzt sprach er mit erhobenem Zeigefinger auf den dritten Mann ein, der daraufhin so wütend mit der Faust auf das Brückengeländer schlug, dass das morsche Holz hörbar krachte.

»Wie lange wollen wir hier noch rumstehen und warten?«, fragte Achleitner ungeduldig und tippte auf seine Armbanduhr. »Es ist schon nach sechs. Termin und Treffpunkt sind seit Tagen vereinbart. Es wird niemand mehr kommen, darauf wette ich. Lässt uns hier hängen und geht selbst auf Nummer sicher, unsere Nummer 4.« Nervös ging er hin und her. »Und uns läuft die Zeit davon. Wir müssen jetzt sofort entscheiden, wie es weitergeht. Ich habe nicht vor, bei strahlendem Sonnenlicht in die Akademie zurückzukehren und von irgendwelchen Frühsportlern gesehen zu werden.« Er blieb vor dem dritten Mann stehen. »Und dir, Lenzbauer, würde ich das erst recht nicht raten. Auf dich und deine

382

Schandtat ist mittlerweile bestimmt schon ein Kopfgeld ausgesetzt. Wenn ich geahnt hätte, dass du eine echte Leiche im Keller hast, hätte ich mich nie auf Geschäfte mit dir eingelassen.«

Pippa blieb beinahe das Herz stehen. Natürlich – das war Lenzbauer. Weil sie ihm nur kurz begegnet war, hatte sie ihn im Dämmerlicht nicht gleich erkannt.

Jetzt packte Lenzbauer den Kunstdozenten am Kragen. »Wie oft soll ich es dir noch sagen: Ich habe meine Frau nicht getötet! Wieso auch? Sie war weg, und gut war's. Wie kommst du überhaupt darauf, verdammt?«

Achleitner wedelte röchelnd mit den Armen, und der Kapuzenmann griff ein, um ihn zu befreien. Dabei rutschte der Ärmel seiner Jacke nach oben und enthüllte eine massive goldene Uhr, in der sich der erste Sonnenstrahl des Tages fing. Pippa hatte ein derart auffälliges Stück bisher bei niemandem gesehen, der für die Erpressungen in Frage kam. Zu wem könnte die passen? Wer hatte genug Geld – und schlechten Geschmack –, um sich dieses protzige Ungetüm zu leisten?

»Du hast deine Frau nicht getötet? Ich bin nicht der Einzige, der dir das nicht glaubt«, sagte Achleitner giftig, »sonst wären wir jetzt wohl vollzählig. Schätze, unser Geldgeber hat auch keine Lust mehr auf dich.«

»Halt deine Klappe, du Wicht!«, brüllte Lenzbauer erzürnt.

Achleitner zog seine Jackenärmel glatt und erwiderte: »Lieber ein Wicht als un-*wicht*-ig!«

Der Kapuzenmann legte beschwichtigend die Hand auf Achleitners Arm, aber der war nun in Fahrt und schüttelte sie ab wie ein lästiges Insekt. Der Kunstdozent schien Befriedigung daraus zu ziehen, sein Gegenüber weiter zu provozieren. »Dein Jähzorn ist allgemein bekannt, Lenzbauer. Du bist selbstüberschätzend und besitzergreifend, sagt Gallastroni. Oder war es deine Frau, die das gesagt hat? Einerlei. Mir machst du jedenfalls nichts vor. Du konntest nicht ertragen, Jasmin zu verlieren. Also hast du dafür gesorgt, dass sie auch kein anderer kriegt.« Er wandte sich dem Kapuzenmann zu. »Unser Freund hier schlägt nämlich gerne mal zu. Das durfte ich am eigenen Leib erfahren. Er hat mich so zugerichtet, dass ich Zahnschmerzen vortäuschen musste, sonst wäre unser schöner Plan schon vor Wochen aufgeflogen.«

Die dicke Backe war das Ergebnis von Lenzbauers Prügel, dachte Pippa, kein Wunder, dass Achleitner den Hass malt.

Der Kapuzenmann blickte auf seine Uhr und sagte etwas, woraufhin Achleitner nickte. »Gute Idee. Schau nach, wo Nummer vier bleibt, damit unser Quartett vollständig ist und es hier endlich weitergeht. Und zwar mit Leuten, auf die man sich verlassen kann, wenn es darauf ankommt.«

Der Kapuzenmann hatte schon beinahe das andere Ende der Brücke erreicht, als Achleitner ihm nachrief: »Und erinnere ihn an das Parfümfläschchen, er darf es unter keinen Umständen vergessen. Wir müssen es noch heute gegen Baumgartner einsetzen. Oder sollten wir mit dem Inhalt lieber Lenzbauer einbalsamieren, um seinen Gestank besser ertragen zu können?«

Drohend ging Lenzbauer auf Achleitner zu, aber davon ließ dieser sich nicht stoppen. »Man stelle sich das vor! Du als zukünftiger Leiter der Akademie Sinnenschmaus? Dass ich nicht lache! Du warst doch schon mit der Koordination der Kurse völlig überfordert!«

»War ich nicht!«, brüllte Lenzbauer.

Achleitner wich zurück, bis das Brückengeländer ihn stoppte. Er bekam den Stockschirm zu fassen und richtete ihn mit der Spitze auf Lenzbauer, um ihn auf Abstand zu halten. Der Kapuzenmann versuchte aus der Entfernung, beschwichtigend auf die Kontrahenten einzuwirken, aber sie nahmen keine Notiz von ihm. Schließlich zuckte er mit den Achseln, wandte sich ab und ging in Richtung Akademie den Hügel hinauf.

»Es ist und bleibt die Wahrheit«, schrie Achleitner ihm hinterher, »Lenzbauer reitet uns rein. Wenn wir nichts dagegen unternehmen, macht er unseren schönen Plan zunichte!« Er konzentrierte sich wieder auf sein Gegenüber: »Denn du denkst leider nie für zwei Cent mit! Du warst sogar zu geizig, dir einen neuen Regenschirm zu kaufen! Wie dumm kann man sein: Am helllichten Tag in dein Haus zu spazieren, um dieses blöde Ding zu holen, nur weil Regen angesagt ist. Wie konntest du nur ein derartiges Risiko eingehen! Und dann kommt auch noch diese dämliche Deutsche zu früh zurück, und du musst aus deinem eigenen Badezimmerfenster flüchten!«

Lenzbauer verschränkte die Arme vor der Brust. »Und? Ist doch egal! Diese Möchtegerndetektivin hat gar nichts gemerkt!«

Von wegen, dachte Pippa grimmig und spitzte weiterhin die Ohren, aber die Männer sprachen jetzt leiser, und sie konnte eine Zeitlang nichts verstehen.

Dann aber höhnte Achleitner lautstark: »Und natürlich musste der *kluge* Martin den Schirm nach unserem letzten Treffen obendrein hier auf der Brücke vergessen! Das setzt deiner Dummheit die Krone auf. Ich *spiele* den Versager nur, solange ich es muss, aber du bist tatsächlich einer. Ein Versager, der seine Rolle nicht beherrscht. Du kannst gar nichts. Nicht einmal auf deine kleine Tochter aufpassen, geschweige denn auf deine Frau.«

Selbst aus der Entfernung sah Pippa Lenzbauer an, dass er kurz davor war, die Beherrschung zu verlieren. Er blickte sich nach dem Kapuzenmann um, als würde er sich Unterstützung erhoffen, aber der hatte schon beinahe die Anhöhe erreicht, von der aus man das Tal des Wildbaches übersehen konnte.

Währenddessen geiferte Achleitner weiter: »Du Idiot! Guckst zu, wie deine Nina aus dem Fenster fällt, machst anschließend auch noch eigenhändig das Fenster wieder zu und stellst den Stuhl weg. Ein reines Wunder, dass niemand auf dich gekommen ist. Wahrscheinlich würde man bei einer Hausdurchsuchung auch noch Beppos Schlüssel bei dir finden, weil du vergessen hast, ihn zurückzubringen.« Achleitner hob warnend den Zeigefinger. »Aber das wird nicht immer gutgehen, mit dieser Chuzpe wirst du auf Dauer nicht durchkommen. Und wenn sie dich holen, werde *ich*«, er stieß die Schirmspitze gegen Lenzbauers Brust, »bereitstehen, die Lücke zu füllen. Dann werde ich Leiter der Akademie Sinnenschmaus. *Ich*.«

Beim letzten Wort stieß er erneut nach seinem Gegenüber. Lenzbauers Hand schoss hoch, packte die Spitze und rammte den Schirm mit voller Wucht in die Gegenrichtung. Achleitner, vom Griff in den Solarplexus getroffen, schnappte nach Luft und verlor das Gleichgewicht. Lenzbauer ließ den Schirm noch einmal gegen die Brust seines Kontrahenten prallen, der schwer gegen das Geländer fiel. Das morsche Holz splitterte und krachte. Dann gab es nach. Der Kunstdozent ruderte mit den Armen, Pippas greller Schrei mischte sich mit dem Achleitners – dann stürzte er rücklings in die Tiefe.

Die Zeit schien stillzustehen.

Der Kapuzenmann, noch immer in Sichtweite, blieb wie angewurzelt stehen, drehte sich aber nicht um. Lenzbauer starrte in den Abgrund, dann wandte er sich wie in Zeitlupe ab und sah direkt dorthin, wo Pippa stand. Sie hatte sich blitzschnell hinter einen Felsen gekauert und beobachtete durch eine Spalte, wie Lenzbauer ein paar Schritte auf sie zukam. Pippa hielt den Atem an, ihr Herz klopfte bis zum Hals.

Auf einen schrillen Pfiff des Kapuzenmannes hin drehte sich Lenzbauer um und setzte sich, erst wie in Trance, dann immer schneller, in Bewegung, den Hügel hinauf, bis er aus ihrem Blickfeld verschwunden war.

Pippa lehnte ihre Stirn gegen den kalten Fels, um das innere Zittern zu bekämpfen. Ich muss Achleitner helfen, dachte sie fahrig und rappelte sich hoch. Auf zittrigen Beinen kletterte sie den Abhang zum Bach hinab, verlor das Gleichgewicht, hielt sich an Buschwerk fest, rutschte wieder aus, fiel endgültig hin und schlitterte dann auf dem Hosenboden weiter.

Unter der Brücke fand sie den Kunstdozenten.

Bewegungslos lag er auf dem Rücken, umspült vom eiskalten Bach, dessen Wasser Pippa bis zu den Waden reichte. Sie spürte nichts von der schneidenden Kälte, durch den Schock waren alle Empfindungen wie ausgeschaltet.

Sie beugte sich zu Achleitner hinunter und packte ihn unter den Achseln. Nur am Rande nahm sie wahr, dass dabei ihr Handy aus der Jackentasche glitt, auf einem Felsen zersplitterte und im Wasser verschwand.

Ächzend zerrte sie den Kunstdozenten aus dem Bach. Das Blut aus seiner Kopfwunde färbte ihre Jacke rot. Am Ufer legte sie den leblosen Körper behutsam ins Gras, und der Kopf fiel zur Seite. Ihre Hilfe kam zu spät.

Heribert Achleitner war tot.

Verzweifelt schaute Pippa sich nach Unterstützung um, als sie an der Brücke einen Schatten wahrnahm und das Knacken zertretener Zweige hörte. Entsetzt ging ihr auf, dass auch sie sich in Gefahr befand.

War Lenzbauer zurückgekehrt, um doch noch nach seinem Opfer zu sehen? Oder es zu verstecken? Was, wenn er sie entdeckte?

Für Achleitner konnte sie nichts mehr tun. Aber sie konnte sich selbst zu retten versuchen, also lief sie gebückt am Ufer entlang, bis sie sich weit genug von der Brücke entfernt glaubte, um ungesehen die steile Uferböschung auf allen vieren hinaufkriechen zu können. Voller Panik und schwer atmend stolperte sie in ihren nassen Schuhen über den Waldboden, immer wieder schlitternd und strauchelnd. Das Pfeifen des Windes übertönte alle anderen Geräusche – auch die eines eventuellen Verfolgers. Sie vergeudete keine wertvolle Zeit damit, sich umzusehen, sondern hastete weiter den Hügel hoch.

Endlich aus dem Dunkel der Klamm heraus, musste sie sich kurz orientieren und erkannte, dass sie unterhalb der Akademie Sinnenschmaus aus dem Wald getreten war; die Straße zur Burg nur noch einen Katzensprung entfernt.

Pippas Lunge brannte, als sie quer über die Wiese zur Straße lief. Ein Impuls ließ sie den Weg zu ihrer Freundin Karin einschlagen, denn Maxi Frühwirts Haus lag ganz in der Nähe. Seeger zu alarmieren würde zu viel Zeit kosten, zumal der vermutlich bei Ricarda im Burghotel übernachtet hatte.

Die Straße war menschenleer. Obwohl seit Achleitners Todessturz eine Ewigkeit vergangen schien, war es noch nicht einmal sieben Uhr. Als sie die großen Klapotetze in Maxi Frühwirts Garten sah, die sich scharf gegen den Morgenhimmel abzeichneten, entschied sie sich, nicht erst an der Tür zu klingeln. Für umständliche Erklärungen war keine Zeit, an erster Stelle standen jetzt Sicherheit und schnelle Hilfe.

Pippa rannte um das Haus herum in den Garten und löste mit zittrigen Händen die Verriegelung des ersten Klapotetz. Der Wind versetzte das Rad sofort in schnellsten Lauf. Die Holzkonstruktion schwankte unter der geballten Kraft, die an ihr zerrte, und schickte ratternde, klappernde Laute in die morgendliche Stille.

Eine nach der anderen kamen die Riesenklappern in Bewegung, immer lauter, immer rauer lärmten sie. Wild und unbändig klang es durch Plutzerkogel und weit ins Tal bis nach Deutschlandsberg hinunter. Als Pippa den letzten Klapotetz entriegelte, war der Rabatz kaum auszuhalten – aber in Pippas Ohren klang jede einzelne Umdrehung nach Rettung und Hilfe, nach Abgeben von Verantwortung.

Völlig erschöpft glitt sie mit dem Rücken am Mast hinunter ins Gras, vergrub ihr Gesicht in den Händen und begann hemmungslos zu weinen.

❦ *Kapitel 31* ❦

as ist passiert? Warum bist du so nass?«
Pippa hörte Karins Stimme aus weiter Ferne, obwohl die Freundin vor ihr kniete. Unfähig zu antworten, schüttelte sie den Kopf. Sie fühlte sich, als hätte man eine Glocke aus Milchglas über sie gestülpt, die sie für alles, was um sie herum passierte, unerreichbar machte.

Nur aus dem Augenwinkel und ohne einzelne Personen wirklich zu erkennen, bemerkte sie, dass der Garten sich mit Menschen füllte, die Maxi Frühwirt umringten. Sie wollten wissen, warum die Klapotetze vor dem erlaubten Julitag knatterten, oder beschwerten sich schlicht über den Lärm. Aber Maxi wehrte alle ab und kniete sich dann neben Karin ins nasse Gras.

Sie möchte wissen, warum ich die Klapotetze entriegelt habe, dachte Pippa, aber was hätte ich denn sonst tun sollen? Um Hilfe schreien? Das haben die Riesenklappern an meiner Stelle viel besser erledigt.

Langsam kehrte ihre Wahrnehmung zurück. Die Direktorin stand mit ihrem Sekretär und Giorgio Gallastroni sowie Margit Unterweger und Renate Lipp zusammen, die einen selig krähenden Lukas auf dem Arm trug, der seine Ärmchen nach den Windrädern ausstreckte. Auch die Dozenten schienen beinahe vollzählig versammelt zu sein, außerdem halb Plutzerkogel und viele der Seminarteilnehmer.

Gerade bildete sich eine Gasse, durch die Paul-Friedrich und Ricarda gestürmt kamen.

Eine Welle der Erleichterung durchströmte Pippa, als sie Seeger sah.

Er musterte sie besorgt und fragte: »Was ist das denn hier für ein Irrenhaus?«

Karin stand auf, und Pippa registrierte, dass die Freundin das Kommando übernahm. »Sorgst du bitte erst einmal dafür, dass dieser infernalische Lärm aufhört?«, bat sie Seeger. »Ich hole Pippa etwas Trockenes zum Anziehen.«

Dann bahnte sie sich energisch den Weg durch die debattierenden Leute zum Haus, während Paul-Friedrich sich umblickte und rief: »Wir müssen diese verdammten Klapperdinger abstellen!«

Falko Schumacher, Axel von Meinrad und Maxi Frühwirt schwärmten sofort aus. Seeger drehte sich noch einmal um die eigene Achse, um weitere Helfer zu rekrutieren. »Wir sind für jede helfende Hand dankbar!«

Tobias Jauck folgte den anderen zögernd tiefer in den Garten hinein, aber Tonio von Pauritz musterte erst seine blendend weißen Sportschuhe, dann den taufeuchten Rasen – und entschied sich gegen eine aktive Mithilfe.

Ein plötzliches Aufblitzen erregte Pippas Aufmerksamkeit. Sie reckte den Kopf und wurde von der Reflexion der Sonne auf einem metallischen Gegenstand geblendet.

Genau wie eben auf der Brücke, dachte Pippa und kniff die Augen zusammen, um besser sehen zu können. Auch hier fing sich das Licht in einer protzigen, goldenen Armbanduhr – an von Meinrads Handgelenk. Der Journalist reckte sich, um über seinem Kopf ein Windrad zu fixieren, so dass die Ärmel seines T-Shirts nach oben rutschten.

Pippa wurde heiß, dann sehr kalt.

Von Meinrad ist der Kapuzenmann!, dachte sie. Er hat zwar die verräterische Jacke ausgezogen, aber er hätte lieber die Uhr ablegen sollen, um nicht von mir erkannt zu werden.

Sie winkte Paul-Friedrich heran und atmete tief durch. Jetzt fügt sich einiges zusammen, dachte sie, bevor sie flüsternd begann, Seeger mitzuteilen, was sie gerade erlebt hatte, und von ihrer aktuellen Erkenntnis bezüglich von Meinrad zu berichten. Der Exkommissar hörte aufmerksam zu, ohne sie zu unterbrechen.

Langsam ebbte das Klappern ab, dann war es plötzlich still. Auch die Menschen im Garten schwiegen. Es schien sich herumgesprochen zu haben, dass Pippa die Klapotetze aktiviert hatte. Alle starrten sie an und warteten auf eine Erklärung.

Was soll ich denn nur zu all den Menschen sagen?, dachte Pippa. Dass sie von Erpressern und Mördern umgeben sind? Dass selbst der Herr Journalist daran beteiligt ist?

Karins Rückkehr gewährte ihr einen Aufschub. Dankbar nahm Pippa das mitgebrachte Handtuch, streifte die nassen Schuhe ab und trocknete sich die Füße. Dann ließ sie sich von Karin aufhelfen und schlüpfte in die bereitstehenden Clogs.

In der Zwischenzeit hatte Seeger sein Handy aus der Tasche gezogen. »Ich rufe Fuchshofer an. Er muss alles sofort erfahren.«

Er wählte die Nummer des Chefinspektors, stellte das Gerät auf Lautsprecher und regelte die Lautstärke herunter, damit außer ihnen niemand mithören konnte, was der Ermittler sagte. Nach ein paar erklärenden Worten an Fuchshofer nickte Paul-Friedrich Pippa zu, dass sie anfangen könne.

Rasch und in groben Zügen berichtete sie erneut, was sie an der Brücke erlebt hatte, beäugt von den anderen Leuten, die zwar Abstand hielten, denen aber die Neugier deutlich ins Gesicht geschrieben stand. Aber Pippa ließ sich von nichts und niemandem unterbrechen. Sie schilderte so präzise sie konnte und schloss mit den Worten: »… und jetzt liegt Achleitner tot unter der Brücke!«

»Wo sind Sie gerade? Was ist denn da los?«, fragte Fuchshofer, da die wartenden Menschen im Garten allmählich unruhig wurden und immer eindringlicher nach einer Erklärung für den ruhestörenden Lärm verlangten.

»Unsereins geht schließlich erst spätabends ins Bett«, rief Poldi Pommer gerade. »Ich hätte gerne einen triftigen Grund, warum mein Wecker heute Morgen eine ganze Batterie Riesenklappern war!«

»Ganz genau!«, ertönte eine verärgerte Stimme. »Schließlich gibt es Regeln, wann die Klapotetze sich drehen dürfen! Und die gelten auch für Touristen! Frechheit!«

Als etliche Plutzerkogeler zustimmend murmelten, sagte Paul-Friedrich: »Ich übernehme das.« Er ging einige Schritte auf die Leute zu und hob beschwichtigend die Hände. »Wir möchten Sie um Verzeihung bitten. Es ging um eine Wette. Wissen Sie, meine Frau und ich sind in den Flitterwochen in der Akademie Sinnenschmaus. Sie ist passionierte Langschläferin, ich bin Frühaufsteher. Ich habe ihr leichtsinnigerweise abverlangt, dass sie jeden Tag mit mir zum Frühsport geht, bis sie mich mit etwas wirklich Spektakulärem überrascht – dann darf sie den Rest unseres Ehelebens ausschlafen.« Er warf Pippa eine Kusshand zu. Dann fuhr er lächelnd fort: »Ich habe meine Frau offenbar unterschätzt, denn natürlich habe ich niemals mit einem so lautstarken Einfall gerechnet. Ich weiß nicht, wie Sie alle das sehen, aber ich denke, meine reizende Gattin hat die Wette gewonnen.«

Der Unmut der Umstehenden verwandelte sich in allgemeine Heiterkeit, zu der sich Applaus gesellte, als Paul-Friedrich das schwarze Notizbuch von Axel von Meinrad zückte und rief: »Und da ich ein guter Verlierer bin, darf sich jetzt jeder hier mit seinem Namen und seiner Telefonnummer eintragen, denn ich möchte Wiedergutmachung leisten: Am nächsten Freitag, zum Ende unseres Aufenthaltes hier, spendiere ich allen Leidtragenden ein Glas Schilcherwein bei Poldi Pommer! Sozusagen als Entschädigung fürs frühe Aufstehen und als Anerkennung für den Erfindungsreichtum meiner Frau. Kommen Sie und unterschreiben Sie!«

Paul-Friedrich ging zum Plattenweg am Haus, und die Menge folgte ihm. Er positionierte sich wie ein Türsteher, so dass jeder, der an ihm vorbei den Garten verließ, sich ins Buch eintragen konnte.

»Was machen wir jetzt?«, fragte Pippa ins Telefon.

»Wir geben sofort eine Fahndung nach Lenzbauer raus«, erwiderte Fuchshofer. »Reden Sie, mit wem Sie wollen und so viel Sie können. Ich bleibe in der Leitung und lausche heimlich mit. Und: Ab jetzt entscheide ich, wo es langgeht. Hören Sie mir genau zu …«

Während der Chefinspektor seinen Plan erläuterte, sah Pippa, dass Seeger überraschende Hilfe bekommen hatte: Falko Schumacher und Axel von Meinrad standen neben ihm und regelten, dass die Leute eine Schlange bildeten und nicht gleich zu mehreren auf den Exkommissar einstürmten. Langsam, aber sicher leerte sich so der Garten.

Als Margit und Renate sich den anderen anschließen wollten, gingen Pippa und Karin zu ihnen hinüber, um sie aufzuhalten.

»Gut, dass du die beiden zu dir geholt hast, Margit«, sagte Pippa, Paul-Friedrichs Smartphone wie zufällig in der Hand.

Margit schüttelte den Kopf. »Dazu kam es gar nicht. Als ich gestern wieder zu ihnen aufbrechen wollte, standen sie plötzlich vor meiner Tür.« Da der kleine Junge sich zappelnd im Arm seiner Mutter wand und quengelnd auf die Klappern zeigte, nahm Margit ihn ihr ab. »Ich glaube, der kleine

Mann will unbedingt noch einmal die Krachmacher anfassen.«

Sie sahen ihr nach, wie sie mit dem vor Freude quietschenden Lukas auf die Klapotetze zuging.

»Ich wäre auch nicht gern allein in meinem Haus geblieben«, sagte Pippa. Als Renate sich mit gesenktem Blick auf die Unterlippe biss, fügte sie hinzu: »Ich weiß jetzt, wozu Martin Lenzbauer in seinem Jähzorn fähig ist. Ja, ich hätte an Ihrer Stelle auch eine Heidenangst vor ihm.«

»Ach ja? Was wissen Sie denn schon!«, fauchte Renate Lipp.

»Ich weiß einiges. Zum Beispiel, dass er heute Morgen noch einen Menschen getötet hat: Heribert Achleitner.«

Renate Lipp schlug entsetzt die Hand vor den Mund. Dann sagte sie langsam: »Als ich gestern erfuhr, dass Jasmin tot ist, da habe ich eins und eins zusammengezählt ...«

»Und jetzt ist tatsächlich zwei daraus geworden«, warf Karin ein.

»Deshalb müssen wir unbedingt wissen, wo Lenzbauer sich versteckt hält«, fügte Pippa hinzu. »Wo ist sein Unterschlupf? Die Polizei muss ihn dingfest machen, Renate. Es darf nicht noch mehr Unheil geschehen.«

Verzweifelt blickte Renate Lipp zu ihrem Sohn hinüber, der von Margit hochgehalten wurde, damit er nach den Klöppeln eines Klapotetz' greifen konnte. »Ich wollte das alles nicht«, murmelte sie dann. »Nicht so.«

»Ach? Wie denn dann?« Karins Stimme war eisig.

»Ich will einfach nicht nach Slowenien!«, erwiderte Renate Lipp. »Ist das denn so schwer zu verstehen? Deutschlandsberg ist schon nicht der Nabel der Welt – aber hier kenne ich immerhin alle und fühle mich wohl. Aber Podčetrtek? Das ist meilenweit entfernt von allem, was mir wichtig ist.«

Karin nickte grimmig. »Und weil Bernhard so störrisch

war, haben Sie sich mal eben mit Lenzbauer gegen ihn verbündet.«

»Aber so war das doch gar nicht!«, begehrte Renate Lipp verzweifelt auf. »Ich wollte von Anfang an auch, dass es Bernhard gutgeht. Ich wollte ihm einen Anreiz bieten, damit er hierbleiben will. Eine Position, die für ihn attraktiver ist als eine Stelle in dem neuen Werk in Podčetrtek.« Sie fasste Pippa am Arm. »Bitte, ihr müsst mir glauben. Bernhard hat mal gesagt: Das Einzige, was ihm noch besser gefallen würde, wäre Arbeit in der Akademie Sinnenschmaus.«

»Das war der Grund?«, fragte Pippa entgeistert. »Bernhard sollte an die Spitze der Akademie?«

»Aber versteht doch«, sagte Renate Lipp drängend. »Bernhard liebt die Akademie! Das würde ihm wirklich Spaß machen: Direktor der Akademie Sinnenschmaus. Das könnte er. Da gehört er hin. Er ist ja selbst so etwas wie ein Künstler.«

Pippa verzog den Mund. »Nur dumm, dass es noch weitere Interessenten gibt, die es auf diesen attraktiven Posten abgesehen haben.« Sie nahm ihre Finger zu Hilfe und zählte auf: »Da wären Martin Lenzbauer und Heribert Achleitner, aber Letzterer ist ja bereits ausgeschaltet. Ach so – und Falko Schumacher natürlich ...«

»Der nicht.« Renate Lipp schüttelte den Kopf. »Falko will die Akademie nur *besitzen*, um mit ihr Geld zu verdienen. An der Leitung ist er nicht interessiert.« Sie biss sich ärgerlich auf die Unterlippe, als sie merkte, dass sie sich mit dieser Information von Pippa in die Falle hatte locken lassen.

»Dachte ich's mir doch.« Pippa nickte zufrieden. »Der Herr Schumacher will seinen Anteil am Familienhotel einsetzen und von seinen lästigen Brüdern unabhängig werden, indem er sich eine steirische Goldgrube unter den Nagel reißt.«

Renate Lipp verschränkte die Arme vor der Brust. »Was bitte ist falsch daran? Er weiß, wie man so etwas anfängt. Und Bernhard ist genau der Richtige, um ihm dabei zu helfen, die Akademie Sinnenschmaus europaweit bekanntzumachen. Da vereinigen sich zwei Kompetenzen.«

»Völlig nebensächlich, dass diese Position derzeit noch von jemand anderem besetzt ist, oder?« Pippa schnaubte. »Von jemandem, der da erst wegmüsste?«

Karin übernahm Renates Rolle und antwortete betont unschuldig: »Aber meine Liebe, das ist doch kein Hinderungsgrund, dann hilft man eben ein wenig nach. Zuerst treibt man einen Keil zwischen so gute Freunde wie die Unterwegers und Bernhard. Und dann verfasst man eklige, schmierige, widerliche, abstoßende Erpresserbriefe, um den Preis des Objekts der Begierde so lange zu drücken, bis einem die Gebäude und das gesamte Akademiekonzept wie reife Früchte in den Schoß fallen.«

Renate Lipp hob abwehrend die Hände. »Mit den Briefen habe ich absolut nichts zu tun. Das waren Martin und Heribert.«

»Heribert Achleitner war an den Erpresserbriefen beteiligt?«, fragte Pippa erstaunt.

»Ja klar, darüber haben die beiden sich so in die Wolle gekriegt, dass Heribert tagelang mit einem verbeulten Gesicht herumlief«, antwortete Renate Lipp.

»Lenzbauer hat Achleitner wegen der Briefe eins auf die Zwölf gegeben?«, wollte Karin wissen.

Renate Lipp nickte. »Die Briefe entstanden in Arbeitsteilung. Martin hat die Informationen geliefert, Heribert war für den Text zuständig und hat sie verteilt. Blöderweise hat Heribert jeder Nachricht schnörkeliges Beiwerk hinzugefügt, lauter alberne keltische Zeichen. Als Martin das sah, ist er ausgeflippt, und wie. Zuerst dachte ich, er sorgt sich, dass man den Briefen so den künstlerischen Stempel Achleitners ansehen könnte, aber mittlerweile …« Sie brach ab.

»Mittlerweile ist klar, dass er befürchtete, jemand könnte eine Verbindung zwischen den Symbolen und den Amuletten seiner Frau und seines Schwagers – und damit zu ihm selbst herstellen«, vervollständigte Pippa den Satz. »Der Mörder hatte Angst vor einer Gedankenkette, die bis zu diesem Zeitpunkt niemand außer ihm selber schließen konnte.« Sie musterte die sichtlich betroffene Renate Lipp und fügte hinzu: »Wo ist Lenzbauer? Wo hat er sich die ganze Zeit versteckt gehalten?«

»Bei mir auf dem Dachboden«, murmelte Renate Lipp.

Aus Sorge, der lauschende Fuchshofer könnte das nicht verstanden haben, sagte Pippa: »Sagen Sie das noch mal, Frau Lipp!«

»Auf meinem Dachboden, verdammt«, wiederholte Renate Lipp deutlich lauter.

Aus dem Smartphone drang ein Pfiff, der sie zusammenzucken ließ. Dann hörten sie Fuchshofers Stimme. »Gut gemacht, Kollegin. Machen Sie ruhig weiter meine Arbeit, dann kann ich mir noch ein wenig Zeit lassen mit meinem Eintreffen.«

»Auf Ihrem Dachboden? Wirklich?«, sagte Pippa zu Renate Lipp, die fassungslos das Handy anstarrte. »Das war aber leichtsinnig. Gerade an dem Tag, als dieser Presseauflauf vor Ihrem Haus …« Sie verstummte, weil ihr ein Licht aufging. »Das ist der Grund, warum von Meinrad zu eurer sauberen Truppe gehört, richtig? Er hat die Wahrheit herausgefunden. Natürlich kommt so ein Mensch wie er nicht auf die Idee, euch aufzuhalten, o nein. Ganz im Gegenteil: Er wollte sich sofort ein schönes Stück vom fetten Speck abschneiden, richtig?«

Während sie redete, blickte sie unauffällig zum Gartentor: Noch immer standen der Journalist und der Hotelier neben Seeger und gaben die eifrigen Helfer. Gerade verabschiedeten sich die letzten Gartenbesucher.

Typisch für Täter, dachte Pippa, immer schön in der Nähe der Ermittlungen aufhalten, um den Stand der Dinge aus erster Hand mitzukriegen.

»Erpresser, die sich gegenseitig erpressen.« Karin verzog geringschätzig den Mund. »Sympathisches Völkchen. Von Meinrad hat sich also mit seinem Wissen in die Runde gedrängt. Ist doch schön, wenn Freundschaft auf gegenseitigem Vertrauen basiert.«

»Frau Lipp, Sie gehen bitte ins Haus, und zwar ohne mit Ihren Komplizen weiteren Kontakt aufzunehmen«, erklang es aus dem Telefon, »jedenfalls sollten Sie das tun, wenn Sie aus dieser Sache halbwegs glimpflich herauskommen wollen. Und nehmen Sie Ihren kleinen Sohn, Frau Unterweger und Frau Frühwirt mit, damit die beiden Damen später bezeugen können, dass Sie sich an meine Anweisungen gehalten haben.«

Renate Lipp warf einen wütenden Blick auf das Telefon, dann wandte sie sich abrupt ab und winkte Margit mit dem kleinen Lukas sowie Maxi Frühwirt zu sich. Gemeinsam verschwanden sie über die Terrasse ins Haus, Renate hocherhobenen Hauptes.

»Sie sind weg, Herr Chefinspektor«, sagte Pippa.

Fuchshofer lachte. »Dann werde ich die Leere mal mit meiner Person füllen. Ende und aus.« Er unterbrach die Leitung.

Während Pippa das Smartphone einsteckte, sah sie, dass von Meinrad und Schumacher sich verabschieden wollten, daran aber von einem wie aus dem Nichts auftauchenden Chefinspektor gehindert wurden.

»Sie müssen unbedingt bleiben, Herr von Meinrad, und

Sie auch, Herr Schumacher«, sagte Fuchshofer leutselig, während er und Seeger den widerstrebenden Journalisten und seinen Komplizen zurück in den Garten eskortierten. »Wir können jede Hilfe gebrauchen, die wir kriegen können. Aufklärung ist immer eine heikle Sache. Da bin ich für jede Unterstützung dankbar.«

Der Ermittler sah zu den Klapotetzen hinüber, bei denen noch einige Dozenten und Gäste der Akademie Sinnenschmaus zusammenstanden, und rief: »Kommen Sie bitte hierher zu mir auf die Terrasse, meine Herrschaften, und stellen sich um mich herum auf!« Er wartete, bis sich ein Kreis gebildet hatte, dann drehte er sich langsam um sich selbst und fuhr fort: »Also, wen haben wir da alles? Da sind der geschätzte Kollege Seeger und seine reizende Gattin Pippa, die Frau Direktor ... meine Verehrung, gnädige Frau ... und da sehe ich den feinen Herrn Sekretär ... lange nicht gesehen, Anton ...« Er blickte Karin an. »Hier haben wir ein überlebendes Opfer, daneben das Ehepaar Jauck ...«

Karin beugte sich zu ihm und klärte ihn leise darüber auf, was es mit Livia Riegler und Tobias Jauck auf sich hatte.

Fuchshofer grinste. »Von mir aus auch so ... ah, der Herr Parfümeur und die beiden Flirtlehrer ... und natürlich der rührige Herr Sensationsjournalist ...«

Valentin Baumgartners Auftauchen, der außer Atem in den Garten gerannt kam, unterbrach ihn nur kurz, dann sagte der Chefinspektor: »Gesellen Sie sich doch zu uns, werter Herr Konditionsinstrukteur.« Väterlich lächelnd blickte er in die Runde. »Wunderbar, damit habe ich erst einmal alle genannt, die ich bereits einzuschätzen weiß.«

Aber was ist mit Falko Schumacher?, dachte Pippa. Er hat ihn ausgelassen.

Ein Blick von Fuchshofer, und ihr wurde klar, was der

Chefinspektor damit sagen wollte. Rasch unterdrückte sie den entsprechenden Hinweis, den sie hatte geben wollen.

Der Chefinspektor rieb sich die Hände. »Meine Herrschaften, ich muss schon sagen: Sie machen mir Freude. Nicht nur, dass Sie während der polizeilich völlig unterbesetzten Urlaubszeit eine Leiche nach der anderen finden und sich Liebesbriefe der besonderen Art zustecken lassen, Sie geben mir auch zum ersten Mal in meinem Leben die Möglichkeit, wie Hercule Poirot am Schluss alle Beteiligten um mich zu versammeln und die Lösung zu präsentieren.«

Auf den Gesichtern der Umstehenden zeigte sich mal Neugier, mal Unverständnis. Axel von Meinrad gab sich demonstrativ gelangweilt. »Ja, kennen wir denn die Lösung?«, fragte Karin.

»Niemand von Ihnen hat bisher gefrühstückt, und Hunger macht nervös. Ich bin sehr zuversichtlich, dass wir innerhalb der nächsten halben Stunde zu einem Ergebnis kommen werden.« Fuchshofer wandte sich an Paul-Friedrich und fügte hinzu: »Kollege Seeger, übernehmen Sie. Wir müssen nur noch einen Komplizen sicher überführen. Das ist doch eine überschaubare Zahl, das sollten wir schaffen.« Er begann, außen um den Kreis herumzugehen und von Zeit zu Zeit hinter jemandem stehenzubleiben, um aufmerksam dessen Schuhe zu mustern.

Karin konnte sich nicht verkneifen, leise »Es tanzt ein Bi-Ba-Butzemann um unsern Kreis herum ...« vor sich hin zu singen.

Paul-Friedrich verkündete mit fester Stimme: »Ich fasse mich kurz. Es war nicht schwierig, herauszufinden, dass Heribert Achleitner seine regelmäßigen Urlaube an der Nordsee meist in Ihrem Hotel verbrachte, Herr Schumacher.« Falko Schumachers Gesicht blieb ausdruckslos, und Seeger fuhr fort: »Er hat Ihnen von der Akademie Sinnenschmaus erzählt, und der sowohl mit seiner Position als auch mit seinem Lohn unzufriedene Martin Lenzbauer hat dazu seine Expertise eingebracht, wie und zu welchem Zeitpunkt man das Haus am besten diskreditieren und damit seinen Erwerb verbilligen kann: Fertig war das Verbrecher-Trio.«

»Ich muss doch sehr bitten«, erwiderte Schumacher. »Als hätte ich es nötig, auf diese erbärmliche Weise an ein Objekt zu kommen.«

Paul-Friedrich nickte nachdenklich. »Ja, Sie selbst haben sich nicht die Finger schmutzig gemacht, dafür hatten Sie andere. Tatsächlich könnten Sie sogar ungeschoren davonkommen, wenn wir Ihre direkte Beteiligung nicht nachweisen können.«

Chefinspektor Fuchshofer blieb stehen und kratzte sich am Kopf. »Und das dürfte nicht so einfach sein. Meine Schuhkontrolle hat nicht das erhoffte Ergebnis erbracht.«

Alle außer Schumacher, über dessen Gesicht ein triumphierendes Grinsen huschte, sahen auf ihre Schuhe hinunter.

Ich bin mir sicher, es hat mich jemand verfolgt, dachte Pippa, und derjenige muss nasse Schuhe haben, genau wie ich. Selbst wenn er mir nicht bis hierher nachgelaufen ist – wann hätte er seine Schuhe wechseln sollen? Kein Wunder, dass Schumacher und von Meinrad so bereitwillig bei den Klapotetzen geholfen haben. Durch das taunasse Gras haben jetzt alle Helfer feuchte Schuhe. Sehr clever.

»Was ist mit den Fingerabdrücken?«, fragte sie, an Seeger gewandt. »Hast du herausfinden können, wer aus unserem Badezimmerfenster gestiegen ist und dabei das Notizbuch verloren hat?«

Paul-Friedrich schüttelte den Kopf. »Bisher nicht. Ich habe keine gefunden, die mit dem Daumenabdruck übereinstimmen. Aber alle Anwesenden haben mit meinem Stift im Buch

402

unterschrieben. Könnte gut sein, dass der Ausbrecher dabei ist.«

»Kann man denn da noch was erkennen, wenn den so viele Leute angefasst haben?«, fragte Livia.

Fuchshofer wiegte den Kopf, wie um die Frage zu erwägen. »Guter Einwand, junge Frau. Eigentlich müssten alle Anwesenden noch einmal welche abgeben. Aber wie lange würde das dauern? Heute ist Freitag, da halst man sich so etwas ja nicht auf, man will ja schließlich ins Wochenende. Nein, uns muss etwas anderes einfallen.« Er deutete auf Pippa. »Frau Bolle, Sie gelten doch als so etwas wie eine Hobbydetektivin. Sagen Sie uns professionellen Ermittlern doch mal, was Sie tun würden.«

Aller Augen richteten sich auf Pippa, deren Kehle schlagartig trocken wurde. Dies war der Moment, den Fuchshofer mit ihr besprochen hatte, jetzt kam ihr Einsatz.

Aus dem Augenwinkel sah sie, wie Paul-Friedrich einen Schritt zurücktrat und außerhalb des Kreises zu Falko Schumacher schlich – genau wie Fuchshofer, der sich aus der entgegengesetzten Richtung näherte. Pippas Blick kreuzte sich mit dem Schumachers, der sie abwartend und spöttisch fixierte – das verabredete Ablenkungsmanöver funktionierte.

»Ich würde die Fingerabdrücke des uns noch unbekannten Komplizen von etwas abnehmen, was unserer Erkenntnis nach in seinem Besitz ist, da er es zu einem konspirativen Treffen mitbringen sollte. Ich bin sicher, er trägt es jetzt bei sich«, sagte Pippa. »Er wollte es heute zum Einsatz bringen, aber die aktuellen Ereignisse haben ihn daran gehindert. Die Klapotetze schlugen zu laut Alarm, da musste er sehen, was vor sich geht. Musste feststellen, ob er erkannt und entdeckt worden ist.«

In der Runde war es still geworden, und man musterte sich gegenseitig.

Als der Exkommissar und der Chefinspektor Falko Schumacher fast erreicht hatten, fuhr Pippa mit erhobener Stimme fort: »Wir brauchen etwas, worauf Fingerabdrücke besonders gut zu erkennen sind. So etwas wie Glas. So etwas wie einen Parfümflakon.«

Falko Schumacher erstarrte kurz, dann ging alles sehr schnell. Er fuhr hastig herum und erkannte, dass der Fluchtweg durch den Garten von den Polizisten blockiert wurde. Blitzschnell drehte er sich wieder um und versuchte, den Kreis durch das Zentrum zu durchbrechen. Geschickt stellte Karin ihm ein Bein, und geistesgegenwärtig packte Valentin Baumgartner den Strauchelnden, rang ihn zu Boden, kniete sich auf Schumachers Rücken und drückte dessen Kopf nach unten. Keine Sekunde später ließ Seeger seine Reisehandschellen um Schumachers Handgelenke klicken, dann drehten er und Baumgartner den Mann auf den Rücken.

Schumacher wehrte sich nicht, sondern blieb still liegen. Ein betäubender Duft nach Parfüm breitete sich in der Morgenluft aus, in seiner Intensität beinahe unerträglich.

»Die Duftspur weist uns den Weg zum Flakon«, sagte Fuchshofer und deutete auf den feuchten Fleck an Schumachers Hosentasche.

»Das ist mein *Spitzenreiter*«, sagte Valentin Baumgartner erstaunt. »Du hast mein Parfüm? Dann hast du auch die drei anderen Flaschen verwendet – gegen uns alle, du Mistkerl.«

Aufreizend langsam streifte Fuchshofer sich Latexhandschuhe über und zog das Fläschchen mit spitzen Fingern aus der Hosentasche. Der Glasstopfen hatte sich im Kampf gelöst. Nun fiel er klirrend auf die Terrassenplatten und zersprang.

»Der Verschluss muss überarbeitet werden. Die Flakons sollten es aushalten, wenn sie uns einmal aus den Händen gleiten, sonst verschwendet man das schöne Parfüm«, merkte Gallastroni an und verzog gleich darauf die Nase. »Der Geruch ist ja nicht auszuhalten«, sagte er und schüttelte sich. »*Spitzenreiter* ist eine meiner besten Kreationen. Es beinhaltet alles, was Valentin Baumgartner ausmacht: unbändige Energie, Ehrlichkeit, Hingabe, aber auch Verzicht zugunsten anderer, sollte das nötig sein. Ja, bei Valentin duftet das Parfüm nach einem guten Charakter. Bei Falko Schumacher stinkt's.«

Epilog

»Meine Güte, hier ist ja schon richtig Stimmung. Ich fürchte, das wird nicht billig.« Paul-Friedrich blickte halb amüsiert, halb verzweifelt über die dicht an dicht sitzenden Menschen im Gastgarten von Poldi Pommers Buschenschank. »Die waren doch niemals alle in Maxis Garten! Niemals.«

Pippa hakte sich bei ihm ein und grinste. »Dein Versprechen auf Wiedergutmachung wird sich herumgesprochen haben. Hättest du mal bloß eine Kopie von der Liste mit den Anwesenden gemacht, wie ich dir geraten habe. Aber nein, du überlässt von Meinrads Notizbuch einfach so der Polizei.«

»Beweisstück 162«, murmelte Paul-Friedrich knurrend.

»Genau das Indiz, das dein Portemonnaie jetzt entscheidend entlasten könnte.« Ricarda grinste spitzbübisch. »Aber ohne Beweis trifft dich eben die ganze Härte des ehernen Gesetzes: ›Was man versprochen hat, muss man auch halten.‹«

Sie blickten hinüber zu einem vollbesetzten Tisch, an dem laut gelacht wurde.

»Schön, wenn alle bestens gelaunt sind.« Paul-Friedrich seufzte theatralisch. »Ja, auf Kosten anderer lässt sich's gut lustig sein.«

Zufrieden blickte Pippa sich um. »Wie schön, endlich friedlich zusammenzusitzen und zu feiern, dass sich die dunklen Wolken über der Akademie Sinnenschmaus verzogen haben.«

Unter der großen Kastanie hatten sich an einem langen, blankgescheuerten Holztisch alle zusammengefunden, die sie in den letzten zwei Wochen kennen- und schätzen gelernt hatte: die Lambertis, die Schultzes, Maxi Frühwirt und Karsten Knöller sowie ein Teil der Dozenten, Jovan Glantschnig, Sonja Öttinger – und natürlich Morris.

In diesem Moment entdeckte Karin die Neuankömmlinge und winkte. »Hier! Hier sind wir! Wir haben Plätze für euch freigehalten!«

Pippa winkte zurück und zog Paul-Friedrich und Ricarda mit sich. Bevor sie den Tisch erreicht hatten, blieb sie noch einmal stehen. »Karin und die Lambertis wissen ja Bescheid, aber wollen wir heute Abend nicht auch den anderen sagen, dass wir gar nicht verheiratet sind, Paul-Friedrich?«

»Wie bitte? Soll ich mir etwa die Bewunderung dafür entgehen lassen, wie viel ich in meine Ehe investiere? Kommt nicht in Frage.«

Am Tisch wurden sie mit großem Hallo begrüßt.

»Na, alles erledigt?«, fragte Jodokus Lamberti neugierig, als sie sich gesetzt hatten. »Wie war das finale Treffen mit der österreichischen Polizei?«

»Final war es nicht«, erwiderte Pippa. »Nachdem wir die letzten Tage damit verbracht haben, gemeinsam die letzten noch offenen Fragen zu klären, sind wir zu sehr aneinander gewöhnt. Unser Freund Fuchshofer kommt nachher auf einen Sprung vorbei, um sich von uns allen zu verabschieden.«

»Er bringt seine neue Schrammelharmonika mit«, fügte Ricarda hinzu.

»Seine was?«, fragte Waldemar Schultze.

»Begriff für eine steirische Ziehharmonika mit achtzehn Buchstaben«, antwortete Amelia Dauber. »Sie würden nicht glauben, wie viele sinnverwandte Worte für diese Art von

Instrument das Kreuzworträtsel kennt. Der Rater im Optimalfall natürlich auch.«

Oliver Mieglitz schloss konzentriert die Augen und zählte auf: »Zugorgel, Knöpferlharmonika, Steirische, Harmonika, Ziachorgel, Zugin, Quetschn, Wanznpress, Faltenradio, Quetschkommode oder Heimatluftkompressor.« Auf den tosenden Applaus der Umsitzenden hin erhob er sich halb und deutete eine Verbeugung an. »Vielen Dank. Tatsächlich alles Synonyme für die Ziehharmonika, die in Ratespielen vorkommen können. Ich sammle solche Begriffe für meinen Rätselclub und verteile die Listen dann über unseren Newsletter an meine Kollegen.«

Amelia Dauber nickte. »Sogar in meinem Altenheim beziehen den einige. Sie lernen die Liste dann brav auswendig, und ich muss sie abhören. Immer und immer wieder. Ein gutes Training gegen Vergesslichkeit – jedenfalls für mich.«

Oliver Mieglitz schien hin und her gerissen. Konnte er das als Kompliment für seine akribische Arbeit werten, oder schuf er durch diese Vorarbeit für Rätsellaien wie Amelia die Chance, im Turnier locker an ihm vorbeizuziehen?

»Geben Sie beide uns bitte eine kleine Kostprobe Ihres Könnens«, bat Ilsebill.

Waldemar rieb sich die Hände. »Das wäre ein tolles Aufwärmprogramm, bis wir vollzählig sind und mit der Siegerehrung loslegen können.«

Gemeinsam mit Jodokus übernahm er die Organisation: Sie orderten Schilcher und Liptauerbrot für alle. Während Poldi Pommer und sein Sondereinsatzkommando, bestehend aus Beppo Sonnbichler und Josefa, das Gewünschte servierten, bauten Morris und Karl Heinz aus Holzpodesten eine kleine provisorische Bühne zusammen.

Schön, dass alle hier sind, um zu helfen und mitzufeiern, dachte Pippa, sogar Margit hat ihr Lächeln wiedergefunden.

Sie entdeckte Naomi, die mit ihrem Tonio nicht nur Händchen hielt, sondern den Sekretär auch sonst gut im Griff zu haben schien, denn gerade orderte sie: »Geh mal und hol für Mama Schilchersekt, den mag sie lieber als den Wein. Mir kannst du Traubensaft mitbringen.«

Der junge Akademiesekretär wieselte beflissen los, aber Pippa konnte sich des Eindrucks nicht erwehren, dass er die Variante des Verliebtseins, bei der er nach der Pfeife der Herzensdame tanzen musste, einigermaßen anstrengend fand. Offenbar hatte er ihren amüsierten Blick aufgeschnappt, denn als er an ihr vorbeikam, sagte er: »Ich schaffe das. Diesmal halte ich durch. Diesmal will ich was aus mir machen.«

»Sieht aus, als würde Naomi Ihnen keine andere Wahl lassen«, erwiderte Pippa trocken.

»Alle aus der Akademie Sinnenschmaus sind da«, raunte Karin Pippa gleich darauf zu, »nur Livia und Tobias nicht.«

Ricarda hatte Karins Worte gehört. »Die sind gestern Nachmittag schon abgereist. Ich bleibe noch bis Sonntag. Das gibt meinem Mann die Möglichkeit, sich aus dem Haus zu holen, was er braucht.«

»Was er braucht oder was ihm gehört?«, wollte Karin prompt wissen.

Ricarda lächelte. »Das bleibt ihm überlassen. Soll er nehmen, was er will. Ich werde nichts davon vermissen.«

»Ihn auch nicht?«, fragte Pippa leise.

Ricarda zuckte mit den Schultern. »Wir sind seit zehn Jahren verheiratet. Um ehrlich zu sein: Ich bereue es seit neun. Heute kann ich nicht mehr verstehen, warum ich damals einen deutlich jüngeren Mann wollte, der sich immer darauf verlässt, dass ich alles für ihn regle.«

»Meine Rede.« Karin hob ihr Glas. »Lieber einen gestandenen Mann, als den Rest des Lebens Windeln wechseln.«

»Es kann losgehen!«, rief Ilsebill, denn mittlerweile hatten Amelia Dauber und Oliver Mieglitz auf der Bühne Aufstellung genommen.

»Was wird denn in den Rätselheften besonders oft abgefragt?«, fragte sie die beiden.

»Die Wörter ja und nein«, erwiderte Mieglitz, »in allen Sprachen.« Waldemar winkte großspurig ab. »Viel zu einfach. Da wüsste ja sogar ich mindestens ... zwei oder drei Antworten.«

»Wie wäre es mit *Katze*?«, rief Pippa über das allgemeine Gelächter hinweg. »Immerhin verdanken wir den Schnurrern die heutige Siegerehrung.«

Da beide Rätselexperten begeistert nickten, wurde Pippas Vorschlag angenommen.

Jodokus Lamberti stellte sich in Positur, nahm einen Schluck des edlen Rosé, als wollte er seine Stimme ölen, und sagte: »Französisch.«

»*Chat*«, erwiderten Amelia und Oliver wie aus einem Mund.

»Englisch!«, rief Jodokus.

»*Cat*!«, kam es wieder unisono von beiden.

Jodokus grinste. »Zu einfach. Italienisch!«

»*Gatto*!«

»Ich kenne das finnische Wort für Katze«, rief Maxi Frühwirt. »Wie steht es mit euch?«

Die Antwort kam ohne das kleinste Zögern: »*Kissa*!«

Jetzt beteiligten sich auch andere und riefen durcheinander in den Raum hinein. Knöller übertönte alle: »Ungarisch!«

Amelia musste passen, aber Mieglitz trompetete triumphierend: »*Macska*!«

»Stimmt das, Karsten?«, fragte Karin.

Knöller, den alle erwartungsvoll ansahen, grinste breit.

»Ich habe nicht den Schimmer einer Ahnung – aber es klang gut.«

Während alle lachten und applaudierten, verbeugte Amelia Dauber sich lächelnd vor Mieglitz, der gerade erst in Fahrt gekommen war und unverdrossen weitermachte: »Auf Albanisch heißt sie *Mace*, auf Norwegisch *Katt*, auf Rumänisch *Pisică*! Und auf Chinesisch: *Māo*!«

»Was? Wie Mao Tse-tung, der große Vorsitzende?«, kreischte Belinda Schultze zur allgemeinen Erheiterung.

Karin wedelte mit der Hand und rief: »Einer unserer Nachbarn kommt aus Äthiopien, deshalb weiß ich, wie Katze auf Amharisch heißt! Na?«

Alle starrten Amelia Dauber und Mieglitz gespannt an, aber beide schüttelten den Kopf.

Aus dem Hintergrund sagte jemand in die Stille: »*Dimet*!«, und ließ dazu einen trompetenartigen Laut auf einer Ziehharmonika erklingen. Chefinspektor Fuchshofer schlängelte sich siegessicher und gutgelaunt zwischen den Tischen hindurch.

»Woher wissen Sie das?«, fragte Karin ihn verblüfft.

»So heißt mein Kater«, erwiderte der Chefinspektor. »Alle Stubentiger, die ich in den vergangenen Jahrzehnten hatte, hießen *Katze* – allerdings auf Amharisch, Hebräisch, Arabisch, Sanskrit …«

Mit erhobenen Armen drehte Fuchshofer sich im Kreis und dankte nickend für den frenetischen Applaus seines Publikums.

»Au weia«, flüsterte Pippa Karin zu, »dieser Mann ist wirklich nach meinem Geschmack. Jetzt hat er auch noch Katzen, und sein Humor liegt genau auf meiner Wellenlänge. Zu meinem angeblichen deutschen Ehemann und meinem heimlichen schottischen Freund gesellt sich gerade eben ein echtes steirisches Idol.«

»Stell dich hinten an«, wisperte Karin zurück. »Vor dir in der Reihe stehen schon Ilsebill, Sarah und ich. Und wenn mich nicht alles täuscht, findet sogar Belinda seine österreichische Mischung aus Kauz und Mutterwitz unschlagbar. Und zwar nicht für Naomi, sondern für sich selbst.«

Als hätte Fuchshofer die Komplimente der beiden gehört, bat er sie mit einer Handbewegung, für ihn Platz zu machen, und setzte sich zwischen sie.

Karin nutzte die Gelegenheit sofort. »Herr Chefinspektor, ich hätte da mal eine Frage an den Fachmann, der in die dunkle Seele des Verbrechers blicken kann: Wieso war Lenzbauer mit Pippa als Haushüterin einverstanden? Er wusste doch, dass sie in Wirklichkeit als Hobbydetektivin engagiert war, und musste damit rechnen, dass sie letztendlich gegen ihn ermitteln würde.«

Fuchshofer grinste. »Ganz simpel: weil er sich über- und Frau Bolle unterschätzte.«

»Mir hat er nichts zugetraut, das sehe ich auch so«, sagte Pippa. »Indem er mich akzeptierte, konnte er sicher sein, dass Frau Direktor keinen richtigen Privatdetektiv oder sogar die Polizei einschalten würde. Es war sein Pech, dass ich auf Paul-Friedrich bestand und einen echten Fachmann mitbrachte.«

»Ist denn jetzt geklärt, wer in Lenzbauers Haus eingestiegen ist?«, wollte Ilsebill wissen. »Und in welcher Reihenfolge?«

Pippa nickte. »Erst Lenzbauer, dann Schumacher. Tatsächlich hat Falko von Meinrads Notizbuch verloren. Er ist mit Lenzbauers Schlüssel reingekommen, musste aber wie dieser aus dem Badezimmerfenster flüchten. Der Grund war in beiden Fällen derselbe: Wir Haushüter kamen zu früh zurück.«

»Aber was wollte er in eurem Haus?«, fragte Karin. »Was hat er gesucht?«

»Schumacher hat auf Lenzbauers Laptop die verräterische Korrespondenz zwischen ihm und sich gelöscht«, erklärte Paul-Friedrich. »Unser Vermieter hatte dummerweise vergessen, seinen Computer mitzunehmen, als er uns das Haus überließ. Das war Schumacher zu gefährlich.«

»Und dafür geht Schumacher das Risiko ein, sich länger im Haus aufzuhalten? Er hätte sich das Ding doch einfach unter den Arm klemmen und mitnehmen können«, warf Jodokus ein. »Der ist doch sowieso immer mit einem Laptop rumgerannt. Wem wäre schon aufgefallen, dass es ein anderer ist?«

Fuchshofer grinste. »Wenn Frau Bolles Argusaugen schon einen fehlenden roten Regenschirm bemerken, wie viel mehr wäre ein plötzlich verschwundener Computer aufgefallen? Das wollte er nicht riskieren – aber er musste dringend die Scharte auswetzen, die Lenzbauer geschlagen hatte.«

»Spätestens zu diesem Zeitpunkt begriff Schumacher, dass Lenzbauer nicht der Richtige war, seine hochfliegenden Pläne in die Tat umzusetzen, und hielt Renate die Leitung der Akademie Sinnenschmaus für ihren Bernhard wie einen Köder vor die Nase«, ergänzte Paul-Friedrich.

»Falko Schumacher war der Puppenspieler, die anderen seine Marionetten. Die Konstellation sehen wir in unserem Beruf immer wieder«, bestätigte der Chefinspektor. »Das Gespräch an jenem Sonntag, als Jovan Bernhards Brief überbrachte, muss eine einzige Watschn für Lenzbauer gewesen sein. Er sollte ausgebootet werden. Wenn nicht über kurz, so doch ganz bestimmt über lang.«

Ricarda verzog das Gesicht. »Das muss Futter für seinen Jähzorn gewesen sein.«

»Dieser Jähzorn kam uns in den Befragungen zugute. Jedes Mal, wenn er sich bedrängt fühlte, schrie Lenzbauer irgendeine neue Wahrheit hinaus«, erzählte Fuchshofer weiter. »So gab er auch zu, dass er wegen des Schirms im Haus war und durchs Badezimmerfenster geflohen ist, als Frau Bolle überraschend nach Hause kam.«

Pippa seufzte. »Und leider hat der Kater es ihm sofort nachgemacht und mich so für Tage in Angst und Schrecken um ihn versetzt.«

»Ich darf Herrn Lenzbauer zitieren, wenn auch nicht in seiner Lautstärke: ›Es ist mein Haus, da kann ich rein und raus, wann immer ich will – und wie und wo ich will.‹« Fuchshofer faltete zufrieden seine Hände über dem Bauch. »Darauf konnte es nur eine Antwort geben: Deshalb bekommen Sie jetzt vom Staat auch ein neues Zuhause. Und da bestimmen wir, wie und wo Sie wieder rauskommen – und vor allem, wann!«

Alles lachte, aber Belinda Schultze sah Fuchshofer besorgt an. »Was wird denn aus der kleinen Nina? Wer kümmert sich um das arme Mädchen? Die Mutter tot, der Vater im Gefängnis ...«

»Momentan ist sie noch in der Reha«, erwiderte der Chefinspektor, »aber die Chancen stehen nicht schlecht, dass Bernhard Lipp mit seinem Antrag Erfolg hat und sie zu sich nehmen kann.«

Karin schnaubte. »Tatsächlich? Trotz Renate?«

Fuchshofer nickte ernst. »Diese Frau hat verdammtes Glück: Sie hat sich tatsächlich keines anderen Vergehens schuldig gemacht, als Sie alle miteinander an der Nase herumzuführen.«

»Wie bitte?«, rief Karin entrüstet. »Und die Behauptung, ihr Gatte werde vermisst?«

»Sie hat nie eine Vermisstenanzeige aufgegeben, also nie die Hilfe der Polizei oder anderer Behörden in Anspruch genommen.« Fuchshofer zuckte mit den Achseln. »Sie hat lediglich von Meinrad für ihre Zwecke eingespannt.«

»Genau – was ist eigentlich mit dem? Geht von Meinrad auch in den Knast?«, bohrte Karin weiter.

»Wenn es nach seinen sauberen Komplizen ginge, sofort«, antwortete Fuchshofer. »Sie belasten ihn, wo es nur geht. Vermutlich, weil er sie seinerseits zu erpressen versuchte. Die beiden haben zwischenzeitlich sogar behauptet, nur wegen der Erfüllung seiner finanziellen Forderungen zu ihrem Handeln verleitet worden zu sein. Aber sie haben Pech. Von Meinrad wird nichts nachzuweisen sein. Genauso wenig wie Renate Lipp: Sie kann glaubhaft versichern, bis zuletzt nichts von den üblen Machenschaften der anderen gewusst zu haben.«

»Und das sollen wir glauben?«, fragte Jodokus. »Sie wusste ganz bestimmt so einiges, da macht mir keiner was vor! Und als sie ihrem Mann den kleinen Kater wegnahm und bei Lenzbauer versteckte, hat sie sich auch nicht mit Ruhm bekleckert.«

Rund um den Tisch wurde zustimmend gemurmelt, und Valentin Baumgartner warf ein: »Außerdem hatte sie einen Mörder auf ihrem Dachboden versteckt!«

Pippa hob beschwichtigend die Hand. »Sie hat einfach ihrem Schwager Unterschlupf gewährt. Dass er Jasmin umgebracht hatte, wusste sie zu diesem Zeitpunkt nicht.«

Damit gab Baumgartner sich nicht zufrieden. »Aber sie wusste von den Erpresserbriefen. Sie wusste, dass die Akademie Sinnenschmaus durch den Dreck gezogen werden sollte, um schließlich mit ihrem Mann an der Spitze wieder neu zu erblühen. Ist das etwa nicht genug, um sie zu belangen?«

Er sah Margit an, aber die schüttelte den Kopf. »Gertrude, Karl Heinz und ich verzichten auf eine Strafanzeige. Was nutzt uns eine Retourkutsche und den Kindern eine vorbestrafte Mutter, deren Ruf *wir* ruiniert haben? Wer weiß, ob die Lipps Nina dann überhaupt zu sich nehmen dürften.«

»Ganz ungeschoren kommt Renate ohnehin nicht davon«, fügte Karl Heinz hinzu. »In Plutzerkogel und Umgebung kann sie sich für eine ganze Weile nicht mehr blicken lassen. Dafür sorgen schon Aloisia Krois und Thea Wolfgruber.«

»Mittlerweile wird Renate froh sein, dass sie nach Slowenien ziehen *darf*«, sagte Pippa. »So wie ich das sehe, wird Podčetrtek auf lange Zeit ihre neue Heimat sein.«

Ilsebill und Sonja Öttinger tauschten einen Blick. »Die Frage ist doch: Will Bernhard sie überhaupt noch?«, fragte Ilsebill dann.

Margit nickte lächelnd. »Es sieht ganz so aus. Die Brötchen, die Renate jetzt backt, sind so süß und so klein, die schluckt er mit einem Happs.«

Alle lachten, während Sonja Öttinger seufzte und »Leider!« murmelte.

»Es geht los«, sagte Karin. »Oscar-Nacht in Plutzerkogel!«

Sie deutete auf die provisorische Bühne, wo Jodokus und Waldemar bereitstanden und ihre Moderationskarten sortierten. Auf einem kleinen Tisch neben ihnen warteten etliche Klapotetz-Spieluhren in Gold, Silber und Bronze sowie ein unter einem Seidentuch verborgener Gegenstand darauf, an die Gewinner übereicht zu werden.

Unter lebhafter Anteilnahme des Publikums begann der Preisverleihungs-Marathon, bei dem Spieluhrtrophäen für den unregelmäßigsten Kursbesucher oder den eifrigsten Frühsportler überreicht wurden. Jede Übergabe wurde musikalisch durch Jovan Glantschnig und Chefinspektor Fuchshofer untermalt, die ihren Instrumenten mit sichtlichem Vergnügen jedes Mal einen schmetternden Tusch entlockten.

Arm in Arm standen die drei Gewinner des Schnurrwettbewerbs auf der Bühne und reckten strahlend ihre Preise in die Luft: Paul-Friedrich erhielt Bronze, Karsten Knöller Silber und Oliver Mieglitz Gold. Knöller war so gerührt, dass in seinen Augen Tränen schimmerten, während Mieglitz vor Stolz über seinen Sieg fast platzte.

»Ich gehe davon aus«, verkündete Waldemar über den Applaus hinweg, »dass jeder unserer Preisträger sich zu einer Runde hinreißen lässt. Josefa und Morris haben von der Alm etliche Flaschen Zirbenschnaps heruntergeschleppt.«

Zu aller Überraschung erklomm jetzt Ilsebill die Bühne und rief: »Halt! Moment! Wir sind noch nicht fertig! Wir Damen haben uns ebenfalls Gedanken gemacht und wollen einige Auszeichnungen vergeben!«

Unter tosendem Applaus nahm Karin eine Spieluhr für ihre gute Laune in allen Lebenslagen entgegen, die sie trotz ihres Krankenhausaufenthaltes nie verloren habe, wie es in der Laudatio hieß. Gleich danach wurde Waldemar Schultze in derselben Disziplin geehrt, da er wirklich jeden Menschen so sein lasse, wie er nun einmal sei, und dabei stets voraussetze, dass dieser auch gut sei.

Pippa verkniff sich einen Seitenblick auf Tonio von Pauritz, war damit aber die einzige Eingeweihte, die nicht zu ihm hinübersah.

»Und jetzt möchte ich Maxi Frühwirt zu mir auf die Bühne bitten. Und Sie, Herrn Knöller, ebenfalls«, sagte Ilsebill. »Karsten hatte die Idee mit den Souvenir-Klapotetzen, von denen Maxi und ganz Plutzerkogel mit Recht noch viel erwarten.«

Unter frenetischem Applaus stieg Maxi Frühwirt auf die Bühne. »Aloisia, ihr Mann und ich sind bereits in Produktion gegangen. Es gibt bisher drei verschiedene Versionen unserer Klapotetz-Spieluhren: eine mit *Fürstenfeld*, eine mit der Nationalhymne und die dritte mit dem österreichischen Siegertitel beim Eurovision Song Contest. Wir erwarten Großaufträge zu den Sommerfesten der Umgebung und hoffen außerdem, dass die Keltenmuseen die Spieluhren in ihr Verkaufssortiment aufnehmen. Aber Sie alle, liebe Anwesende, halten jetzt die Prototypen der neuen Attraktion unseres Kürbishügels in Händen. Und all das wurde nur möglich dank der großzügigen finanziellen Unterstützung unseres Ideengebers und Gönners Karsten Knöller!«

Während Fuchshofer und Glantschnig auf ihren Akkordeons *Fürstenfeld* anstimmten, wurde der widerstrebende Karsten Knöller unter den Hochrufen des Publikums von Maxi auf die Bühne gezogen und von ihr geküsst, was weitere Beifallsstürme auslöste und Knöller tief erröten ließ.

Mit erhobenen Händen bat Ilsebill um Ruhe. »Natürlich können wir Karsten Knöller für seine Idee nicht ein Exemplar seiner eigenen Idee überreichen. Deshalb haben wir uns für ihn etwas anderes ausgedacht.«

Sie nickte Karin zu, die mit einem Exemplar von *Stolz und Vorurteil* in der Hand vor der Bühne wartete und jetzt ebenfalls hinaufstieg. »Wir alle haben in den letzten zwei Wochen viel über einen gewissen Mr Darcy gelesen und gehört«, sagte Karin. »Diese Romanfigur gebärdet sich zunächst herablassend, abweisend und stolz, erweist sich aber später für alle als Segen und äußerst hilfreich. Lassen Sie mich aus dem Buch zitieren – und Sie werden verstehen.« Sie schlug das Buch auf und las: »*Sollen wir ihn fragen, wie es kommt, dass es einem jungen Mann von Verstand und Bildung, der obendrein noch in der Welt herumgekommen ist, nicht liegt, sich in Gegenwart von Fremden ungezwungen zu geben?*« Sie blickte ins Publikum. »Nein, denn nicht jeder besitzt ...« Sie hob wieder das Buch. »*... wie mancher andere die Fähigkeit, sich mit Leuten zwanglos zu unterhal-*

418

ten, die er vorher nie gesehen hat.« Karin klappte das Buch zu und schaute wieder ins andächtig lauschende Publikum. »Es schließlich doch zu tun, für andere da zu sein und nicht zu kneifen – das ist wahre Größe, finden wir. Die wahre Größe eines Mr Darcy.«

Ilsebill übernahm. »Deshalb bekommt Karsten Knöller jetzt von Maxi die Mister-Darcy-Medaille verliehen, die er später auch statt einer Blume für alle sichtbar am Revers tragen kann.«

Feierlich hängte Maxi ihm eine Kamee an einem Samtband um den Hals, die einen Scherenschnitt seines Profils zeigte.

Knöller verbeugte sich und rief: »Schilchersekt für alle!«

Die darauffolgende Reaktion des Publikums hätte mit Leichtigkeit den Preis für den lautesten Beifallssturm abgeräumt.

Wieder hob Ilsebill die Hand: »Ein wenig Geduld, Herrschaften! Es fehlt noch ein weiterer Preis. Ich bitte die Frau Direktor und Margit Unterweger zu mir auf die Bühne!«

Galant half Knöller beim Verlassen der Bühne den beiden Damen hinauf. Gertrude Schliefsteiner ging zum Trophäentisch und zog das Seidentuch vom letzten dort noch stehenden Gegenstand: Zum Vorschein kam die kleine, schwarzweiße Kuhkatze aus Aloisia Krois' Werkstatt.

»Jemand ist unter uns, für deren Hilfe und Einsatz wir uns noch nicht bedankt haben«, sagte Margit. Über die Köpfe des Publikums hinweg sah sie Pippa an und lächelte. »Dieser Kater ist für unsere Freundin Pippa Bolle, als Erinnerung an ihr steirisches Abenteuer. Pippa, kommst du bitte zu uns?«

Vor Freude über die unerwartete Anerkennung schlug Pippas Herz höher. »Der kriegt einen Ehrenplatz«, flüsterte sie Karin zu, bevor sie zur Bühne hinaufstieg und glücklich das Abbild Ottos entgegennahm.

»Weil der echte Kater für viel Verblüffung sorgte, kommt auch dieser mit einer Überraschung«, fuhr Margit fort. »Zu ihm gehört ein Gutschein für zwei Personen – für eine einwöchige Rundreise durch Schottland, inklusive Flugticket. Außerdem erwarten dich natürlich meine Tochter Anita und ihr Mann Duncan in ihrer Whiskybrennerei Wee Dram, um dich zu verwöhnen, so lange du willst.« Sie zwinkerte Pippa zu. »Nimm dir also ruhig ein bisschen Zeit.«

Über die Köpfe aller hinweg suchte Pippa den Blick von Morris, der Josefa am Ausschank zur Hand ging. Ohne dass jemand der anderen es bemerkte, warf er ihr eine Kusshand zu. Währenddessen gratulierten zu Pippas Erheiterung diejenigen, die die Wahrheit nicht kannten, Paul-Friedrich zum vermeintlichen Hauptgewinn, Urlaub in einer Whiskybrennerei machen zu können.

»Glück gehabt, alter Bursche«, sagte Fuchshofer zudem demonstrativ zu Paul-Friedrich, »ich hoffe, man erholt sich gut.«

Pippa wartete, bis der allgemeine Jubel abgeklungen war. »Sosehr ich mich freue – ich war es doch nicht alleine, die …«

»Papperlapapp!«, fiel Margit ihr rigoros ins Wort. »Du hast deine ursprünglichen Pläne umgeworfen, um uns zu helfen. Du hast unsere Probleme zu deinen gemacht. Du hast weder aufgegeben noch dich einschüchtern lassen. Nicht zuletzt deshalb haben die anderen mitgeholfen. Du hast alle zum Helfen animiert – bis das Rätsel gelöst war.«

»Und deshalb haben wir Karin gebeten, auch für dich ein passendes Zitat zu suchen«, fügte Gertrude Schliefsteiner hinzu.

Karin schlug das Buch auf und grinste. »Diesmal zitiere ich Miss Elisabeth Bennet, die Hauptperson des Buches, die über sich selbst sagt: *Ich bin ein Dickkopf, der sich nicht nach Belieben in Angst und Schrecken versetzen lässt. Mein Mut wächst mit jedem Versuch, mich einzuschüchtern.«*

Während alles applaudierte oder das Glas erhob, zog Margit Pippa in eine herzliche Umarmung und flüsterte ihr ins Ohr: »Und *darin*, meine Liebe, liegt des Katers Kern.«

Danksagung

Viele Jahre und fünf Bände lang hat unsere Agentin Margit Schönberger uns und unser Pippa-Universum mit solcher Hingabe betreut, dass die Idee, den sechsten Band in ihrem Heimatland spielen zu lassen, für uns auf der Hand lag. Eine Hommage an ihren österreichischen Mutterwitz und Ideenreichtum, an ihre Gelassenheit und Durchsetzungskraft sollte es werden, aber auch eine Verneigung vor ihrem diplomatischen Geschick und Dank für die liebevolle Betreuung, die uns täglich den Freiraum für das schafft, was wir wirklich tun wollen: *schreiben*.

Den Plan für dieses Buch mit der Idee für die Akademie Sinnenschmaus war schnell entworfen – aber wo sollten wir den kleinen, aber eben *fiktiven* Ort Plutzerkogel ansiedeln, in dem wir nach Herzenslust erpressen und morden durften, um einen formidablen Hintergrund für Pippas Haushüterdienste in Österreich zu haben? Wir beschlossen, all die Dinge als Kriterien zugrunde zu legen, die unserer Agentin und uns im wahren Leben entspannende Momente verschaffen: schmackhaftes Essen, verführerische Weine, eine pittoreske Landschaft, gastfreundliche Menschen – und unsere Vorliebe für Katzen. Nach intensiver Recherche quer durch österreichische Berge und Täler war schnell klar, dass wir damit leider keine wirksame Entscheidungsgrundlage gefunden hatten, denn die von uns gewählten Merkmale passen beneidenswerterweise zu sehr vielen Gegenden Österreichs.

Da kam uns der Zufall in Gestalt einer exzellenten Gäste-führerin aus Deutschlandsberg zu Hilfe, mit der wir in einem ganz anderen Land, an einem ganz anderen Ort und zu ganz anderer Gelegenheit zusammentrafen. Mit ihrem Enthusiasmus und dem Schwärmen über Deutschlandsberg und Umgebung bezauberte sie uns so sehr, dass unsere Recherchereisen nirgendwo anders mehr hinführen konnten als ins Tor zur Weststeiermark, das uns mittlerweile wie ein Schlaraffenland erscheint: Schilcher, Kürbiskernöl, Ausflugslokale und Buschenschänken mit ausgelassener Stimmung und bester Bewirtung, Dörfer und Städtchen wie aus … unserem Roman. All das machte es uns leicht, dieser genussreichen Ecke der Welt genauso zu verfallen, wie wir unserer Agentin verfallen sind. So ist dieses Buch nicht nur tiefempfundener Dank an Margit Schönberger, sondern auch an alle, die uns in und um Deutschlandsberg mit offenen Armen empfangen, unsere Fragen beantwortet und bei allem geholfen haben. Mit ihrer gastfreundlichen Art sorgten sie dafür, dass es auf unserer persönlichen Pippa-Landkarte einen weiteren Ort gibt, an den wir immer wieder zurückkehren möchten.

Unser Dank geht

… zuallererst an Inge Halvi, die uns zum Forellenhof, zur Wolfgangikirche, zur Leopoldmühle, zu Schlössern und Gehöften, zum Stainzer Flascherlzug und zu vielen kulinarischen Highlights der Gegend führte, von denen nicht wenige als reale oder als Vorbild für ausgedachte Orte in unserer Geschichte landeten. Wir haben Stunden und Tage miteinander verbracht. Wenn wir jetzt das Wort »Gastfreundschaft« hören, verorten wir es zuallererst in Österreich und denken dabei an Dich, Inge.

... an Bettina Strejcek, ohne deren Expertise wir womöglich in einem anderen Teil Österreichs gelandet wären. Sicher genauso schön – aber schilcherfrei. Du hast unsere Aufmerksamkeit nicht nur auf die Weststeiermark gelenkt, sondern uns mit Inge und Oma auch zwei Fremdenführerinnen zur Seite gestellt, die ihre Welt zu unserer machten. Abende mit Dir, Bettina, ganz gleich, ob zwischen französischen oder steirischen Reben: ein bildungsreicher Segen.

... an Lydia aus dem Grubtal für die unvergesslichen Ausblicke ins Tal und die Einblicke in das Österreichische im Allgemeinen und das Steirische im Besonderen. Welch eine paradiesische Landschaft, welch leckerer Wein, welch ein Genuss, so zusammenzusitzen!

... an das Gästehaus Kleindienst: für die hervorragende Unterbringung mit Blick auf die erleuchtete Burg, den rauschenden Bach vor dem Fenster, die hervorragenden Tipps und den gemeinsamen Besuch auf der Sucha-Alm. Nix woa schiach! Ois woa supa!

... an Barbara Kienzer von der Sucha-Alm. Wir haben uns mehrere Almen angesehen, aber auf keine wollen und müssen wir so dringend zurück wie auf dieses Kleinod der Koralpe. Jausenbrettl, Eierschwammerln in Sahnesoße und Knödel, Zirben- und Marillenschnaps, weite Wiesen voller Blumen und ein Naturbadeteich – aber vor allem: Stille, absolut und inspirierend. Nicht nur Frau Direktor: Jeder braucht die Alm!

... an die Mitarbeiter der Burg Deutschlandsberg und ihr einladendes Museum. Alle sind mit Herz und Verstand dabei. Danke, dass Pippa sogar am Ruhetag in die Ausstellung durfte.

... an das Hallstadtmuseum in Groß-Klein, in dem wir lernten, wie vielfältig das keltische Leben in diesem Teil der Welt war. Wir durften fragen, fragen und fragen und bekamen immer geduldig und kenntnisreich Auskunft, auch über das Keltengehöft am Burgstallkogel und die Fürstengräber von Klein-Klein, wo wir uns Ideen holten, wie wir unsere Leiche am besten ablegen konnten.

... an den Tourismusverband Deutschlandsberg, besonders Frau Kramer. Wer ein Gebiet so überzeugend vertritt, der muss sich nicht wundern, wenn er »Stammkunden« gewinnt.

... an die Leopoldmühle. Die Führung war denkwürdig und das Verkosten der verschiedenen Kürbiskernöle eine Offenbarung. Kein Salat mehr ohne ... und auch kein Gläschen Sekt, das nicht einen winzigen Spritzer des braungelben Goldes verdient.

... an die Buchhandlung Leykam in Deutschlandsberg, die uns eine Szene in ihrer gutbestückten Bücherwelt erlaubte, in der wir selber ausgiebig stöbern gingen. Wir hoffen, Pippas sechstes Abenteuer zieht dauerhaft bei Ihnen ein und Sie haben Ihren Spaß damit. Genug Humor haben Deutschlandsberg und Ihre Buchhandlung ja schon bewiesen.

... an das Bekleidungsgeschäft Prassl in Deutschlandsberg, in dem wir nach Herzenslust recherchieren durften und in dem weder Ricarda Lehmann-Jauck noch wir am verführerischen Hutständer vorbeikamen.

... an die Schilcherei Jöbstl in Wernersdorf. Welch ein Tag, wenn man auf dieser Terrasse sitzt, über Weingärten schaut – und probieren darf, wie gut echter Rosé schmeckt. Funkelnder Schilcher im Glas – und wir wussten: Dieses Buch wird sich schreiben wie auf Schienen.

... an die Buschenschank Stöcklpeter und alle, die in und um sie herum dafür sorgten, dass Poldi Pommer ein Gesicht – und einen Gastgarten vor Rebhängen, Pardon, Weingärten, bekam.

... an die Buschenschank Jauck auf dem Hügel über Deutschlandsberg. Zum Schilcherberg-in-Flammen-Fest durften wir hier – endlich, endlich – zum ersten Mal dem Gesang der Klapotetzen lauschen: Sphärenmusik der ganz besonderen Art. Jeder zukünftige Besuch in dieser Gegend wird nach dem 25. Juli stattfinden, um bei Käfersalat und Bauernbrot wieder den Riesenklappern zuzuhören und später durch ihre windgetragene Melodie in den Schlaf zu gleiten.

... an die Konditorei Leitner in Frauental, wo wir uns der leckeren Pflicht unterzogen, alles über Beppo Sonnbichlers Tagwerk zu erfahren und vom Einspänner bis zur heißen Schokolade alles verkostet haben, was ein gutes Kaffeehaus zu bieten hat. Österreich, du hast es besser.

... an den Parfümeur George Goodman, vor dessen Parfümorgel wir die Zeit vergaßen. Die Namen Deiner Kreationen verzaubern, Deine Düfte schaffen Erinnerungen.

... an Sarah MacDonald, die sich nun schon zum zweiten Mal in unser reales und fiktives Leben und Schreiben hineinfotografiert hat. Autorenfotos machen zu lassen ist eine Sache. Ideen zu bekommen, wie aus harmlosen Fotos Mordmotive werden, noch eine ganz andere ...

... an Michael Heinssen, unseren privaten Konditionsinstrukteur. Recherche im Schweiße unseres Angesichts, aber immer begleitet von Deinem Enthusiasmus, Deinem Sachverstand und Deiner Engelsgeduld. So macht Sport Spaß – und wird sogar freiwillig fortgeführt.

... an unsere geduldigen Testleser, mit denen wir eine Gruppenreise zur Akademie Sinnenschmaus planen sollten, um sie einmal direkt zum Ort des Geschehens zu bringen, zu dessen Gelingen, Fehlerfreiheit und Logik sie erheblich beigetragen haben. Ein Hoch auf Mandy aus Bad Orb, Sabine aus Bötzingen, Christiane aus Osterode am Harz, Martina und Heike aus dem hohen Norden, Anke aus Mainz, Ole, Marion, Gerdi und Anett aus Wiesbaden (das Ehepaar Lamberti aus Eurer Stadt ist ein Dank für jahrelange Treue und Mühe), Karin und Beate aus Berlin, Claudia aus Edinburgh sowie Leila und Tanja von der Genussliga. Bleibt uns erhalten. Wir brauchen Euch.

... an die einfühlsamen Übersetzer von Jane Austens *Stolz und Vorurteil*, Ursula und Christian Grawe, die den Katzen und uns vergnügliche Lesestunden und beste Zitate lieferten. Wir verwendeten die bibliographisch ergänzte Version aus dem Jahr 2000 der ursprünglich 1977 bei Reclam erschienenen Ausgabe (Reclams Universal-Bibliothek Nr. 9871).

... unsere Lektorin Frau Kloth, die Vierte im Bunde unserer Katzenliebe, der wir mit Otto hoffentlich die Katze geschenkt haben, die sie sich selber ausgesucht hätte.

... Uta Rupprecht, unsere treue Sprach- und Schriftbegleiterin von der ersten Stunde bis heute. Wenn unsere Sätze rundlaufen, so ist das ihr Verdienst.

... auch hier noch einmal an Margit Schönberger – weil Du für uns Autorinnen der Anfang und das gute Ende bist.

Auerbach & Keller
Unter allen Beeten ist Ruh'

Ein Schrebergarten-Krimi
ISBN 978-3-548-61037-5

Pippa Bolle hat die Nase voll von ihrer verrückten Berliner Familien-WG und bietet ihre Dienste als Haushüterin in der beschaulichen Kleingartenkolonie auf der Insel Schreberwerder an. Das Paradies für jeden Großstädter! Bienen summen, Vögel zwitschern, das Havelwasser plätschert. Doch die Ruhe trügt: Nachbarn streiten sich um Grundstücke, ein Unternehmer träumt vom großen Coup. Und dann gibt es auch schon die erste Tote ...
Miss Marple war gestern: Jetzt ermittelt Pippa Bolle in ihrem ersten Fall!

List

Auerbach & Keller
Tote Fische beißen nicht

Ein neuer Fall für Pippa Bolle
ISBN 978-3-548-61089-4

Pippa Bolle wähnt sich im Glück: Sie soll in Südfrankreich die Renovierung eines Sommerhauses überwachen. In einem Anglerparadies bei Toulouse bezieht Pippa eine Ferienwohnung, die Pascal, Koch der Hôtellerie au Vent Fou, ihr unentgeltlich zur Verfügung stellt – nicht ohne Hintergedanken. Als dann auch noch der Berliner Anglerclub »Kiemenkerle e. V.« zum großen Wettangeln anreist, ist es mit der Ruhe vorbei: Denn plötzlich hängt kein Fisch am Haken, sondern eine Leiche. Und schon befindet sich Pippa, Detektivin wider Willen, in einem neuen Fall.

www.list-taschenbuch.de

List

Auerbach & Keller

Tote trinken keinen Whisky

Ein neuer Fall für Pippa Bolle

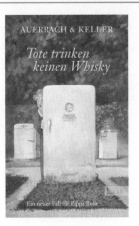

Kriminalroman.
Taschenbuch.
Auch als E-Book erhältlich.
www.list-taschenbuch.de

Eine Hochzeit, drei Todesfälle und Millionen Liter illegaler Whisky

Flüssiges Gold, Dudelsäcke und wilde Landschaften – darauf freut sich Pippa Bolle, als sie die Einladung ihrer Freunde Duncan und Anita zur Hochzeit auf die schottische Halbinsel Kintyre annimmt. Im Gepäck hat Pippa das perfekte Hochzeitsgeschenk: Sie hütet Duncans Whiskybrennerei während der Flitterwochen des Brautpaares – bis ihre romantischen Vorstellungen mit der Realität kollidieren und die Ereignisse so stürmisch werden wie das Novemberwetter. Zwischen Leichen und schottischen Flunkereien lernt Pippa viel über alte Bräuche und neue Freundschaften.